発表！ベストSF2022
［国内篇・海外篇］
SFマガジン編集部編
SFが読みたい！
2023年版
国内篇第1位 春暮康一 インタビュー
海外篇第1位 アンディ・ウィアー メッセージ
サブジャンル別ベスト10＆総括
【エッセイ】2023年のわたし
JN041616
早川書房

C O N T E N T S

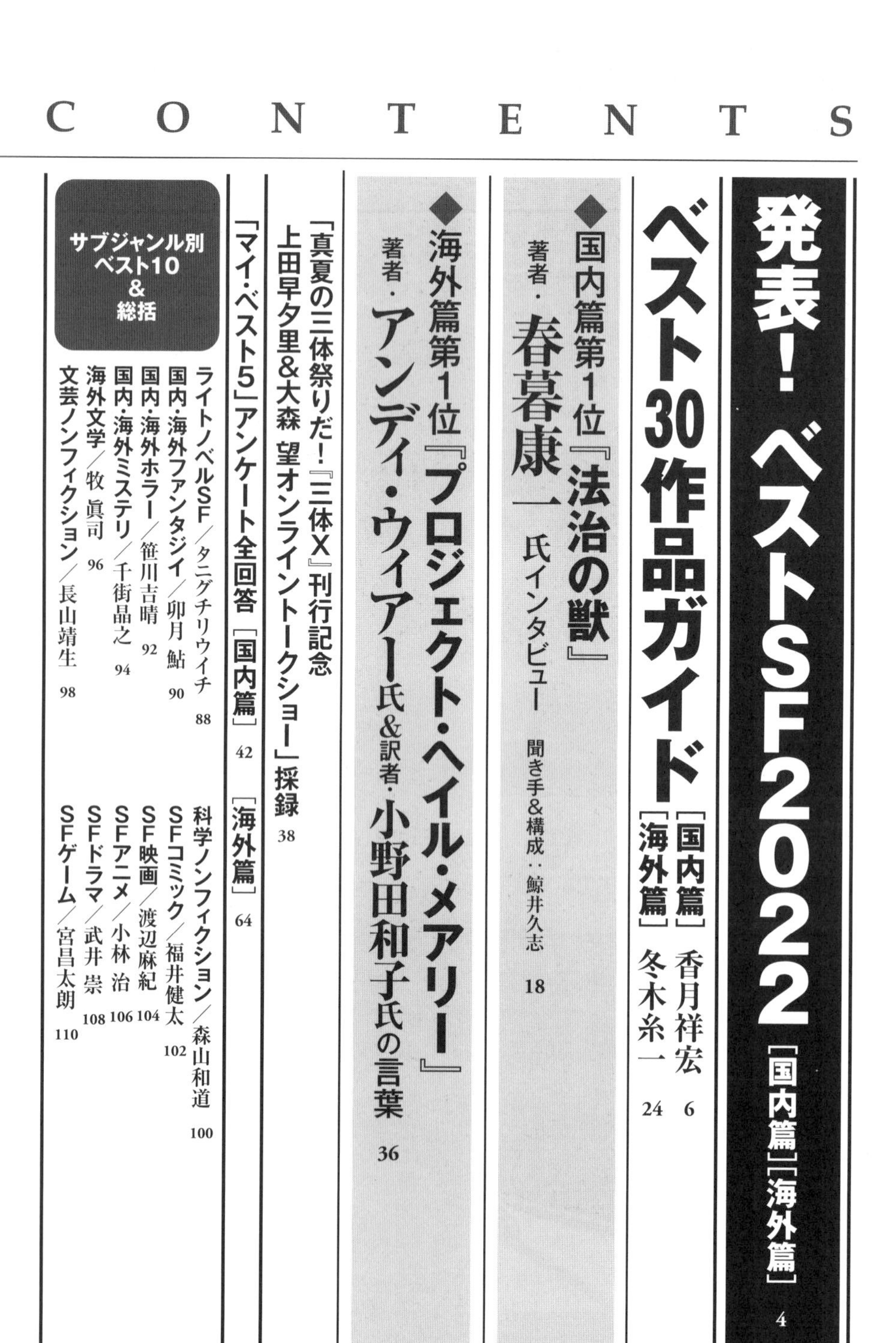

SFが読みたい！ 2023年版

表紙イラスト:今井哲也
表紙デザイン:岩郷重力+WONDER WORKZ。
本文デザイン:早川書房デザイン室+岩郷重力

発表！ベストSF2022
新世代作家のファーストコンタクトSFが栄冠に

BEST SF 2022【国内篇】

順位	作品	著者	出版社	点数
1	法治の獣	春暮康一	ハヤカワ文庫JA	213点
2	プロトコル・オブ・ヒューマニティ	長谷敏司	早川書房	199点
3	残月記	小田雅久仁	双葉社	176点
4	地図と拳	小川 哲	集英社	165点
5	新しい世界を生きるための14のSF	伴名 練=【編】	ハヤカワ文庫JA	132点
6	獣たちの海	上田早夕里	ハヤカワ文庫JA	125点
7	まず牛を球とします。	柞刈湯葉	河出書房新社	120点
8	旅書簡集　ゆきあってしあさって	高山羽根子, 西島伝法, 倉田タカシ	東京創元社	107点
9	ゴジラS.P〈シンギュラポイント〉	円城 塔	集英社	104点
10	アグレッサーズ　戦闘妖精・雪風	神林長平	早川書房	99点

対象作品●奥付が2021年11月1日から2022年10月31日までの新作SF（周辺書も含む）。

発表！ベストSF2022
アンディ・ウィアー新作が圧倒的人気の第1位へ
BEST SF 2022【海外篇】
1 549点 プロジェクト・ヘイル・メアリー（上・下）
アンディ・ウィアー／小野田和子＝【訳】 早川書房
2 248点 いずれすべては海の中に
サラ・ピンスカー／市田 泉＝【訳】 竹書房文庫
3 154点 円 劉慈欣短篇集
劉 慈欣／大森 望, 泊 功, 齊藤正高＝【訳】 早川書房
4 133点 異常（アノマリー）
エルヴェ・ル・テリエ／加藤かおり＝【訳】 早川書房
5 131点 血を分けた子ども
オクテイヴィア・E・バトラー／藤井 光＝【訳】 河出書房新社
6 124点 NSA（上・下）
アンドレアス・エシュバッハ／赤坂桃子＝【訳】 ハヤカワ文庫SF
7 122点 ロボットには尻尾がない 〈ギャロウェイ・ギャラガー〉シリーズ短篇集
ヘンリー・カットナー／山田順子＝【訳】 竹書房文庫
8 118点 ヨーロッパ・イン・オータム
デイヴ・ハッチンソン／内田昌之＝【訳】 竹書房文庫
9 117点 三体X 観想之宙（かんそうのそら）
宝樹／大森 望, 光吉さくら, ワン・チャイ＝【訳】 早川書房
10 111点 とうもろこし倉の幽霊
R・A・ラファティ／井上 央＝【編訳】 新☆ハヤカワ・SF・シリーズ
集計●「マイ・ベストSF」アンケート回答者（国内88名／海外98名）の国内篇・海外篇それぞれのベスト5を、1位10点、2位9点、3位8点、4位7点、5位6点で集計。順不同の場合には、1位から5位までに均等に8点ずつを与えた。

―国内篇―

ベスト30作品ガイド

香月祥宏

11 ｉｆの世界線　改変歴史ＳＦアンソロジー
79点　石川宗生，小川一水，斜線堂有紀，伴名 練，宮内悠介／講談社タイガ

12 神々の歩法
77点　宮澤伊織／創元日本ＳＦ叢書

13 ＳＦする思考　荒巻義雄評論集成
76点　荒巻義雄／小鳥遊書房

14 2084年のＳＦ
75点　日本ＳＦ作家クラブ＝【編】／ハヤカワ文庫ＪＡ

15 百年文通
63点　伴名 練／一迅社（電子書籍）

16 スター・シェイカー
61点　人間六度／早川書房

17 ＳＦマンガ傑作選
54点　福井健太＝【編】／創元ＳＦ文庫

18 いかに終わるか　山野浩一発掘小説集
51点　山野浩一／岡和田晃＝【編】／小鳥遊書房

19 爆発物処理班の遭遇したスピン
49点　佐藤 究／講談社

20 ループ・オブ・ザ・コード
46点　荻堂 顕／新潮社

21 ＡＩ法廷のハッカー弁護士
43点　竹田人造／早川書房

22 性差事変　平成のポップ・カルチャーとフェミニズム
41点　小谷真理／青土社

23 愚かな薔薇
39点　恩田 陸／徳間書店

24 ベストＳＦ 2022
35点　大森望＝【編】／竹書房文庫

25 大日本帝国の銀河（全５巻）
33点　林 譲治／ハヤカワ文庫ＪＡ

26 ＳＦアンソロジー　新月／朧木果樹園の軌跡
32点　井上彼方＝【編】／Kaguya Books

27 クロノス・ジョウンターの黎明
梶尾真治／徳間書店

サーキット・スイッチャー
31点　安野貴博／早川書房

29 ギークに銃はいらない
27点　斧田小夜／破滅派

30 ハヤカワ文庫ＪＡ総解説 1500
26点　早川書房編集部＝【編】／早川書房

2022年ベスト総括

BEST SF 2022 ―国内篇―

今年度の上位陣はかなりの接戦だった。一位と二位の差だけ見ても十五点と僅差だが、その後も十～二十点、時には数点差の中に複数の作品がひしめき合っている。

そんな熱戦を制して一位を獲得したのは、「オーラリメイカー」で第七回ハヤカワSFコンテスト優秀賞を受賞してデビューした春暮康一の第二中篇集『法治の獣』。前作『オーラリメイカー』の二十三位（二〇二〇年度）から、一気に順位を上げてきた。異星生物の生態をハードに描く作風は変わらないが、長所に磨きをかけつつファーストコンタクトに焦点を絞った作品をそろえたのが功を奏したのではないだろうか。

二位に入ったのは、長谷敏司の『プロトコル・オブ・ヒューマニティ』。AI義足を装着したダンサーを主人公に〝人間性〟を追究した作品で、ノンシリーズの長篇SFとしては『BEATLESS』以来十年ぶりの新作ということになる。

今年度は、ベストテンにこの〝～年ぶり〟が目立った年でもあった。三位の『残月記』は、小田雅久仁にとって『本にだって雄と雌があります』以来九年ぶりの単著。七位に入った上田早夕里『獣たちの海』は《オーシャンクロニクル・シリーズ》として九年ぶりの新刊。十位の神林長平『アグレッサーズ　戦闘妖精・雪風』も『アンブロークン　アロー』以来十三年ぶりのシリーズ第四作だ。いずれもファン待望の一冊だった。

昨年度まで吹き荒れていた短篇集・アンソロジー旋風も、まだまだ止む気配はない。ベストテン中四作が短篇集で、アンソロジーも五位の伴名練編『新しい世界を生きるための14のSF』をはじめ、十一位の『ifの世界線　改変歴史SFアンソロジー』、十四位の『2084年のSF』など依然として強い。その中で変化した点を挙げるなら、より新しい作家を起用したり、新しいレーベルから出たりしたものが評価されたのが、今年の大きな特徴のひとつだろう。

強力な短篇群に割って入った長篇では、やはり四位の小川哲『地図と拳』が注目作だ。満洲国にあり得たかもしれない架空都市の興亡を描いた改変歴史群像劇で、ジャンルを超えて話題になり、直木賞を受賞した。

また、いくつか例年と異なる変わり種もある。九位の円城塔『ゴジラS.P〈シンギュラポイント〉』は、ベストSFの常連でもある著者が、シリーズ構成・脚本・SF考証を務めたアニメのノベライズだ。と言っても、アニメのストーリーを追体験するタイプの作品ではなく、少し特殊な手法が採られている（詳しくは作品紹介欄にて）。もうひとつ、十七位の福井健太編『SFマンガ傑作選』も、珍しくコミックからのランクイン。創元SF文庫というレーベルの影響力に加えて、ツボを押さえたセレクトで編まれた〝SFアンソロジー〟としての評価も高かったと思われる。今後、アニメやコミック関連作の上位進出は増えてくるかもしれない。また、ノンフィクションが三冊入ったのも久しぶり。いずれも過去の重要な仕事を総括しつつ、現代から未来へとつなぐ著作だ。

ウェブでのSF短篇発表の場が広がっている点は昨年の総括でも指摘したが、今年度はその成果のひとつである井上彼方編『SFアンソロジー　新月／朧木果樹園の軌跡』が二十六位に登場した。同書の版元である新レーベル《Kaguya Books》からは、今後さらなるアンソロジーや長篇の刊行も予告されている。

以上、ファンタジイや特殊設定ミステリの佳作があまり入らなかったのは意外だったが、全体としてはバランスの良いランキングになった。そして先述の通り、アンソロジーの顔ぶれの新鮮さが今年の注目ポイントだ。今年度一位の春暮康一も『2084年のSF』に寄稿しているが、次の世代の上位候補たちが、すでに今年度のベストSFのどこかにいるかもしれない。この三十冊を読んでゆけば、日本SFに吹き始めている新しい風を、きっと感じることができるはずだ。

BEST SF 2022

第1位

法治の獣

春暮康一

ハヤカワ文庫JA

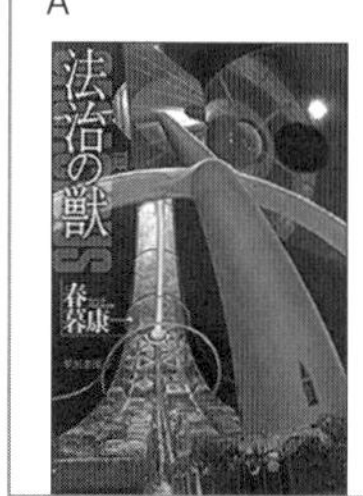

桁外れに高い強度で描く異星生物群の生態
ファーストコンタクトSFとしての理想形

「オーラリメイカー」で第七回ハヤカワSFコンテスト優秀賞を受賞した作者の第二中篇集。全篇が同じ未来史に属する三篇から成っている。

巻頭の「主観者」は、人類の探査チームと海洋惑星で発見された発光生物とのコンタクトを描く。異星生物の生態をめぐる科学的な考察とコンタクトに関わる倫理的な問題提起、両面から読み応えのある一作だ。

続く表題作に登場するのは、個として知性を持たないのに群れとしては法に従って生きる不思議な生態の生物。近隣のスペースコロニーでは、この厳格な法治社会を人間に適用する実験が行われていた。観察や干渉ではなく実践によるコンタクトという意外な設定から、二つの生物の差があぶり出される。

巻末の「方舟は荒野をわたる」で地球化事業を進める人類が遭遇するのは、膜の内部に多様な生物を抱えて惑星上を移動する方舟のような生命体だ。〈方舟〉との繊細なコンタクトを通じて、その特異な生態と人類が抱える葛藤が描かれる。

各篇とも異星生物群の生態を描く強度が桁外れに高く、接触を試みる人類サイドについての思索も深い。遠い未来を舞台に完全に異質な知性を創造し、そこから現在に通じる思考に導く。ファーストコンタクトSFの理想形と言っていいだろう。

BEST SF 2022

第2位

プロトコル・オブ・ヒューマニティ

長谷敏司

早川書房

AI義足での表現に苦闘する若きダンサーが
父の介護をめぐり人間性を揺さぶられていく

コンテンポラリーダンス界の新星として期待されていた護堂恒明は、バイク事故で右足を失ってしまう。失意の中、AI制御の最新義足を装着し再び舞台に立つことを目指すが、欠損を補おうとするAIの動きは必ずしもダンスにプラスには働かない。そして新たに所属したカンパニーでは、ロボットとの共演を提案される。人間らしい表現を一度失った不完全な自分が、ロボットと〝完全な共演〟などできるのか？　迷いながら進む恒明を、さらなる不幸が襲う。伝説のダンサーでもある父・森が、認知症を発症したのだ。AIと共生しながら人間性を取り戻そうと苦闘する恒明は、父を介護する中で人間性の喪失とも向き合うことになる。

『BEATLESS』以来十年ぶりとなる新作SF長篇は、作者の長年のテーマである〝人間性〟に、深く多面的に切り込んだ意欲作だ。人間性の再生、獲得、喪失……複数の要素が絡み合いながら同時進行してゆく。思うように踊れない恒明の苦悩や親の介護を容赦なく描いた中盤は重苦しいが、そこで積み重ねられた思考と経験が身体表現と溶け合って辿りつく終盤のダンスシーンは圧巻だ。

なお原型は「大橋可也&ダンサーズ」のための書き下ろし中篇で、同作をもとにしたダンスは現在YouTubeで視聴できる。

BEST SF 2022

第3位

残月記

小田雅久仁

双葉社

幻想と歴史改変、細やかな心理描写と詩情
月をモチーフにした著者九年ぶりの最新刊

『本にだって雄と雌があります』以来、九年ぶりとなる最新刊は、月をモチーフにした中短篇三本から成る作品集だ。

　中でも出色なのは表題作だろう。作中の世界では、月昂症（げっこうしょう）と呼ばれる致死率の高い伝染病が蔓延している。大災害を経て一党独裁体制となった日本では、感染者を徹底隔離する政策が取られていた。主人公の宇野冬芽（とうが）も病を発症して逮捕されるが、剣道の腕前を見込まれ剣闘士としてスウカトされる。参加するのは、独裁者を楽しませるための秘密の競技会だ。そこで生き残った者には、穏やかな余生が約束されるという。冬芽は、趣味の木工細工に刻んでいた〝残月〟の号を闘名（ファイトネーム）に戦うが……。設定は殺伐としているが、日本が独裁へ向かう歴史改変の手つきや登場人物の心理描写は実に細やかだ。さらに文学や木工、月昂者同士の切ない恋愛、月世界の幻想的な風景などを絡めて、独特の詩情を醸し出す。対象から適度な距離を取った語りも巧みで、残月の人生を鮮やかに追体験させてくれる。

　この他に、月の裏返りをきっかけに世界から弾き出された男「そして月がふりかえる」、不思議な石によって月世界の夢へ誘われる「月景石」の二作を収録。こちらも異様な状況に巻き込まれた人々を丁寧に描いた、読み応えのある幻想譚だ。

BEST SF 2022

第4位

地図と拳

小川 哲

集英社

二〇世紀前半の中国東北部、架空の都市
奔放な想像力をひとつの土地に注ぎ込む力作

マジックリアリズム的な要素やあり得たかもしれない都市計画が彩る改変歴史群像劇で、第一六八回直木賞を受賞した。主な舞台となるのは、二〇世紀前半の中国東北部。日露戦争、満洲国樹立、日中戦争と時代に翻弄された土地を、架空の都市を中心に描く。かつて李家鎮（リージャジェン）と呼ばれていた小さな町は、物語の力を操ってのし上がった男が切り拓き、孫悟空を名乗る男が発展させ、仙桃城（シエンタオチョン）という名を得た。満洲国の縮図とも言うべきこの地で、多彩な人物たちが己の思想・理想を都市に投影し交差する。全篇を通してフィクサー的な役割を果たす通訳・細川、地図の魅力に取り憑かれた気象学者・須野、その息子で人間温度計のような能力を持つ明男、孫悟空の娘で抗日運動家の孫丞琳（ソンチョンリン）……。多くの人物が〝地図〟上に各々の理想郷を現出させようと奮闘する。

　しかし背後には、暴力によって境界や計画を塗り替える〝拳〟の影もつきまとう。地図と拳の間で幻のように現れ消えた国家と、そこにあったかもしれない都市――奔放な想像力が過去の一点に注ぎ込まれた、濃厚な一冊だ。〈未来を予測することは、過去を知ることの鏡なのではないか〉とは作中の言葉だが、まさに本作はＩＦを絡めて過去を描きつつ、現在そして未来に響く力を持っている。

BEST SF 2022
第5位

新しい世界を生きるための14のSF

伴名練＝【編】

ハヤカワ文庫JA

伴名練が贈る新鋭作家縛りのアンソロジー
SFサブジャンル解説コラム付きの十四篇

百合SFや異常論文など近年話題の分野で実作を執筆する傍ら、アンソロジストとしても活躍する伴名練。これまでは埋もれた名作を発掘するような企画を多く手掛けてきたが、本書は一転、新鋭作家を中心としたアンソロジーだ。

全十四作を収録しており、衝突必至の状況に陥った二台の自動運転AIが下した判断を描く八島游舷「Final Anchors」、文明を発展させた熊を語り手に冬眠で記憶がつながってゆく独特な語り口の蜂本みさ「冬眠世代」、自己増殖するディスカウントショップに侵食される世界をサイバーパンク風に味つけした天沢時生「ショッピング・エクスプロージョン」など、目新しい顔ぶれが並ぶ。さらに、算術長屋を連ねた人力コンピュータが印象的な夜来風音の時代SF「大江戸しんぐらりてぃ」、佐伯真洋のAR卓球SF「青い瞳がきこえるうちは」といった創元SF短編賞最終候補作をはじめとして、同人誌やウェブ掲載作からの採録も多い。

そんな新鮮な収録作と並ぶもうひとつの読みどころが、各作品の後につけられた編者によるSFサブジャンル紹介コラムだ。AI、異星生物、改変歴史など、収録作とリンクするテーマの関連作が近作を中心に列挙されており、最新のSF読書ガイドとしても機能する。

BEST SF 2022
第6位

獣たちの海

上田早夕里

ハヤカワ文庫JA

四篇全てが書き下ろし、読み応え抜群の
《オーシャンクロニクル・シリーズ》最新刊

大規模な海面上昇のため陸地の大部分が水没した地球が舞台の《オーシャンクロニクル・シリーズ》は『華竜の宮』『深紅の碑文』の二大長篇を中心にベストSFでも高い評価を受けてきた。その最新刊は、四篇全てが書き下ろしの中短篇集だ。

本書では、海面上昇に際して海上に住むことを選択した人々に主な焦点が当たる。海上民は出産の際に人の子とともに魚舟(うおぶね)という生物を産む。魚舟は海に放たれ、やがて成長して帰還、ともに産まれた子と契りを結び朋(ほう)となる。巻頭の「迷舟(まよいぶね)」は、船団からはぐれた魚舟と朋を得られないまま大人になった海上民という、会うべき存在と会えなかった者同士の交流が胸を打つ。続く表題作は魚舟の視点からその成長を描き、異色作ながら生命力にあふれる。「老人と人魚」は、死期を悟った海上民の老医師が次世代海棲種族として生み出された〈ルーシィ〉と出会う物語。『華竜の宮』ともつながる、潔く安らかな一篇だ。最後の中篇「カレイドスコープ・キッス」では、幼くして海上都市に移住した海上民の娘が海と陸の橋渡し役として奮闘する。なかでも海上民の若き女長との交渉は難航するが……。異質なものの間に関係が築かれる過程は、長篇並みの読み応えだ。巻末には、シリーズ作品の一覧や用語集もついている。

BEST SF 2022

第7位

まず牛を球とします。

作刈湯葉

河出書房新社

軽妙な文体と意外な展開で繰り出される強烈なアイデアとスマートさが特徴の短篇集

ウェブ発のデビュー作『横浜駅SF』で注目を集め、その後も順調にキャリアを重ねている著者の第二短篇集。全十四篇を収録している。

表題作は、物理学者が複雑な現象を単純化しがちなことを喩えた理系ジョークを、文字通り牛に適用したバイオテクノロジーSFだ。培養液の中に浮かぶ牛球が生まれた社会背景や製法解説に惹かれて読み進めるうちに意外な設定が明かされ、生命倫理をめぐる問いかけに導かれてゆく。「令和二年の箱男」は、VTuberに興味を持った男が、直方体の〝バーチャル箱男〟として活動を開始。やがて実際にダンボールをかぶって外出し……。コロナ禍やネットの反応など、現代ならではの要素を加えた「箱男」令和版だ。「沈黙のリトルボーイ」では、広島に投下された原爆が不発弾となり、産業奨励館に刺さっている。それを処理するため戦後に現地入りしたアメリカ人物理学者を描き、異色の改変歴史/量子論SFとして読み応えがある。

どの収録作も、タイトルの時点で示唆されるアイデアがまず強烈。しかしその発想を転がすだけでなく、軽妙な文体と意外な展開を駆使してすかさず二の矢三の矢を打ち込んでくる。ネット出身の書き手らしいスマートさが特徴の、良質な現代SF短篇集だ。

BEST SF 2022

第8位

旅書簡集

ゆきあってしあさって

高山羽根子、酉島伝法、倉田タカシ

東京創元社

三人の作家がそれぞれ旅して手紙を送り合う不思議で愉快な旅情あふれる架空幻想旅行記

三人の作家がそれぞれの旅先から投函した手紙のやりとりから成る、不思議で愉快な架空幻想旅行記である。互いに影響しながら舞台や話題に制限がかかるリレー小説や往復書簡と違い、三人が好きに旅して手紙を送り合う。想像力の飛躍が重なり、結果的にゆるくつながってゆく感じが楽しい。

酉島伝法は、膝まで泥水に浸かった町を訪れ、ホテルに宿泊するはずがなぜか建設現場で働かされたり、さらに呪物工場に送られて〝軟禁虫(なんきんむし)〟に血を吸われたり、なかなか酷い目に遭っている。高山羽根子は、終わったはずの戦争が続いている(ことになっている)島で謎生物のBBQ弁当を食べ、客の年齢でフロアが分けられた商業施設で買い物をする。倉田タカシは、自然災害のように外出禁止令が〝発生〟する国でなかなかタクシーから降りられない。他にもさまざまな街を旅したのち、最後は場所を決めて全員で待ち合わせようとするが……。

手紙に登場する人物や景色のスケッチ、各地の絵葉書、造形物(呪物、粘土細工など)の写真も多数掲載されており、これまた三者三様の味がある。コロナ禍による制限で忘れてしまいそうになっている、見知らぬ土地への気ままな旅が持つ独特の旅情を、読書を通じて味わうことができる一冊だ。

BEST SF 2022

第9位

ゴジラS．P〈シンギュラポイント〉

円城 塔

集英社

円城塔が参加したテレビアニメのノベライズ 小説ならではの手法で語り直していく異色作

二〇三〇年夏、千葉県逃尾（にがしお）市の海は砂のようなもので紅く染まっていた。不穏な空気の中、空から巨大な鳥が飛来する。のちに「ラドン」と命名される怪鳥は、地元工務店オオタキファクトリー製のロボット・ジェットジャガーと乱闘を繰り広げ、突然死を遂げるが……。

作者がシリーズ構成・脚本・SF考証を務めたテレビアニメのノベライズで、この通りアニメ一～二話の展開をなぞる形で始まる。しかし視点に特徴があり、人工知能ナラタケから枝分かれしたJJ／PPなる存在を全体の語り手に、時にゴジラなどの怪獣や脇役たちの視点も交えつつ、アニメでは描かれなかった部分を丁寧に埋めてゆく。アニメの主役たちは背景に引き、例えば冒頭の場面はほとんどラドン視点で描かれる。スペクタクルの裏側で走っていた論理を解きほぐし（ているように見えるが煙に巻かれている部分もたぶんある）、同じ物語を小説ならではの手法で全面的に語り直した異色の作品だ。ゴジラという存在をこの世界に出現させるための、一種の思考実験小説としても読めるだろう。

作品全体の鍵を握る物質「アーキタイプ」の元ネタになったアシモフのチオチモリンやヴォネガットのアイスナインについて、きちんと言及されるのもSFファンにはうれしい。

BEST SF 2022

第10位

アグレッサーズ 戦闘妖精・雪風

神林長平

早川書房

人気シリーズ第四部にして十三年ぶりの新刊 新局面に入る戦場、現れる新たなパイロット

惑星フェアリイを舞台に人類と異星体ジャムの戦いを描いたシリーズの第四部にして、実に十三年ぶりとなる最新刊。

フェアリイ空軍特殊戦のクーリィ准将は、新たな戦いに備えて独自の策を実行する。それは〝ジャムになりきる〟アグレッサー部隊の新設だった。模擬戦で味方に戦い方を教えるのはもちろん、ジャムが人間のにせものを送り込んできたように、ジャムを演じて敵を誘き寄せ、その懐に飛び込むことまでを意図した奇策である。そんな新局面に入りつつある戦場に、新たなパイロットとして日本空軍のエース・田村伊歩（いぶ）大尉が送り込まれる。暴力を偏愛する問題児でもあった彼女には、本人も知らないジャムに対するある特殊な能力が備わっていた。

伊歩が駆る最新鋭機・飛燕や仮想ジャムをつとめる雪風が参加する空中戦が、本書最大のクライマックスだ。暴力の化身vs戦闘妖精の激烈な戦いが繰り広げられるのかと思いきや、状況は刻一刻と変化。機体だけでなく言葉や意味までが絡みもつれ合う、シリーズならではのドッグファイトが堪能できる。

緊張感あふれる戦いの後、休日を過ごす登場人物たちの意外な一面が垣間見える終章も読みどころ。直接の続篇となる第五部は、現在〈SFマガジン〉で連載中だ。

BEST SF 2022 第11位

ifの世界線　改変歴史SFアンソロジー

石川宗生、小川一水、斜線堂有紀、伴名練、宮内悠介

講談社タイガ

活況のSFアンソロジー界　歴史改変テーマで贈る五篇

〈小説現代〉の特集をもとに編まれた、さまざまな〝ifの世界〟を扱ったアンソロジーで全五篇を収録している。ひと足早くネット社会が到来した日本での〝炎上〟事件を描いた宮内悠介「パニック――一九六五年のSNS」、歌合で和歌に詠訳（＝英訳）の添付が必須とされていた平安時代が舞台の斜線堂有紀「一一六二年のlovin' life」、加速宇宙連続試行型シミュレーション内でジャンヌ・ダルクが何度も人生をループさせられる伴名練「二〇〇〇一周目のジャンヌ」など、さまざまなタイプの改変ものが並ぶ。この他に、石川宗生、小川一水も寄稿しており、SF専門誌かと見紛うようなラインナップだ。内容はもちろん、パッケージの面からも、活況を呈するSFアンソロジー・シーンを象徴するような一冊になっている。

BEST SF 2022 第12位

神々の歩法

宮澤伊織

創元日本SF叢書

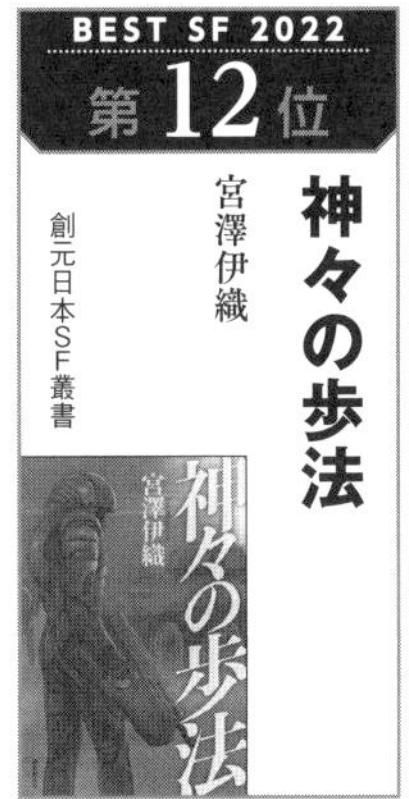

異星知性体と共闘する米軍　創元SF短編賞発の連作集

魚座での超新星爆発が原因で、多数の高次元知性体が破壊衝動に侵されたまま地球に流れ着いた。人間と融合して破壊の限りを尽くす〝憑依体〟を止めるため、米軍の特殊サイボーグ部隊が投入されるが歯が立たない。そこに現れたのは、同じく高次元知性体〈船長〉をその身に宿しながら正気を保っているチェコ人の少女ニーナだった。精神的にはまだ八歳のニーナは、特殊部隊のサポートを受けつつ、高次元エネルギーを引き出す特殊な〈歩法〉を駆使して、各地に現れる憑依体と戦ってゆく。

異星の知性体が地球人に寄生／憑依して戦うSFは枚挙に暇がないが、第六回創元SF短編賞受賞作を表題作とする本書もまた、その伝統に連なる。一話完結の全四話から成り、とくにさまざまな現実改変攻撃を仕掛けてくる敵と戦う最終話は圧巻だ。

BEST SF 2022 第13位

SFする思考　荒巻義雄評論集成

荒巻義雄

小鳥遊書房

五十年にわたる思考の軌跡　日本SF史とも重なる大著

著者が約五十年にわたって思考し続けてきた軌跡をたどる、質量ともに重厚な評論集。二段組で八〇〇ページを超える大著だ。第一部では、著者が現代思想や学問をいかに咀嚼し、SF創作や批評に生かしてきたかが縦横無尽に語られる。その旺盛な知識欲と博覧強記ぶりが凄まじい。書評と作家論を収めた第二・三部は言わばその実践篇だ。雑記帳と題された第四部には言語学や美術などさらに広範囲に及ぶ論考、第五部には同人誌時代の原稿も収める。多くの第一世代作家たちと関わりを持ち、創作と理論構築を両輪として回し続けてきた当事者による日本SF史としてもおもしろい。

著者は昨年八十九歳で超古代史伝奇ロマン三部作の完結篇『出雲國　国譲りの謎』（小鳥遊書房）も刊行、作家としても生涯現役を貫いている。

BEST SF 2022

第14位

2084年のSF

日本SF作家クラブ＝【編】

ハヤカワ文庫JA

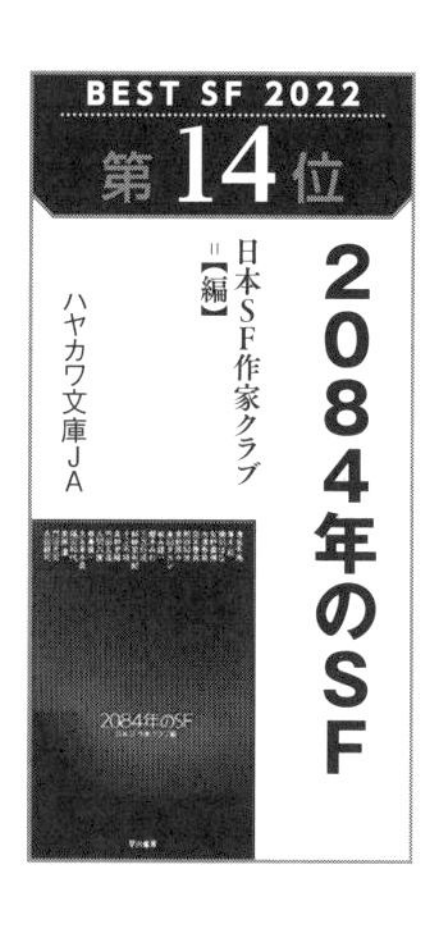

共通した時代設定を軸に未来を描いたアンソロジー

『ポストコロナのSF』に続く、SF作家クラブ編の書き下ろしアンソロジー第二弾。感情をコントロールする脳内チップが普及した未来が舞台の門田充宏「情動の棺」、起きたまま睡眠を取る〝無眠社会〟に適応できない若者を描く逢坂冬馬「目覚めよ、眠れ」、拍動(ビート)が禁止された社会への抵抗をボウイの歌詞の引用と特異な文体で読ませる空木春宵「R__R__」、上映から百年経った映画は永遠に葬られるという斜線堂有紀「BTTF葬送」など、〝『一九八四年』から百年後〟をテーマに、若手・中堅作家の作品を中心に全二十三作を収録している。現在から約六〇年後という共通した時代設定の中で、どこに力点を置いた未来像を描くかに作家の個性が見えておもしろい。現代日本SFを概観するショーケースとしても読み応え十分だ。

BEST SF 2022

第15位

百年文通

伴名練

一迅社（電子書籍）

漫画雑誌の表紙で連載の時を超えた文通百合SF

小櫛一琉(こぐしいちる)は、モデルとしても活動する中学三年生。あるとき撮影で訪れた洋館の机の引き出しに、一通の手紙を見つける。かろうじて読めたのは、末尾に記された「大正六年十月七日　日向静(ひなたしず)」の文字だけだった。しかし手紙を戻して引き出しを開閉すると、そこに一言だけを記した一筆箋が新たに出現する――《誰ですか？》。どうやらこの引き出しは、大正時代と現代をつないでいるらしい。その日から、一琉と静の時を超えた文通が始まった……。

漫画誌〈コミック百合姫〉の表紙連載という異例の形で発表された中篇を、電子書籍としてまとめたもの。設定は王道の百合SFだが、現在と百年前でなければ成立しない仕掛けが施されているのが心憎い。紙の本では、大森望編『ベストSF2022』（竹書房文庫）に収録されている。

BEST SF 2022

第16位

スター・シェイカー

人間六度

早川書房

SFコンテスト大賞受賞の瞬間移動アクションSF

二十一世紀前半、人類は本来持っていた瞬間移動能力を覚醒させ、世界は本格的な〈テレポータリゼーション〉社会を迎えていた。主人公の赤川勇虎(あかがわいさとら)は、事故の後遺症でテレポート能を失った青年だ。彼が成り行きで助けた少女ナクサは、世界的にも珍しい垂直方向への長距離テレポート能力者で、力を悪用しようとする者たちから逃げてきたのだというが……。

第九回ハヤカワSFコンテスト大賞受賞作。王道のボーイ・ミーツ・ガールに始まる逃避行だが、変貌を遂げた社会を背景に、あえて車移動にこだわる人々を巻き込んだカー・アクション、瞬間移動能力を一撃必殺の達人技として使う異能バトルなど惜しげもなくアイデアを投入、最後には宇宙の存亡に関わるスケールまで突き抜ける。荒削りだが疾走感のある意欲作だ。

王道から変化球まで歴史を押さえた十四作

一九七〇年代の作品を中心に、SFマンガの傑作を集めたアンソロジー。手塚治虫「アトムの最後」、萩尾望都「あそび玉」、諸星大二郎「生物都市」、佐藤史生「金星樹」など王道の名作から、筒井康隆のマンガ「急流」といった変化球、佐々木淳子「リディアの住む時に…」のような入手困難になっていた作品まで、限られた紙面の中で重要な作家やテーマを押さえた全十四作を収録している。巻末に付された編者による「SFマンガ史概説」も、膨大な蓄積のある分野の幹となる部分をわかりやすく示した、簡にして要を得た解説だ。新旧どちらの世代の読者にもおすすめできる。

BEST SF 2022
第18位
いかに終わるか
山野浩一発掘小説集
山野浩一
岡和田晃＝【編】
小鳥遊書房

思弁小説の第一人者の独自性を掘り起こす

日本における思弁小説の第一人者である著者の短篇から、単行本未収録作を中心に掘り起こした作品集。死へと向かう空気が蔓延する地球を宇宙飛行士の視点から描いた「死滅世代」、謎の青い列車の正体を鉄道マニアたちが追う「ブルー・トレイン」、エッシャーの絵画を題材にしたショートショート連作など、現在でも読み応えのある六〇～七〇年代の作品が並ぶ。巻末の編者解説も含めて、日本SF史における山野作品の独自性と重要性を改めて確認させてくれる一冊だ。なお入手困難となっていた著者の長篇『花と機械とゲシタルト』も、昨年末に小鳥遊書房から復刊された。

BEST SF 2022
第19位
爆発物処理班の遭遇したスピン
佐藤究
講談社

量子論サスペンスなどバラエティ豊かな短篇集

昨年『テスカトリポカ』がジャンルを超えて話題になった作者の短篇集。全八篇から成るが、中でも注目は表題作だろう。鹿児島市の小学校で不審物が爆発し、続いて同市内のホテルと沖縄米軍基地でも爆発物が絡む事件が発生、犯行声明によると両者の起爆には〝EPRペア〟〝量子エンタングルメント〟が関わっているらしいが……という、言わば量子論サスペンスだ。独創的なクリーチャーデザインで評価を得ていた男の秘密が暴かれる「ジェリーウォーカー」も、怪物ものとしておもしろい。その他に江戸川乱歩や夢野久作オマージュも収録する、バラエティ豊かな短篇集だ。

BEST SF 2022
第20位
ループ・オブ・ザ・コード
荻堂顕
新潮社

ある病と事件をめぐる近未来SFサスペンス

異世界×ハードボイルドの異色作『擬傷の鳥はつかまらない』でデビューした著者の第二作。歴史も文化も抹消された国家で謎の病が発生した。調査のために、世界的疫病禍を経てWHOが再編された組織・世界生存機構（WHE）に属するアルフォンソは感染者からの聞き取りを開始する。しかしその最中、ある科学者の拉致事件が発生し、そちらの捜査にも関わることになり……。世界から抹消されたはずの土地によどむ澱が病の設定と絡んで徐々に浮上し、中盤以降は反出生主義・優生思想の問題にも踏み込んでゆく。容易に答えの出ない問いにSF設定を生かして迫る近未来サスペンスだ。

BEST SF 2022 第21位

AI法廷のハッカー弁護士

竹田人造
早川書房

システムの穴を突いてAI裁判官から勝訴を勝ち取るハッカー弁護士が活躍する、近未来法廷SF。キャラが立っていてテンポは軽妙だが、設定を支える技術的背景やAI裁判が抱える社会的な問題を扱う際のハードな手つきも魅力的だ。

BEST SF 2022 第22位

性差事変 平成のポップ・カルチャーとフェミニズム

小谷真理
青土社

フェミニズムの観点からポップ・カルチャーを論じてきた著者の九〇年代後半〜の仕事をまとめた論集。現場での体験から生まれた論考がとくに興味深く、プリンスとディレイニーを接続する「マルチプレックス・ポエトリー」など刺激的。

BEST SF 2022 第23位

愚かな薔薇

恩田 陸
徳間書店

掲載誌を変えながら十四年にわたって連載されていた吸血鬼×青春SF長篇。変容を迫られる少年少女の不安定な感情を巧みに描き出す。吸血鬼の妖しく美しいイメージに、SF的な存在としての意味を付与する著者ならではの吸血鬼譚だ。

BEST SF 2022 第24位

ベストSF2022

大森望＝【編】
竹書房文庫

三年目に突入した年刊SF傑作選。円城塔、西島伝法らの常連組に加えて、高木ケイ、吉羽善、十三不塔の同人誌掲載作も収録する。巻末には、編者による「二〇二一年の日本SF概況」と「二〇二一年度短編SF推薦作リスト」つき。

BEST SF 2022 第25位

大日本帝国の銀河（全5巻）

林 譲治
ハヤカワ文庫JA

一九四〇年代の日本に火星太郎を自称する男が現れる。そこから知的レベルが隔たる種族間の困難なコンタクトが始まり……。海外の最新ミリタリーSFとも呼応する文明批評を、架空戦記の蓄積の上で繰り広げるコンタクトSFの秀作。

BEST SF 2022 第26位

SFアンソロジー 新月／朧木果樹園の軌跡

井上彼方＝【編】
Kaguya Books

活況を呈するSFアンソロジー・シーンの中でも、とくに新鮮な顔ぶれがそろう。二〇二〇年に始まったオンラインの公募賞〈かぐやSFコンテスト〉の受賞者・最終候補者を中心に二十五人が寄稿、新たな時代の幕開けを告げる一冊だ。

BEST SF 2022 第27位

クロノス・ジョウンターの黎明

梶尾真治
徳間書店

舞台化もされた時間SFシリーズに連なる初めての長篇。タイトル通り〝物質過去放出機〟クロノス・ジョウンター完成までの物語だ。王道の時間SFだが、過去に遡ったぶん反動で未来に飛ばされるという時の流れの捉え方がおもしろい。

BEST SF 2022 第27位

サーキット・スイッチャー

安野貴博
早川書房

第九回ハヤカワSFコンテスト優秀賞受賞作。自動運転技術が浸透した近未来、首都高を一台の車が暴走し始める。しかも車は自爆プログラムを仕掛けられており……。技術的ディテールが力強く支えるノンストップ・テクノスリラーだ。

BEST SF 2022 第29位

ギークに銃はいらない

斧田小夜
破滅派

創元SF短編賞優秀賞などの実績を持つ著者の初単行本。ナード高校生二人組を主人公にしたテック小説の表題作、過酷な森林環境の世界で定められた代替わりの儀式に潜む秘密を描く文化人類学SF連作など、全四篇を収録する。

BEST SF 2022 第30位

ハヤカワ文庫JA総解説1500

早川書房編集部＝【編】
早川書房

ハヤカワ文庫JA一五〇〇番までの全作品を、一三八人の作家や評論家がレビューしたガイドブック。内容はもちろん、書籍のカバー画像（巻頭にはカラーで収録）を眺めるだけでも楽しい。懐かしむも良し、次に読む本を探すも良し。

ランク外の注目作

BEST SF 2022 ――国内篇――

今年もまずはアンソロジーの注目作から。『**Genesis　この光が落ちないように**』は、八島游舷の仏教スペオペ「応信せよ尊勝寺」、菊石まれほによる表題作、第十三回創元SF短編賞正賞を受賞した笹原千波の繊細な佳作「風になるにはまだ」など、全作書き下ろしの六篇を収める。なお《Genesis》シリーズは本書で単行本版を終了し、文芸誌〈紙魚の手帖〉に合流するとのこと。

大森望編『**ベストSF2021**』（竹書房文庫）は、刊行が遅れて実は今年度の対象作になっていた。円城塔、作刈湯葉、牧野修、藤野可織、堀晃らの全十一篇を収録。ランクインした『2022』とあわせて読むと二年分の精華を一気に味わえる。

長篇では、ベテラン佐々木譲が活躍中。日露戦争で日本が敗れた世界を描く改変歴史警察小説の第二弾『**偽装同盟**』（集英社）と、内戦状態に陥った近未来日本を舞台にした『**裂けた明日**』（新潮社）の二作を刊行。SF的な設定を上手く使い、サスペンスの中に現代日本への問題意識を溶かし込む。

熊谷達也は『**孤立宇宙**』（講談社）で本格SFに初挑戦。小惑星衝突にシンギュラリティ、意識アップロードに地球脱出船と、SFガジェットがこれでもかと詰め込まれ、むしろ懐かしいテイストを醸し出す。

藤井太洋『**第二開国**』（KADOKAWA）は、過疎に悩む奄美の港町に超巨大クルーズ船が寄港し、ある計画が持ち上がる至近未来小説。土地の風土に根差した物語が、日本全体が直面し得る課題へつながってゆく。

その他、君嶋彼方の現代的な超能力×青春小説『**夜がうたた寝してる間に**』（KADOKAWA）、胎児の同意を得て出産することが法制化された近未来を描く李琴峰『**生を祝う**』、SF的な飛躍はないが極上の知的興奮を呼び起こす小川哲『**君のクイズ**』（ともに朝日新聞出版）なども見逃せない。

山口優『**星霊の艦隊（全3巻）**』（ハヤカワ文庫JA）は、人類が〈星霊〉と呼ばれるAIとともに戦うスペースオペラ。人と星霊の関係は国家によって違いがあり、戦いの中から知性をめぐるハードな問いが浮かび上がる。AI周りの考察や宇宙での艦隊戦を背後から支える設定も分厚い。

進行中のシリーズものでは、大柄おっとり女子テラと小柄突貫娘ダイのコンビが活躍する小川一水の冒険SF『**ツインスター・サイクロン・ランナウェイ2**』、ついに因縁の相手との直接対決が描かれる宮澤伊織のSFホラー『**裏世界ピクニック7　月の葬送**』、佳境の第三部に突入した冲方丁『**マルドゥック・アノニマス7**』（以上ハヤカワ文庫JA）と、人気作が順調に巻を重ねた。

林譲治は『**工作艦明石の孤独1・2**』（ハヤカワ文庫JA）で地球から突然孤立してしまった植民星系が舞台の新シリーズを開始、『**不可視の網**』（光文社文庫）ではアクチュアルな近未来監視社会ミステリを上梓した。

日下三蔵による日本SF短篇の掘り起こしも、忘れてはいけない仕事だろう。新井素子『**影絵の街にて**』、草上仁『**大人になる時**』、眉村卓『**仕事ください**』（以上竹書房文庫）など、今年も多くの編集を手がけた。

幻想小説の分野で注目したいのは川野芽生。『**無垢なる花たちのためのユートピア**』（東京創元社）、『**月面文字翻刻一例**』（書肆侃侃房）の二冊を出しており、幻想的な世界を構築する繊細な手つきと、世界のひび割れから現実を撃つ烈しさを併せ持つ。

その他、高原英理『**日々のきのこ**』、藤原無雨『**その午後、巨匠たちは、**』（以上河出書房新社）、一條次郎『**チェレンコフの祈り**』（新潮社）、大濱普美子『**陽だまりの果て**』（国書刊行会）、吉村萬壱『**CF**』（徳間書店）なども、奇想・幻想小説の収穫として挙げておきたい。

国内篇第1位『法治の獣』

春暮康一氏インタビュー

聞き手＆構成◎鯨井久志

はるくれ・こういち
1985年生まれ。山梨県甲府市出身。山梨大学大学院物質・生命工学専攻修士課程修了。現在メーカー勤務のエンジニア。2019年、「オーラリメイカー」で第7回ハヤカワＳＦコンテスト優秀賞を受賞し、同名単行本（早川書房刊）にてデビュー。

■ＳＦとの出会い

――『ＳＦが読みたい！』国内篇1位おめでとうございます。まずは率直なお気持ちをお聞かせください。

春暮　今から一週間ほど前に担当編集の方からご連絡をいただいたんですが、純粋に驚きの気持ちが強かったですね。というのも、私はデビューしてからずっと仕事で中国にいるのですが、新型コロナウイルスの影響で三年間帰国できずにいたので、自分の作品が日本でどのように評価されているかよくわからないところがあったからです。私の小説は一般受けしないというか、コアなＳＦ読みの方に評価いただければいいなと思っていたので、今回ＳＦ関係者の方に評価していただけたというのはとても嬉しいですね。

――今も中国にお住まいなんですね。

春暮　ちょうどハヤカワＳＦコンテストを受賞したのと同時期に、会社から赴任の話が来まして。デビューしてからはずっと中国にいる状態です。

――二〇一九年に第七回ハヤカワＳＦコンテスト優秀賞を『オーラリメイカー』で受賞されてから、意外なことに、これまでインタビューなど受けられたことがないとお聞きしました。ですので、まずはＳＦを書きはじめたきっかけから伺えればと思います。

春暮　小説を書きはじめたのは大学四年生の時、二〇〇六年ごろだったという記憶です。SFを書きたいと思った直接のきっかけは、グレッグ・イーガンの『宇宙消失』ですね。もの凄く面白くて、自分でもこういうのが書きたいなと思いました。いきなり長篇を書き上げるのは難しかったので、短篇を何本か、大学と大学院にいる間に書きました。そのころはSFの新人賞がなかったんです。まだ創元SF短編賞も始まっていませんでしたね。完全に趣味でやっていたので、賞に出すとかは考えていませんでした。

――そこからハヤカワSFコンテストに応募を？

春暮　最初は創元SF短編賞に応募していたんですよ。二〇一三年に「主観者」のもっと短いヴァージョンを送りました。その後も何回か短篇を送ったんですが、そのうちに一篇の字数が増えてきて、応募規定の枚数に収まらなくなってきたんですね。そこで二〇一七年からハヤカワSFコンテストに応募するようになりました。最初に送ったのが「法治の獣」の原型でしたね。

■海外SFから受けた影響

――先ほどグレッグ・イーガンの名前が上がりましたが、どんなSF作品に影響を受けましたか。

春暮　一番はやはりイーガンですね。長篇だと『宇宙消失』や『ディアスポラ』、短篇だと「祈りの海」「ぼくになることを」「血を分けた姉妹」などが特に好きです。長篇にしても短篇にしても、科学と物語の噛み合い方のレベルが圧倒的だと思います。それ以外だと、J・P・ホーガンの《巨人たちの星》シリーズも好きですね。科学ミステリと呼べるような謎解き要素があって、私の小説も影響を受けています。あとはアーサー・C・クラークとかブルース・スターリング、ジョン・ヴァーリイ、テッド・チャン。大学生の時に神保町で古本屋を巡っているうちに……という感じです。余談ですけど、SFマガジンの二〇一九年十二月号で「オーラリメイカー」の冒頭部を先行掲載していただいたとき、スターリングの「巣」と一緒に載って嬉しかった思い出があります。「巣」はスターリングで一番好きな作品なので。

――海外SFが中心なんですね。

春暮　翻訳小説の文体が好きなんですよね。自分が書いたものも、日本語で書いているのに、翻訳っぽい感じが出てると自分では思っているんですけど。

――筆名の由来になったハル・クレメントの作品も学生時代に読まれたのですか？

春暮　それはもっと後ですね。『重力の使命』とか『窒素固定世界』を読みました。ハル・クレメントの「（小説の舞台となる）環境ごと考える」というやり方にかなり影響を受けていますが、筆名に拝借したのは、ハル・クレメントの名前の響きが好きだったから、というのも理由のひとつです。

――『法治の獣』には異星の生命体とのファーストコンタクトを扱った作品が収録されていましたが、スタニスワフ・レムなどの先行作品は意識されていましたか。

春暮　もちろんファーストコンタクトSFの先行作品は意識していました。レムを挙げていただいたのは、「主観者」でコミュニケーションの困難さや理解不可能性を描いたからだと思うのですが、あの作品のラストでコミュニケーションが失敗に終わってしまうのは、ルミナスという生きものの生態をつきつめて考えると「これはコミュニケーションできるわけがない」と気づいたからなんですね。結果的にコミュニケーションできない結末になってしまった、という形なので、元々そうしたものについて書こうというつもりはなかったんです。

――結果的にあの終わり方にならざるを得なかったんですね。

春暮　「主観者」の場合はそうでしたね。これは去年十月に京フェスで坂永雄一さんと対談させていただいたときにも少し話したんですが、私自身は、仮にエイリアンとか異種知性がいたとしてもある程度は理解しあえるんじゃないか、という考えを持っています。「進化ゲーム理論」という考えがあって、集団内で自分の利得を最大にするような行動戦略というのは、ある程度数学的に導き出すことができます。集団生活の中の社会性から〝知性〟が生まれると仮定した場合、数学はおそらく宇宙共通だと思うので、別の惑星で進化した生物もやはり似たような行動戦略を取るのではないでしょうか。結果として、エイリアン同士であっても互いに多少は理解可能な精神を持つのではないかと。そのスタンスのほうが私の本来の考えに近いですね。これはイーガンのスタンスにも近いと思っています。イーガンもあまり理解不能なものを出さない作風ですよね。

――確かに「方舟は荒野をわたる」は、コミュニケーションに対してポジティブな印象を残す結末でした。

春暮　「主観者」のラストのままだと「人類は宇宙に乗り出すべきではない」という結論になってしまうから（笑）。それは寂しいなと思ったので「方舟は荒野をわたる」を書きました。

――思弁的で、繊細かつ大胆な設定が持ち味の作風から、イーガンやピーター・ワッツなどと並び称されることも多い春暮作品ですが、そうした魅力的な設定はどのように生みだされているのでしょうか。

春暮　イーガンやワッツと比較していただけるというのはとても嬉しいことですね。『法治の獣』の「作品ノート」でも書いているように、私は基本的に「変な生き物」のアイディアから物語を出発させることが多いです。「変な生き物」にはそれぞれモチーフがあって、「主観者」のルミナスは佐藤マコトさんの漫画「サトラレ」に着想を得ていますし、「方舟は荒野をわたる」に登場する〈方舟〉はガイア理論のオマージュになっています。『オーラリメイカー』では虫媒花（虫に花粉を運ばせて受粉を助けさせる植物）にヒントを得て、文明を発達させて、発達させた文明によって自分の子孫を運ばせるという設定が生まれました。自然界に存在するものを作品に延長させて考えることが多いですね。

――小説以外ではどんなＳＦがお好きですか。

春暮　映画だとクリストファー・ノーランの作品が好きです。『インターステラー』とか、『テネット』、『インセプション』。特に『インターステラー』のような映像イメージの強い作品は、私の小説に影響を与えている気がします。

■生物への興味

――これまでに発表された作品は、生物学ＳＦといえるものが圧倒的に多いですね。

春暮　幼いころからずっと生きものについて考えるのが好きだったからでしょうか。動物が好きになったきっかけは、小学生の時に図書室で借りて読んだ、舟崎克彦先生の《ぽっぺん先生》という児童書シリーズです。たとえば『ぽっぺん先生と帰らずの沼』は、主人公のぽっぺん先生というだつの上がらない生物学者がどんどん色んな動物に転生していくお話ですね。物語自体の面白さと、動物がたくさん登場するところが好きで読んでいました。『ファーブル昆虫記』とかもつまみ食いはしていたんですけど、子どものころはどうしても、ノンフィクションよりも物語のほうが面白かったので。

――児童書がきっかけだったのですね。

春暮　あとは、ドゥーガル・ディクソンの『アフターマン』でしょうか。これはもともとは書籍なんですが、小学生のころにＴＶのサイエンス番組で映像化されていたんです。思弁進化（生命の進化に焦点を当てた芸術ジャンル）の走りのような——未来の生物を進化や生態学の理論を使って予想するというコンセプトの作品なんですが、面白くてのめりこんでしまい、録画したビデオを何度も何度も見ていました。もしこういう環境だったらどういう進化が起こるか？　という発想が、今の私の作品の根底にある考え方を養っていったのかもしれません。

　あとはちょっと毛色が変わりますが、中学生の時に読んでめちゃくちゃ面白かった『空想科学読本』。フィクションの中の存在を無理やり科学的に証明しようとするとどうなるか、という本ですね。いま私が小説を書くとき、まず最初に変な生き物を考えてから、それが生まれるまでの進化の過程を逆算する、という創作法をよく使うのですが、そうした発想は『空想科学読本』の、無理やりこじつける……ではないですけど、空想したものをどうすれば現実に存在させられるのかを考える楽しさと繋がっているのかな、と思います。

——そのころから生物にまつわる本を中心に読まれていたのですね。

春暮　あとは、ＳＦの創作にどのくらい繋がっているかはわかりませんが、ファンタジイ系の小説も好きで読んでいました。『ハリー・ポッター』や『十二国記』とか。漫画なら冨樫義博さんの『レベルＥ』。あれはＳＦのアイディア自体ものも凄く面白いですし、実は『レベルＥ』に影響を受けて書いた作品もあります。

——そういった作品をきっかけに、今書かれているＳＦにつながる知的好奇心が養われたのでしょうね。

春暮　生物に何か別の面白い考えを掛け合わせて、新しいアイディアが生まれないかということは常に考えています。私は大学院にいたのですが、実は専攻は生物ではなくて、化学なんですよ。でも子どものころから動物とか生物系——特に生態学とか進化生物学とか、マクロな領域を扱う生物学——が好きだったので、それが作風に反映されているのだと思います。

——てっきり生物学を専攻されていたのかと思っていたので驚きました。逆に、化学を専攻されていて、ここは作品に反映されているなと思うところはありますか？

『オーラリメイカー』（早川書房）

春暮　化学の知識は……活きてないですね（笑）。大学では電気化学を研究していたのですが、私の研究内容は泥臭い作業が多く、あまり理論をつきつめて考える方向ではなかったんですよね。そうなってくるとＳＦに活かすには分野が限られすぎているし、大きなつながりはないですね。

　杵刈湯葉さんのように、生物学の専門家の方が小説を書かれるのは素晴らしいことだと思います。生物学ＳＦの面白さは、荒唐無稽な設定そのものが面白いというよりも、その設定を進化論などを使って説得力をもった説明ができるところではないでしょうか。生物学ＳＦの場合、現実の生物学の理論そのものがすごく面白いので、そこに物語を近づけていくというやり方ができると思います。だとしたら、本業の方が書けばもっと面白い生物学ＳＦが出てくるんじゃないかなと期待しています。

■今後の執筆活動について

——『オーラリメイカー』『法治の獣』は物語の背景となる世界を共有している作品ですが、今後も同一の未来史上の作品を執筆される予定はあるのでしょうか。

春暮　あります。直近だと、「モータルゲーム」（SFマガジン二〇二二年八月号掲載）がそうですね。同じ世界設定で書いた作品をあと何個かストックしていますし、これからも書いていくつもりなので、今後も発表していけると思います。

　同一の未来史といっても、大きなストーリーを全体で作るというわけではなくて、あくまで背景が共通しているだけで、大きな関連はないという感じですね。もともとブルース・スターリングの《工作者》シリーズとか、ジョン・ヴァーリイの《八世界》とか、コードウェイナー・スミスの作品のような、未来史ものに憧れがあります。年表を作りたくなるような、互いに直接的な関連はなくても、読んでいくうちに世界の背景がわかっていく作品群が好きなので、自分でも意識的にそういった作品を書くようにしています。

　あとは、現実的なことを言ってしまうと、小説を書くたびに人類が宇宙に乗り出す理由を考えるのは大変というのもありますね。未来史なら背景設定を使い回せるので、思考が節約できるメリットがあります（笑）。

――現在は中国在住とのことですが、現地の作家やファンとの交流はありますか。いま中国SFは大変盛り上がっていますが。

春暮　これまで現地のSF作家や読者の方と交流する機会はなかったですね。私もどちらかと言えば一人で黙々と書いていたいタイプなので、この状況を積極的に変えたいとは思っていないのですが（笑）。

――中国でも日本SFは翻訳されていますし、日本人作家への興味もより集まっていきそうな気配があります。今年は成都でワールドコンもありますし、これまでとは違った反応があるかもしれませんね。

春暮　そうなんですね。何かいい影響があるといいなと思います。

――春暮さんはSNSでの発信をされていませんが、日本の読者の感想などは追っていらっしゃるのでしょうか。

春暮　SNSはやっていないので見ていないのですが、レビューサイトで感想を書いていただいているのを見たりはします。ただ、怖いというか……（笑）。あまり深追いしないように心がけています。「もしこき下ろされてたらどうしよう」とか、最悪のケースを想定してしまうので（笑）。上手い具合に距離を保ちながらやっていきたいと思います。

――今後の執筆予定を教えてください。

春暮　今は長篇を書いています。それをできれば今年出せればいいなと思っていますが、どうなるかはわかりません。これは『オーラリメイカー』や『法治の獣』とはまた別の世界を舞台に書くつもりです。あとはこの本の「2023年のわたし」の欄にも書いているので、そちらも読んでいただければ嬉しいです。

――最後に、読者の方にメッセージをお願いします。

春暮　今回「SFが読みたい！」で1位をいただいたことで、たくさんの方に読んでいただき、SFというものの面白さを感じていただけたら嬉しいです。『法治の獣』に収録されている三篇のような、生物SFは今後も継続して書いていくと思いますが、それだけだと読者の方も自分自身も飽きが来そうなので、今後は生物以外をテーマにした小説もたくさん書いていきたいですね。アンソロジー『2084年のSF』（日本SF作家クラブ編）に載せていただいた「混沌を掻き回す」は、運良くこれまで自分にはなかったアプローチで書くことができました。「虹色の蛇」（『オーラリメイカー』に収録）に出てきた〝身体改変者〟とか、太陽系側の社会を舞台にした小説のアイディアもいくつかあるので、ご期待いただければ幸いです。これからも面白い作品を書いていきたいと思いますので、よろしくお願いします。

（二〇二三年一月七日／オンラインインタビュー）

ベストSF2022
国内篇第1位

法治の獣

春暮康一

ハヤカワSFコンテスト出身の新世代作家が、
生命の常識をくつがえす中篇3作

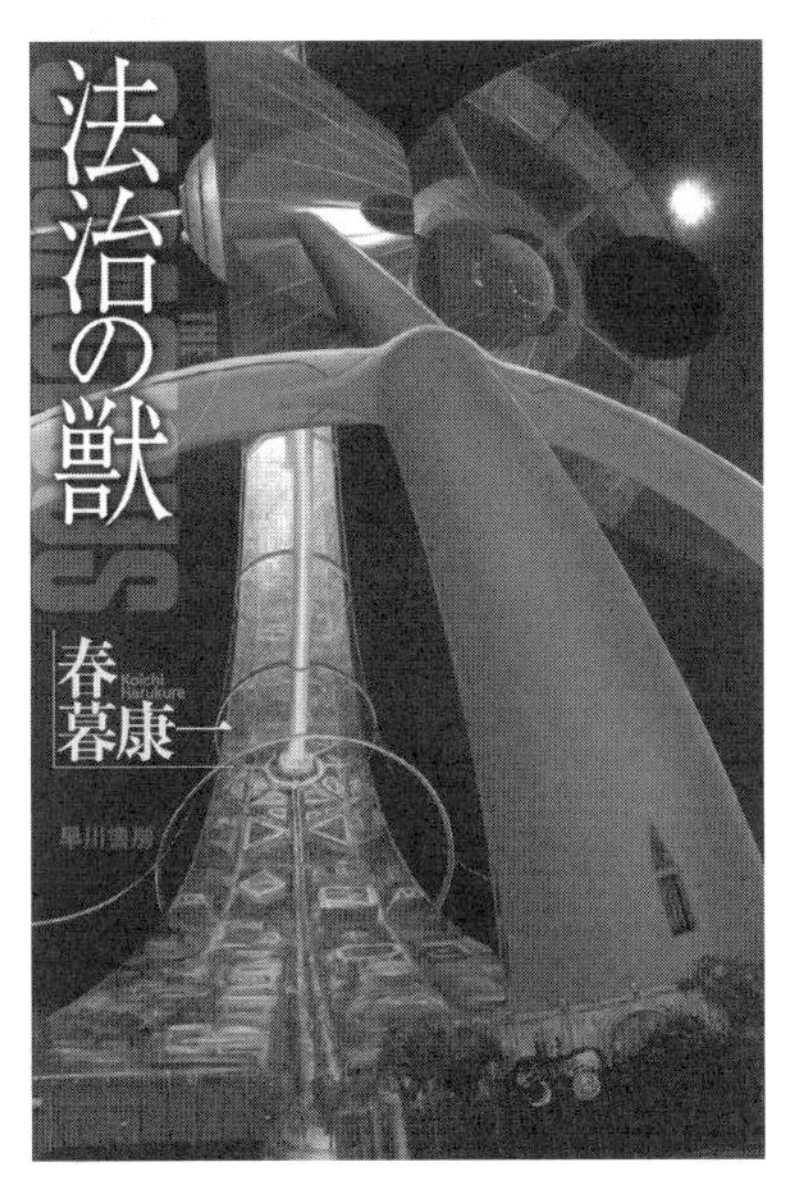

〈内容紹介〉

惑星〈裁剣（ソード）〉には、あたかも罪と罰の概念を理解しているかのようにふるまう雄鹿に似た動物シエジーが生息する。近傍のスペースコロニー〈ソードII〉は、人びとがシエジーの持つ自然法を手本とした法体系で暮らす社会実験場だった。この地でシエジーの研究をするアリスは、コロニーとシエジーをめぐる衝撃の事実を知り——戦慄の表題作に、ファーストコンタクトの光と影を描ききる傑作2篇を加えた、地球外生命SF中篇集。解説：山岸真

定価1100円（税込）　ハヤカワ文庫JA
Cover Illustration：加藤直之　Cover Design：岩郷重力+S.I.

―海外篇―

ベスト30作品ガイド

冬木糸一

11	**極めて私的な超能力** チャン・ガンミョン／吉良佳奈江＝【訳】／新☆ハヤカワ・ＳＦ・シリーズ
	創られた心　ＡＩロボットＳＦ傑作選 ジョナサン・ストラーン＝【編】／佐田千織，ほか＝【訳】／創元ＳＦ文庫
104点	
13 76点	**大宇宙の魔女　ノースウェスト・スミス全短編** Ｃ・Ｌ・ムーア／中村 融・市田 泉＝【訳】／創元ＳＦ文庫
14 68点	**中国女性ＳＦ作家アンソロジー　走る赤** 武 甜静・橋本輝幸＝【編】，大恵和実＝【編訳】／中央公論新社
15	**アポロ18号の殺人（上・下）** クリス・ハドフィールド／中原尚哉＝【訳】／ハヤカワ文庫ＳＦ
	ファニーフィンガーズ　ラファティ・ベスト・コレクション2 Ｒ・Ａ・ラファティ／牧 眞司＝【編】／伊藤典夫，浅倉久志，ほか＝【訳】／ハヤカワ文庫ＳＦ
64点	
17 61点	**逃亡テレメトリー　マーダーボット・ダイアリー** マーサ・ウェルズ／中原尚哉＝【訳】／創元ＳＦ文庫
18 53点	**黄金の人工太陽　巨大宇宙ＳＦ傑作選** Ｊ・Ｊ・アダムズ＝【編】／中原尚哉，ほか＝【訳】／創元ＳＦ文庫
19	**塩と運命の皇后** ニー・ヴォ／金子ゆき子＝【訳】／集英社文庫
	タワー ペ・ミョンフン／斎藤真理子＝【訳】／河出書房新社
46点	
21	**ヴィリコニウム　パステル都市の物語** Ｍ・ジョン・ハリスン／大和田始＝【訳】／書苑新社TH Literature Series
	平和という名の廃墟（上・下） アーカディ・マーティーン／内田昌之＝【訳】／ハヤカワ文庫ＳＦ
	流浪地球 劉 慈欣／大森 望，古市雅子＝【訳】／KADOKAWA
45点	
24 44点	**不死鳥と鏡** アヴラム・デイヴィッドスン／福森典子＝【訳】／論創海外ミステリ
25	**ピラネージ** スザンナ・クラーク／原島文世＝【訳】／東京創元社
	老神介護 劉 慈欣／大森 望，古市雅子＝【訳】／KADOKAWA
43点	
27 40点	**疫神記（上・下）** チャック・ウェンディグ／茂木 健＝【訳】／竹書房文庫
28	**シャーロック・ホームズとシャドウェルの影** ジェイムズ・ラヴグローヴ／日暮雅通＝【訳】／ハヤカワ文庫ＦＴ
	フィッシャーマン　漁り人の伝説 ジョン・ランガン／植草昌実＝【訳】／新紀元社
37点	
30 36点	**マゼラン雲** スタニスワフ・レム／後藤正子＝【訳】／国書刊行会スタニスワフ・レム・コレクション

2022年ベスト総括

BEST SF 2022 —海外篇—

今年度の海外篇第一位は、二位にダブルスコアをつけてアンディ・ウィアー『プロジェクト・ヘイル・メアリー』が獲得！　第一作『火星の人』と同じく科学とSFの王道を行く宇宙SFであり、一位も納得の出来だ。他、十位までのランキングを見渡してみると、二位の『いずれすべては海の中に』を筆頭に竹書房文庫が三作品ランクインしており、SFファンの間で完全にSF系出版社として定着したのを感じる年だった。

他、ランキングをざっと見渡していこう。まず、二〇二一年十一月にはオクテイヴィア・E・バトラーの『キンドレッド』が河出文庫から復刊されたが、続いて刊行された短篇集『血を分けた子ども』が四位にランクインし、本邦でバトラーの再評価が進んでいるのが嬉しかった。続いて、劉慈欣の短篇集が三冊＋絵本が一冊刊行された他、郝景芳の長篇『流浪蒼穹』、宝樹による《三体》三部作のスピンオフ刊行&九位を獲得しと、あいかわらず中国SFが盛況。韓国SFもチャン・ガンミョン『極めて私的な超能力』やペ・ミョンフン『タワー』など重要な作家・作品の翻訳が行われている。SFマガジン二〇二二年六月号ではアジアSF特集も組まれ、良い流れが続く。今年は中国・韓国以外のアジアSFの訳出にも期待したいところだ。

個人的には、現実の宇宙開発の盛り上がりと関連してか宇宙開発関連SFが印象に残った。十五位にランクインのクリス・ハドフィールド『アポロ18号の殺人』をはじめとして、メアリ・ロビネット・コワル『無情の月』、デイヴィッド・ウェリントンの『最後の宇宙飛行士』（どちらかというとSFホラーだが）など。今後、宇宙がより身近になるにつれて、宇宙開発SFがより広まっていくのかもしれない。

二二年は二一年以上に新型コロナウイルスが猛威を奮っており、その流れを受けてパンデミックSFも多数刊行された年であった。ランキングの中で目立つのはチャック・ウェンディグの『疫神記』ぐらいだが、投票期間中の他作品としては、キム・チョヨプをはじめとした韓国のSF作家らがパンデミックをテーマに短篇を寄せたアンソロジー『最後のライオニ』。男だけを殺す感染症によって男性が激減し、女性中心に再編成された社会を描き出す長篇、クリスティーナ・スウィーニー＝ビアード『男たちを知らない女』など多数刊行されている。この数年で主要なパンデミックSFはおおむね出尽くした感もあるが、以降はどうなることやら。

二二年の海外SFを見渡して、注目のトピックのひとつだったのが、この先SF翻訳家が足りないんじゃないか問題。英語圏SF翻訳の担い手が、現在六十代に集中しているのではないか。このままでは既存訳者の高齢化によって、十年も経ったらSF翻訳家がほとんどいなくなってしまうのではないかという危惧を書いた、翻訳家の古沢嘉通によるエッセイが二〇二二年八月号に掲載。続く十月号の大森望の連載「大森望の新SF観光局」でもこの話題を取り上げ、新たなSF翻訳家を発掘するための策について書いている。それについて二三年二月号では鳴庭真人からの「SF翻訳に絶望なんてしてません」という、SF翻訳家志望者へのハードルを下げてくれるエッセイが載り、と話題が継続している。

商業誌以外のSF翻訳・翻訳環境に目を向けると、近年に限っても翻訳中心の同人誌〈BABELZINE〉や橋本輝幸主催の〈Rikka Zine〉（無論これら以外にも翻訳同人誌は多数存在する）の立ち上げ。WEBでもバゴプラ＋内のプロジェクト「Kaguya Planet」には時折翻訳短篇が載り——と、版権処理を行ったSF翻訳の裾野自体は広がっているのを感じる。今後も、翻訳SFについて、様々な試みが行われていくことに期待したい。

ロシアによるウクライナ侵攻に、収まらぬパンデミック。世界の混乱が激しさを増す中、SFは未来を、世界を、どう描き出していくのだろうか。

BEST SF 2022

第1位

プロジェクト・ヘイル・メアリー（上・下）

アンディ・ウィアー
小野田和子＝【訳】
早川書房

緻密な科学で紡ぎ上げられた物語 圧倒的に面白い宇宙&宇宙生物学SF

『火星の人』のアンディ・ウィアー最新長篇となる本作が圧倒的な一位を獲得！　ライアン・ゴズリング主演予定で映画化も進行中などすでにヒット・ロードに乗っている本作だが、中身もべらぼうにおもしろい宇宙&宇宙生物学SFだ。

本作は、自分の名前すら思い出せないほどに記憶を失った男が、謎の宇宙船内で意識を取り戻し自分の過去を推察しながら目的を達成するために動く現在パートと、なぜ彼がそんな状況に陥ってしまったのかの原因を描く過去パートが交互に語られていく。過去パートによれば、太陽が謎の生命体アストロファージによってエネルギーを捕食され、出力が低下。最終的に地球文明は崩壊すると予測されている。その結論に至るまでの過程――どうやって太陽の出力低下がアストロファージによるものだと判明したのか？　どのような生物の仕組みならそんな所業が可能になるのか？　ということが、X線分光計をアストロファージに試したり、数千度まで加熱したり、真空中で分光器にかけたりといった科学実験の緻密な描写と共に語られていく。

『火星の人』における科学がプロットを作り出していくような魅力は本作でも健在。できれば、ネタバレに出会う前に読んでもらいたい傑作である。

BEST SF 2022

第2位

いずれすべては海の中に

サラ・ピンスカー
市田泉＝【訳】
竹書房文庫

思いがけない発想と表現に溢れた 鮮烈な情景を残す短篇集

『新しい時代への歌』のサラ・ピンスカーによる奇想短篇集が二位を獲得。先に『新しい〜』が出ていたので長篇作家のイメージを持っていたが、むしろ短篇の方が得意だったのか、と思うほど、どの短篇にも思いがけない発想、表現が盛り込まれ、独自の世界観にたっぷりと浸らせる、魅力的な短篇が揃っている。

収録作には、脳と連結して動作するはずの最新の義手が、なぜか自分自身は道路であると主張し始める「一筋に伸びる二車線のハイウェイ」。夢の中の自分の子供が実在すると感じられ、同じ夢をみた親たちが一箇所に集まってくる「そして我らは暗闇の中」。崩壊の危機に面した世界、海に逃れた豪華客船上で音楽を提供するロックスターの鬱屈と解放を描き出す表題作。

中でもオススメが「風はさまよう」。遠い世界を目指す世代宇宙船の中には人類の歴史や芸術に関する膨大な情報が存在したが、ある時ハッカーによってすべてが破壊されてしまう。失われたものを再現しなければいけなくなった人々は、それをどのように語り継いでいくのか。記憶の中で歪められ、真実がぼやけた歴史を伝えることにどんな意味があるのかを美しく語りあげていく傑作である。

一度読んだら決して忘れることができない情景を頭に残す、鮮烈な短篇集だ。

BEST SF 2022

第3位

円
劉慈欣短篇集

劉 慈欣
大森 望、泊 功、齊藤正高＝【訳】
早川書房

『三体』ロスにも、入門篇にも劉慈欣のキャリアが概観できる十三篇

劉慈欣が才能を発揮するのは長篇だけではないと証明してみせるのが、劉慈欣本邦初の短篇集である本作だ。一九九九年のデビュー作から一四年発表の表題作まで、キャリアを概観できる十三篇が集まっている。

「鯨歌」は、バイオ電極を脳に取り付けることで自由自在に操作できる技術をクジラに用い、大量のヘロインを密輸しようとする犯罪者らの物語。科学が自然を征服し、それが人類のエゴによって破綻する様を描き出す、デビュー作にして劉慈欣らしさが詰まった一篇だ。続く「郷村教師」は貧しい地区で命を賭けて子供たちに教育を施す教師パートと、ケイ素生命との星間戦争に明け暮れる炭素生命連邦パートが交互に語られ、両者が啞然とする形で接続される。コソボ紛争でNATOによるユーゴスラビアの空爆を食い止めるため、バタフライ効果を用いた奇想天外な方法で天候を操作しようとする「カオスの蝶」も素晴らしい読後感を残す。

三〇〇万人の人間を用いた計算機を描き出す表題作をはじめに、劉慈欣の短篇はとにかく〝絵になる〟。そして、科学の意味を高らかに謳い上げ、それを人類の歴史や本質に接続してみせる。《三体》を読み終わった人はもちろん、手を出せていない人にもすすめたい、劉慈欣入門にうってつけの短篇集だ。

BEST SF 2022

第4位

異常（アノマリー）

エルヴェ・ル・テリエ
加藤かおり＝【訳】
早川書房

息をもつかせぬストーリーテリングと緻密な人物描写、驚きに満ちたSF長篇

フランス最高峰の文学賞であるゴンクール賞受賞の異色のSFが四位を獲得。冒頭からSF要素は微塵も感じられないが、中盤を過ぎては次々と異常な要素が明らかになっていき、ラストは啞然とする場所まで連れていってくれるSF長篇だ。

物語の第一部の時代は二〇二一年三月。プロの殺し屋ブレイク、そこまで売れっ子ではない微妙なフランス作家ミゼル、五年生存率二〇％のがんであることを告げられたばかりのデイヴィッドなど、相互に何の関係もなさそうな人々の人生が語られていく。だが、読みすすめると彼らはエールフランス006便に同乗し、異常な乱気流に巻き込まれたことが明らかとなる。第二部では彼らが同乗し一度は着陸したはずの006便が、三カ月後に〝客を乗せたまま〟出現し、世界にはデイヴィッドやミゼルが二人同時に存在する事態となる。これは神の実験か、はたまた物理的な事象として説明がつくのか。その科学的な検証が進められると同時に、自分のコピーが現れた人々は、自分自身との対話を迫られることになる。

息をもつかせぬストーリーテリングと緻密な人物描写で、ページをめくる手が止まらない快作だ。読めば必ず、自分のコピーが現れたら、何を思うのか？と考えずにはいられない。

BEST SF 2022
第5位

血を分けた子ども

オクテイヴィア・E・バトラー
藤井 光＝【訳】
河出書房新社

再評価が進む黒人SF作家バトラー テーマ性が光る短篇集

一九七〇年代から本格的に作家活動をはじめたオクテイヴィア・E・バトラー。当時珍しいアメリカの黒人女性SF作家であり、日本での翻訳は進んではいなかったが、二一年には代表作『キンドレッド』が河出文庫で復刊。そして、短篇集である本作の刊行&読みたいでのランキング五位と、三十年以上ぶりの再評価が進みつつある。

書くことについての二つのエッセイと、短篇が七篇収録されている。たとえば、人間を〝保護区〟を使って管理し、人間の体内に卵を産み付けて繁殖する種族と〝ぼく〟ことギャンの愛情と恐怖が同居する恋愛感情や男性の出産モチーフが凝縮された、ヒューゴー・ローカス・ネビュラ賞受賞の表題作。発症すると、自分自身と周囲の人間に致死的な暴力を振るってしまう遺伝性疾患と無数の家族模様を通して、遺伝が人の人生を変えてしまうのなら、わたしに残るものは何なのだろうと問いかける「夕方と、朝と、夜と」の二篇が、特に素晴らしい。

著者は、「私は本質的には長編小説に向いている」とまえがきで語っているが、本書収録の短篇はどれも驚くほどにテーマ性が明確で、短篇ならではのやり方で魅せてくれる。エッセイも、黒人女性が作家として独り立ちするまでの困難やその意義が綴られた秀逸なものだ。

BEST SF 2022
第6位

NSA（上・下）

アンドレアス・エシュバッハ
赤坂桃子＝【訳】
ハヤカワ文庫SF

全体主義国家と技術の繋がりに警鐘を鳴らす ナチスドイツを舞台にした歴史改変SF

本作は、ドイツを代表するSF作家アンドレアス・エシュバッハによる、第二次世界大戦時のナチスドイツを舞台にした歴史改変SFとなる。舞台は、コンピュータが第一次大戦中に発展し、世界に展開した電話網に乗っかる形で「ワールドネット」ができた世界。ドイツでは通貨が廃止され、国民は取引履歴が残るマネーカードを用いて物品を購入する。携帯電話の通信は傍受、位置情報も監視される。当然、ナチスはそうした技術を脱走兵や、ユダヤ人をあぶりだすために用いようとする。

物語はNSA（国家保安局）に勤め、それぞれの思惑でナチス下の監視体制に関わる二人の男女を中心に展開していく。そのうち女性のヘレーネは、国民を監視する立場でありながら脱走兵の男を地下に匿っており、どのようにして彼を見つからぬようにかばうのかが一つの焦点となる。隠匿者を抱えるものが買いがちな梯子、キャンプ用のトイレなどから怪しい人物をピックアップする監視システムなど、技術は進歩しており、彼女らを追い詰める。本作で描かれるシステムは現代で実際に行われていることでもあり、次第に本作と現実が重なり、恐怖を覚えることだろう。全体主義国家と現代の技術が繋がった時に何が起こり得るのかを指し示す、警世の書である。

BEST SF 2022

第7位

ロボットには尻尾がない

〈ギャロウェイ・ギャラガー〉シリーズ短篇集

ヘンリー・カットナー

山田順子＝【訳】

竹書房文庫

天才発明家が巻き起こすドタバタ騒動 オチも魅力的な技巧的短篇集

本作はアメリカの作家ヘンリー・カットナーの《ギャロウェイ・ギャラガー》シリーズ全五篇（本邦初訳一篇を含む）を集めた短篇集。主人公のギャラガーは天才発明家で道徳の基準はまったくない。常識の範囲外の装置を次々作るが、その才能が発揮されるのは泥酔時に限定されており、シラフになったら自分が何をどう作ったのかすらもわからなくなってしまう。迷惑なドラえもんみたいな人物だ。「タイム・ロッカー」では物を入れたら小さくなる謎の装置を作り出し周囲を混乱に陥れ、「世界はわれらのもの」では、ギャラガーはタイムマシンを作るものの、シラフでは動作原理が一切わからず、そのうちにギャラガーと指紋も眼紋も一致する謎の死体が現れる。「うぬぼれロボット」では泥酔時に作り出した態度がでかく言うことをきかないロボットにギャラガーの生活がめちゃくちゃにされてしまうし、それに続く「Gプラス」では、三人のクライアントがいることはわかるものの、どんな仕事を依頼されたのかも、作ったマシンが何なのかもわからぬ五里霧中状態から、前出のロボットと共に推理を重ねていく。

全篇コメディ・タッチで発明品がもたらすドタバタを描き出すシンプルな構成だが、毎度オチへの収束は意外性に富んでいる、技巧的な短篇集だ。

BEST SF 2022

第8位

ヨーロッパ・イン・オータム

デイヴ・ハッチンソン

内田昌之＝【訳】

竹書房文庫

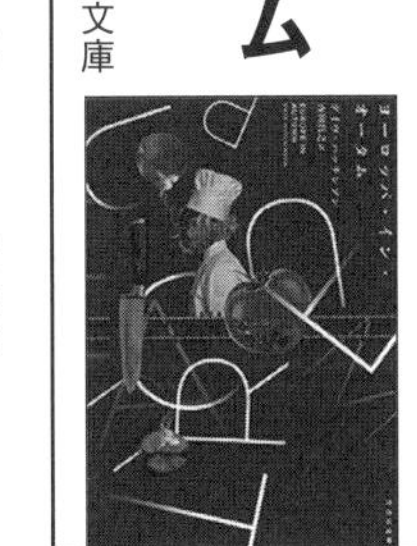

カオスなヨーロッパ世界、元シェフが謎に巻き込まれていくスパイスリラー

デイヴ・ハッチンソンによる、ジョン・ル・カレ×クリストファー・プリーストと評されたスパイスリラー長篇が八位にランクイン。西安風邪の蔓延によってEUから次々国家が離脱。ロマノフ家など名家の子孫らがみな勝手に小国を乱立するようになったカオスなヨーロッパ世界を構築し、EUの崩壊など先見性のある内容も相まって（原書刊行は二〇一四年）刊行当時から評判を呼び、著者の出世作となった作品だ。

EUが崩壊しているのでヨーロッパの治安は悪化し、国境紛争も絶えない。ポーランドでシェフを務めているルディは、バルト諸国の飲食店を渡り歩いてきたことで培われた語学力をかわれ、〝森林を駆ける者〟と呼ばれる秘密の密輸組織にスカウトされることになる。ルディは実入りを求めてこの仕事につくが、もとはただのシェフなので最初は覚えることの連続だ。尾行者をまくコツ、荷物を秘密裏に受け渡す方法など、すべてを学んでいく冒頭は見習いスパイもののおもしろさがある。

その後ルディは任務につくも、理不尽な失敗に次々さらされていく。時には何がおきたのかすら理解できぬ異常な事態に巻き込まれ、読者もまた唖然とするのだが、最終的にはそうした違和感や疑問すべてに答えが与えられる。鮮やかな長篇だ。

BEST SF 2022

第9位

三体X 観想之宙（かんそうのそら）

宝樹

大森望、光吉さくら、ワン・チャイ＝【訳】

早川書房

まさかの〝公式二次創作〟！ 技術とスケールに裏打ちされたスピンオフ

　すでに時間SF短篇集『時間の王』が邦訳刊行されている宝樹だが、彼のデビュー作が《三体》三部作の公式外伝の本作となる。アマチュアだった宝樹が《三体》の完結をうけ、その興奮をもとに書き上げ、ネットで発表した作品であり、それが大きく話題になって劉慈欣公認＆同じ出版社から刊行された。そのため、二次創作色の強い長篇ではあるのだが、そのおもしろさは本物だ。本篇に負けないスケール性があるだけではなく、後半に行くほど時間SFを得意とする宝樹の個性が光ってゆく。

　本作は主に本篇第三部の裏側を描いていく。本作の第一部「時の内側の過去」では、三体星人の情報を得るため、脳みそだけを送り込まれた雲天明の身に何があったのか――三体星人は人類を理解するために、雲天明の脳を解析、モデル化し、天国とも地獄ともいえる日々――が語られる。続く第二部「茶の湯会談」では、本篇で語られた〝宇宙が静かな理由〟、その原因のひとつで、宇宙を牛耳る「潜伏者」と「マスター」の二大勢力がどのような技術で、何を目的として争っているのかが描かれていき――と、本篇では仄めかされるだけで描かれなかった部分に、宝樹らしい形で回答と掘り下げが与えられていく。《三体》ファンにこそ読んでほしいスピンオフだ。

BEST SF 2022

第10位

とうもろこし倉の幽霊

R・A・ラファティ

井上央＝【編訳】

新☆ハヤカワ・SF・シリーズ

著者らしさにあふれた〝伝奇集〟 全本邦初訳の日本オリジナル短篇集

　本邦初訳作のみで九篇を精選した、編訳者の言葉を借りれば「ラファティの『伝奇集』」である日本オリジナル短篇集。特に良かったのは、同業者にもわからない、完璧な〝人消し〟マジックを行う大魔術師の物語「下に隠れたあの人」。ある時、魔術師が箱の中の人を消そうとすると、人が消えるだけでなくみすぼらしい男が現れ、帰ってくださいと懇願してもその場にとどまってしまう。しかも男は名が呼ばれるたびに変わっていく。男は何者なのか？　を通して人間の多面性、深層心理を深掘りしていく、ラファティらしさに溢れた傑作短篇だ。

　他収録作には、人間になりすまして生きる、〝奇妙な魚〟と呼ばれる亜人間の生態と、種としての人間が衰退していった歴史が語られる「さあ、恐れなく炎の中へ歩み入ろう」。亀が空を飛び、カモが甲高い声で歌いだし、人間に羽毛が生え、と跳躍的進化により大混乱へと陥っていく「サンペナタス断崖層の縁で」。〝眠れる森の美女〟の中には、表立って語られない、世界を揺るがす物語が眠っているのだ――といってその分析を壮大なほらと共に語る「いばら姫の物語―学術的研究―」など、ラファティにまだ未訳のこんなにおもしろい短篇が残っていたのか！　と驚かざるを得ない粒ぞろいの一冊だ。

BEST SF 2022

第11位

極めて私的な超能力

チャン・ガンミョン
吉良佳奈江＝【訳】
新☆ハヤカワ・SF・シリーズ

韓国文芸作家が放つ ヴァラエティ豊かな短篇集

韓国の文芸作家として第一線で活躍するチャン・ガンミョンによるSF短篇集。全十篇の収録作は、その発想や描写、演出がどれも独特でひねりがきいている。収録作には、定期的に服用することで相手への恋心が持続する薬を四年間使い続けてきたカップルの行末を描く「定時に服用してください」といったロマンス系から始まり、他者の記憶を別人にリアルに体験させられる〈体験機械〉を用いてユダヤ人虐殺に関与したアイヒマンに犠牲者の人生を追体験させる「アラスカのアイヒマン」のような重いテーマを扱った作品も、超知能を得た人間アスタチンと息子たちが木星や土星を舞台に殺し合う様を描く「アスタチン」はアクション・スペース・オペラとでもいうべき作品もある。韓国SFの粋が堪能できる、個人的にも一押しの短篇集だ。

BEST SF 2022

第11位

創られた心 AIロボットSF傑作選

ジョナサン・ストラーン＝【編】
佐田千織、ほか＝【訳】
創元SF文庫

飛び抜けた魅力を誇る AI・ロボットアンソロジー

文字通り、AI・ロボットテーマの傑作が集められたアンソロジー。ケン・リュウのように日本でよく知られたSF作家から、『新しい時代への歌』のサラ・ピンスカー、書物についての本格的なファンタジー『図書館島』の著者ソフィア・サマターなど、SF畑の作家のみならず幅の広い作家の短篇が十六篇集められている。労働用のロボットを購入することで、働かずとも賃金が得られるようになった未来を描くスザンヌ・パーマー「赤字の明暗法」。遺伝子工学技術で生まれた、獣と結合した人間が戦士として闘技場で闘争を繰り広げる世界での復讐劇を描いたピーター・F・ハミルトン「ソニーの結合体」など、未来予測的な作品から痛快なアクションSFまで揃っていて、近年の特殊テーマアンソロジーの中でも飛び抜けた魅力を誇る一冊だ。

BEST SF 2022

第13位

大宇宙の魔女 ノースウェスト・スミス全短編

C・L・ムーア
中村融、市田泉＝【訳】
創元SF文庫

無法者の痛快な冒険譚！ 伝説的宇宙シリーズの全訳集

C・L・ムーアの代表作《ノースウェスト・スミス》シリーズの全十三作を収録した全訳集。人類が太陽系全土を植民地化した世界で、密輸などで生計を立てる無法者ノースウェスト・スミスの痛快な冒険を描き出す本シリーズ。本邦ではすでに二度に渡って全訳が刊行されているが、今回は完全新訳となる。スミスが火星で群衆に追い立てられている〝シャンブロウ〟と呼ばれる少女をかくまうが、実は彼女は人間ではなく、それどころか他者の生命力を食糧として生きる生命体であることが判明し――と恐怖と官能の依存性を描き出した、ムーアの代表作「シャンブロウ」。女神、地獄から来た悪魔、光の彼方の場所から来たなど様々な表現をされる単眼の美しい怪物ジュリとの死闘を描き出す「ジュリ」など、王道的な宇宙冒険譚が堪能できる。

BEST SF 2022

第14位

走る赤

中国女性ＳＦ作家アンソロジー

武甜静
橋本輝幸＝【編】
大恵和実＝【編訳】
中央公論新社

中国の女性ＳＦ作家十四人の作品を集めたアンソロジー

二一年は中国史ＳＦアンソロジー『移動迷宮』で中央公論新社が本格的に中国ＳＦ翻訳に参入したが、それに続く弾として観光されたのが中国の女性ＳＦ作家を十四人集めた短篇アンソロジーである本作となる。異なる惑星をめぐりながらある場所では釣りをし、別の場所では怪獣を追いかけ——と気ままな旅を続ける老人と最盛期が過ぎた文明の残り香をノスタルジックに描く夏笳（シアジア）「独り旅」。実験の失敗で開いたワームホールを閉じるため、自分の命をかえりみず身を投じた男の運命を描く靚霊（リャンリン）「珞珈（ルオジア）」。老人として生まれ徐々に若返っていく人間や、未来を見通す力を持つ人間が混交する謎の世界の物語である糖匪（タンフェイ）「無定西行記」など題材もテーマも幅広い。本邦初紹介の作家も多く、これからの中国ＳＦをより楽しみにさせてくれる一冊だ。

BEST SF 2022

第15位

アポロ18号の殺人（上・下）

クリス・ハドフィールド
中原尚哉＝【訳】
ハヤカワ文庫ＳＦ

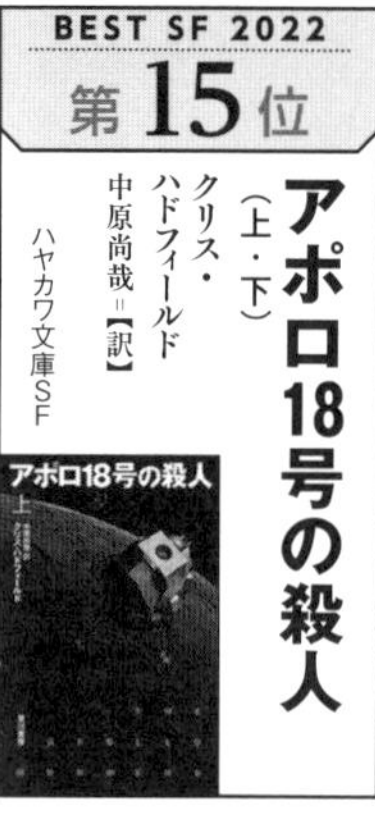

本職の宇宙飛行士が描く珠玉の架空宇宙開発史

現実のアポロ計画は17号を最後に頓挫したが、本作は計画が18号まで持続し、さらに米ソの戦いが宇宙、月でも繰り広げられるようになったら——という「架空の宇宙開発史」を描き出す宇宙ＳＦ長篇だ。著者は国際宇宙ステーションのコマンダーまでつとめた本職の宇宙飛行士であり、打ち上げ時の緊張感とＧの感覚など、そのリアルな体験を本作の描写で存分に活かしている。

アポロ18号の打ち上げは完全軍事目的の計画になるのだが、打ち上げ一カ月前にヘリの単独事故ででメインパイロットのひとりが死亡。最初は事故に思われたが、調査が続くうちに殺人だったのではないかという匂いが沸き立ってきて——と、ありえたかもしれない米ソ対立が、ミステリとともに描き出されていく。新人のデビュー作を超えた、珠玉の出来だ。

BEST SF 2022

第15位

ファニーフィンガーズ

ラファティ・ベスト・コレクション２

Ｒ・Ａ・ラファティ
牧眞司＝【編】
伊藤典夫、浅倉久志、ほか＝【訳】
ハヤカワ文庫ＳＦ

ラファティの〝カワイイ〟を凝縮した短篇集

《ラファティ・ベスト・コレクション》の第二弾。今回は〝カワイイ篇〟ということで、不可思議な種族、文字も読めないドジな科学者など、欠点もあるがそれを補って余りある魅力あるキャラクターが登場する収録作が揃っている。人間より成長が遅く、数百年の時を生きる異質な一族ファニーフィンガーズとして生きる少女と人間の少年の悲恋を描く表題作。ろくに計算もできないし、文字も読めないドジ、まぬけ、うすのろのアルバートだが、そんなうすのろだからこそ、自分をなんとかしようと数々の発明を成し遂げ、世界の様相を一変させていく様を描き出す、ラファティ唯一のヒューゴー賞受賞作「素顔のユリーマ」など、筆者がラファティ作品で最も好きな部分が凝縮された短篇集である。十位の『とうもろこし倉の幽霊』とあわせてどうぞ。

BEST SF 2022
第17位

逃亡テレメトリー
マーダーボット・ダイアリー
マーサ・ウェルズ
中原尚哉＝【訳】
創元SF文庫

殺人事件を解明せよ！大人気シリーズ第三弾

内省的で連続ドラマが大好きな人型警備ユニット〈弊機〉の冒険を描き出す、日本翻訳大賞も受賞した大人気シリーズ《マーダーボット・ダイアリー》シリーズの第三弾となる中短篇集。表題作は、プリザベーション連合のステーション内で発生した殺人事件を語り手の弊機（自分をコントロールする統制モジュールをハッキングし、自由の身となった人型警備ユニット）が探偵役となって解き明かしていくミステリ中篇。接触DNAを除去できる装置や監視カメラの妨害などを考慮に入れたSFらしい事件の考察がおもしろい。ほか、前日譚となる掌篇が二つ収録されている。

BEST SF 2022
第18位

黄金の人工太陽
巨大宇宙SF傑作選
J・J・アダムズ＝【編】
中原尚哉、ほか＝【訳】
創元SF文庫

壮大なスケールの宇宙SFを集めた一冊

数々の傑作選を編んできたJ・J・アダムズが、「圧倒的な宇宙スケールの作品」とオーダーして出来上がった、全十九篇の傑作選。醜い肉塊が支配している宙域からなんとかして脱出・対抗しようとする人々を描き出すチャーリー・ジェーン・アンダーズ「時空の一時的困惑」。人類の敵クレイトを倒せる可能性のあるノヴァ・ブレード、その唯一の使い手に選ばれてしまった田舎者の女性の日記ログを通して、〝英雄に祭り上げられてしまった一般人〟の孤独と葛藤を描き出す「ノヴァ・ブレード」など、現代ならではの多様な視点と、壮大なスケールの作品が揃っている。

BEST SF 2022
第19位

塩と運命の皇后
ニー・ヴォ
金子ゆき子＝【訳】
集英社文庫

独自のアジア風世界観が光るファンタジー

同世界観の中篇が二つ（表題作はヒューゴー賞中篇部門を受賞）収録されている。魔法が存在するだけでなく虎や狐の妖怪が存在するファンタジー世界で、聖職者のチーが出来事を記憶・書き留めるために各地へと赴いていく。表題作は五十年ぶりに皇后が軟禁されていた〈深紅の湖〉の魔法の封印が解かれ、チーがそこを訪れる場面から幕を開ける。そこにはかつて皇后に侍女として使えた老女がいて――と、その話を聞き取るスタイルで物語は進行する。アジアを連想させる世界観を土台に、当然のこととして無数の性愛の形が描かれており、独特な読み味を残す作品だ。

BEST SF 2022
第19位

タワー
ペ・ミョンフン
斎藤真理子＝【訳】
河出書房新社

巨大タワーが舞台 異色の韓国SF

韓国SFの代名詞とも言われる作家ペ・ミョンフン。その代表作とされるのが本作だ。舞台は六七四階建て、人口五十万人にもなる巨大タワーの「ビーンスターク」。その時点で異様な存在だが、そこでは「こくみん」と吠える犬がいたり、エレベーターが数十階ずつしか存在せずてっぺんにいくのもそう簡単ではなかったり――と不可思議な文化・構造・事象が展開していることが明らかになっていく。作品はどれもストレンジでありながらも裏にはしっかりとしたロジックや韓国の社会状況も反映されていて、二二年刊行の韓国SFの中でもおすすめしたい作品だ。

BEST SF 2022 第21位

ヴィリコニウム パステル都市の物語

M・ジョン・ハリスン
大和田始＝【訳】
書苑新社

《ヴィリコニウム》シリーズの連作をまとめた短篇集。ダークファンタジーが基調となるが、科学技術が発展し滅んだ〈午後の文明〉が遺した遺物を掘り出しながら使う人々を捉えた「パステル都市」など、圧倒的な情景を描き出している。

BEST SF 2022 第21位

平和という名の廃墟（上・下）

アーカディ・マーティーン
内田昌之＝【訳】
ハヤカワ文庫SF

『帝国という名の記憶』の続篇。銀河帝国が存在する宇宙を舞台に、言語を持つのかすらもわからぬ未知の異星生物との決死の外交交渉を描き出す、ファーストコンタクトSF。前作を大きく超えて飛翔していくようなおもしろさがある。

BEST SF 2022 第21位

流浪地球

劉 慈欣
大森 望、古市雅子＝【訳】
KADOKAWA

全六篇の短篇集。太陽の爆発で地球が滅亡することが確定し、地球に推進装置を取り付け地球そのものを宇宙船として太陽系脱出を試みる、映画化もされた表題作など、《三体》の劉慈欣らしい、絵で魅せてくれる短篇が揃っている。

BEST SF 2022 第24位

不死鳥と鏡

アヴラム・デイヴィッドスン
福森典子＝【訳】
論創海外ミステリ

「あるいは牡蠣でいっぱいの海」などで知られる著者による、故・殊能将之が（著者の）長篇では最高傑作と評した作品。魔術師の主人公が魔法の鏡を作る冒険の過程で、練り上げられたファンタジー設定や歴史小説のおもしろさが横溢する。

BEST SF 2022 第25位

ピラネージ

スザンナ・クラーク
原島文世＝【訳】
東京創元社

海から潮が注ぎ込み続け、何十もの玄関が存在する異様な広さの館。そこで暮らすのは「僕」の他にはただ一人の生者と、十三の骸骨だけで——と、ふたりが科学者としてこの館を探求していく過程を描く、鮮やかな幻想長篇だ。

BEST SF 2022 第25位

老神介護

劉 慈欣
大森 望、古市雅子＝【訳】
KADOKAWA

五篇収録の短篇集。人類を生み出したとする神が地球にやってきて、その介護を人類が担当する表題作。その続篇にして人類が逆に扶養される立場となった姿を描き出す「扶養人類」など、人類単位の社会の行末を描き出す作品がおもしろい。

BEST SF 2022 第27位

疫神記（上・下）

チャック・ウェンディグ
茂木 健＝【訳】
竹書房文庫

未来を予測するAI、トランプ以後のアメリカの分断、ナノマシン、親子の確執、感染した人間がみな一つの方向に向かって歩き続ける謎の奇病など無数のテーマがミックスされた、合計一四〇〇ページを超えるパンデミック巨篇。

BEST SF 2022 第28位

シャーロック・ホームズとシャドウェルの影

ジェイムズ・ラヴグローヴ
日暮雅通＝【訳】
ハヤカワ文庫FT

クトゥルフの古き神々とホームズが出会う、大胆不敵なマッシュアップ。ロジックもバリツも通じない相手に、ホームズはどのような反応を返すのか？ ホームズ・パスティーシュを手掛けてきた著者が手堅くまとめあげていく。

BEST SF 2022 第28位

フィッシャーマン 漁り人の伝説

ジョン・ランガン
植草昌実＝【訳】
新紀元社

二〇一六年のブラム・ストーカー賞受賞作。信じられないほど深く、その底に何があるのか想像もつかないと語られる川へ、家族を病や事故で亡くした二人の釣り人が挑む。『白鯨』やラヴクラフト作品の影響と愛を感じるホラー長篇だ。

BEST SF 2022 第30位

マゼラン雲

スタニスワフ・レム
後藤正子＝【訳】
国書刊行会

レムが晩年まで外国語への翻訳を拒んでいた幻の第二長篇がついに本邦初訳。三十二世紀の未来、有人探査船で起こる孤独や虚無との戦い、その果てに訪れるファーストコンタクトを描き出す、オーソドックスなスタイルな宇宙冒険SFだ。

ランク外の注目作

BEST SF 2022 ―海外篇―

最初に大作系から紹介しよう。「折りたたみ北京」などで知られる郝景芳の長篇**『流浪蒼穹』**（及川茜、大久保洋子訳／新☆ハヤカワ・SF・シリーズ）は地球から独立した火星育ちの少年少女が地球に友好使節として送られ、五年後に火星に戻るもどちらにもアイデンティティを見いだせなくなった状況を描き出す、郝景芳の美しい筆致が堪能できる長篇だ。一九五二年の隕石落下によって地球環境が激変し人類が活路を地球外に求める、架空の宇宙開発史を描き出すメアリ・ロビネット・コワル『宇宙へ』『火星へ』に続く三作目の長篇**『無情の月（上・下）』**（大谷真弓訳／ハヤカワ文庫SF）も外せない。今作は主人公をカンザス州知事の夫を持つ宇宙飛行士の女性に設定したことで、ポリティカルスリラー色も強くなった。

二〇三三年、中国の日本侵攻によって東京が東西で分断された世界で、警視庁捜査一課の刑事を主人公に据え事件を追うマルカ・オールダー・他による**『九段下駅　或いはナインス・ステップ・ステーション』**（吉本かな・他訳／竹書房文庫）は海外作品でありながらも日本、特に東京の描写がきちんとしている連作SFミステリで、個人的にはBEST5に入れてもいいぐらいにおもしろかった。

続いて大作家系を。レムは『マゼラン雲』がランク入りしているが、兵器開発の未来を描き出したレムの最晩年の長篇である**『地球の平和』**（芝田文乃訳／国書刊行会スタニスワフ・レム・コレクション）も刊行されている。兵器は小型化が極限まで進行し、最終的には何が敵の攻撃なのかもわからなくなるなど、先見の明が光る傑作だ。ジェイムズ・P・ホーガンの晩年のSF長篇**『未踏の蒼穹』**（内田昌之訳／創元SF文庫）は地球人類が最終戦争によって滅んだ後、金星人が地球を訪れそこにはどのような文化があったのかを解き明かしていく、「もうひとつの『星を継ぐもの』」とも評される作品である。また、オラフ・ステープルドンの**『スターメイカー』**（浜口稔訳）がちくま文庫から復刊されたことにも触れておきたい。今で読んでも傑作だ。

近年勢いを増しているのが、気候変動をテーマにしたSF群。たとえば、環境汚染が激しくなったアメリカで、実験のため被験者らを最後の原生地〝ウィルダネス〟で、狩猟採集民のような生活をさせる実験に参加した母娘の物語であるダイアン・クック**『静寂の荒野』**（上野元美訳／早川書房）。凄まじい暴風雨が襲来し建物や電力がやられ、少年少女たちが黙示録のように混沌とした世界に放り出される様を描いたリディア・ミレット**『子供たちの聖書』**（川野太郎訳／みすず書房）あたりは特に記憶に残った作品だ。

『空のあらゆる鳥を』のチャーリー・ジェーン・アンダーズの最新作**『永遠の真夜中の都市』**（市田泉訳／創元海外SF叢書）はファンタジイ色の濃かった前作とはうってかわって幻想的なSF長篇だ。常に太陽に同じ面を向けるため昼と夜が明確に分かれた植民惑星を舞台に、〈ワニ〉と呼ばれる原住種との関わりや三人の女性たちの複雑な感情の交錯が描かれていく。また、投票期間の終わり際に刊行された極上のワインSFである**『拡散　大消滅2043（上・下）』**（藤原由希訳／文春文庫）にも触れておきたい。二〇四三年にブドウを死滅させるウイルスが広まった世界で、未来のワイン醸造の変化と味、宇宙でワインを飲むコツなど、ワインについて語り尽くした異色のSFで最高におもしろい。

他、意識のみを自動恒星間探査機の制御訳として取り付けられてしまった哀れなオタクのボブが主人公の宇宙冒険シリーズ《われらはレギオン》三部作の久々の続篇**『われらはレギオン4　驚異のシリンダー世界（上・下）』**（金子浩訳／ハヤカワ文庫SF）も相変わらずのスケール感で楽しませてくれた。事故や老い以外では人が死ななくなった結果人口が増えすぎ、ついには「デスパーク」と呼ばれるVRゲームの世界で寿命を賭けて殺し合いをするようになった人々を描いた長篇**『デスパーク』**（田辺千幸訳／ハヤカワ文庫SF）も要チェックな作品だ。

COMMENT

海外篇第1位
『プロジェクト・ヘイル・メアリー』
著者・アンディ・ウィアー氏&訳者・小野田和子氏の言葉

▍*Andy Weir*

1972年、カリフォルニア生まれ。作家志望で宇宙開発に強い関心のあったウィアーは『火星の人』を書き上げ、自身のウェブに公開。その後、2014年に書籍版が発売され、世界的なベストセラーとなる。マット・デイモン主演で映画化された。第3長篇『プロジェクト・ヘイル・メアリー』は、2021年にアメリカで刊行されるとすぐにベストセラーとなった。ライアン・ゴズリング主演で映画化が進行中。

◎著者コメント

　この賞をふたたびいただけたこと、うれしく誇らしく思います——これはわたしの作品が世界中の読者と共鳴し合っているというなによりの証なのですから。ベストSF2022選出にあたり『プロジェクト・ヘイル・メアリー』に投票してくださった翻訳家、評論家、そしてSF作家のみなさんに深く感謝いたします。またこの作品を日本に紹介し、本賞受賞への道を開いてくださった出版元の早川書房のみなさんにも謝意を表します。これまで本賞を受賞された多くの錚々たる先達たちの一員に加えていただいたことを大変光栄に思います。アリガトウ、ニホン！

（小野田和子訳）

◎訳者コメント

　『プロジェクト・ヘイル・メアリー』の原書を一読して、アンディ・ウィアーがまた多くの人が楽しめる快作を放ってくれた、と感じました。愛すべきキャラクターの主人公が、持てる知識を総動員して目の前にたちはだかる問題を悩みながら、悪態をつきながらも、ひとつひとつ解決して大きな目標に向かって進んでいく。これはもうウィアー氏の長篇デビュー作『火星の人』そのままですが、本作にはもうひとつ大きなお楽しみが用意されていて、それがまた実に素敵な感動を呼ぶ展開につながっていく。少しほろ苦いラストまでいっきに読み終えたら、誰かとその興奮を分かち合いたくなること請け合いです。

　ウィアー氏は本作でSFの古典的大ネタのひとつに挑戦して読者を大いに驚かせ、楽しませてくれました。この先、ハードSFとしてしっかり成立する時間もの、異世界もの、平行世界もの等々に挑戦してくれるのか、それとも現実と地続き路線でいくのか、次作を楽しみに待ちたいと思います。

　待つといえば、本作は映画化も予定されているようで、主人公のライランド・グレースはライアン・ゴズリングが演じると伝えられていますが、ロッキーがどのように描かれるのか興味津々です。（一抹の不安があることは否めませんが……）

　刊行から一年以上たちましたが、ここで一位に選んでいただいた勢いでまたブーストしてあらたな読者との出会いがふえればと願っています。

プロジェクト・ヘイル・メアリー（上・下）

アンディ・ウィアー
小野田和子＝訳

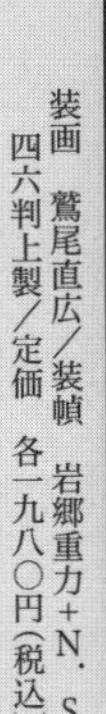

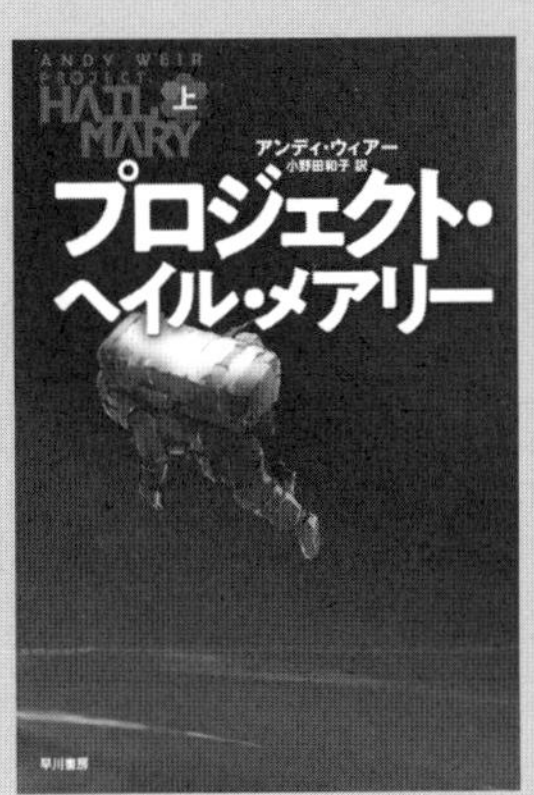

地球上の全生命滅亡まで30年……。
全地球規模のプロジェクトが始動した！

大ヒット映画「オデッセイ」のアンディ・ウィアー最新作。映画化決定！未知の物質によって太陽に異常が発生、地球が氷河期に突入しつつある世界。謎を解くべく宇宙へ飛び立った男は、ただ一人人類を救うミッションに挑む！『火星の人』で火星でのサバイバルを描いたウィアーが、地球滅亡の危機を描く極限のエンターテインメント。

早川書房

「真夏の三体祭りだ！『三体X』刊行記念
上田早夕里＆大森望オンライントークショー」採録

〈三体〉シリーズ愛読者である作家・上田早夕里氏と、これまでシリーズすべてを訳されている翻訳家・大森望氏のふたりが、〈三体〉シリーズと『三体X』についてディープに語った、ジュンク堂池袋本店主催のオンライン・イベントを採録します。

■上田早夕里（うえだ・さゆり）
作家。著書『華竜の宮』『リリエンタールの末裔』『深紅の碑文』『獣たちの海』他多数。
■大森 望（おおもり・のぞみ）
ＳＦ翻訳家、書評家、アンソロジスト。訳書に、劉慈欣『三体』三部作（共訳）など。

■『三体』について

大森　上田さんはいつから『三体』に興味を持たれていたんですか？

上田　ヒューゴー賞を受賞した時（二〇一五年）ですね。リアルタイムでニュースを見ていました。ちょうどそのころ、日本のＳＦ作家の短篇も中国のＳＦ誌〈科幻世界〉に続々と訳されていて、それで中国のＳＦ関係のサイトを見に行ったらどこを見ても『三体』というタイトルが出てくる。著者公認の二次創作があるのもそのときに知りました。

大森　自分の作品が中国語に翻訳されたことが同時代の中国ＳＦに興味をもつきっかけのひとつになるというのは、ケン・リュウさんと同じパターンですね。『三体』を読まれた印象はいかがですか。

上田　『三体』『三体Ⅱ　黒暗森林』『三体Ⅲ　死神永生』とそれぞれ雰囲気が違うことにすごく驚きました。劉慈欣さんは編集者から、「ＳＦを読まない読者のことをしっかり考えてください」と言われて、それを意識して書いたそうですが、確かに『三体』には向こうの主流文学っぽい農民生活もちゃんと盛り込まれている。でも、どんどんＳＦ部分のアイデアが大きくなっていって、Ⅲは「ＳＦファンだけのために書く」と宣言して書いた話になった。私はⅢが一番面白かったですね。エンタメとしてⅡはすごくよくできていると思うんですけど、ⅢのＳＦでしか見られない光景がすごい。文章によって映像がいっぺんに頭の中に広がるというのは、活字でＳＦを読むときの醍醐味なので、それを最大限に味わわせてくれたⅢが一番楽しかったですね。

大森　劉さんはふつうに考えたらとても書けそうにない場面もストレートに全部書くじゃないですか。逃げずに正面から書いて、しかもそれがちゃんと面白い。あと、ギャグなのか本気なのかわからないところがいっぱいある。劉さん本人とも話したんですが、ここはギャグですよね？　と言っても「いやいや、理論的に考えたらこうなるんだ」とすごく真面目に答えていた。本質的にはすごくＳＦオタクっぽいというか、そういうファン気質がある人で、それがちょこちょこ漏れ出るところがある。劉さんはぼくとほぼ同世代なので、読んできたものも大変よくわかるんです。アシモフとかクラーク、小松左京ですね。そういう意味でも同世代感・親近感があります。

上田　そうですね。『三体』を読んで、劉さんは海外の黄金期のＳＦ、クラークとかアシモフとか、そのあたりからストレートに影響を受けているなと感じました。中国SFというと、独得の雰囲気があるのかなと思っていたら、ほぼ青背を読んでいる印象と変わらない。SF黄金期の文法に沿っているので、無国籍的というか、どこの国でも通用する。

大森　そうですね。SFのアイデアは国境を超えるということでしょうか。

■『三体X』著者・宝樹とは

大森　たぶん、そのSFオタク気質をさらに増幅させたのが『三体X』の著者の宝樹さん。宝樹さんのほうが現代のオタクというか、最近の日本のSF作家に近いですね。『三体X』は『三体』本篇で書かずにいたところがあっさりと明かされる、そのあたりの大胆さがよかった。リスペクトが大きすぎると、原典をなぞりすぎてしまってあまり面白くない続篇になるケースがあると思いますが、そうはならなかった。

上田　やっぱり、『三体』を愛するファンが書いたということが大きいと思います。プロの作家が『三体』のトリビュートを書いてくださいと言われても、みんなガチガチに緊張してしまって思い切ったことを書けないと思うんです。

大森　日本で『三体』トリビュートアンソロジーみたいなものをやるのはどうですか。

上田　そんな恐ろしいことはやめてください（笑）。

大森　ぼくが『三体X』ですごいなと思ったのは第三部「天萼（てんがく）」なんです。

上田　小川一水さんの『天冥の標』っぽいですよね。

大森　そうですね。『死神永生』のあらすじメモを作っているときには「ノルルスカインみたい」と書きました（笑）。ああいうかたちの文明はSFではよく描かれてきましたが、それをどのぐらいリアルに書くか。『三体』三部作で劉さんは歌い手文明の中身にあまり踏み込まなかった。宝樹さんはそれを引き受けて、書くからにはちゃんと書こうという感じがあって、かなりの労力をかけている。すごく短期間で書いたはずなのに、よく書けたなと。

上田　「天萼」を読むと、もともとオリジナルを書く力がある人だったんだなと思いますね。

大森　『三体X』の最初のほうの、天明と艾AAの絡みとか、智子との絡みとか、キャラクター同士がしゃべっているところはいかにもファンの二次創作っぽいんですけど、「天萼」では完全にその域を超えている。むしろ二次創作でこのネタを使うのはもったいないのではないか、『三体』を読んでいない人には読んでもらえないのに、という気さえしました。

上田　二次創作を書いているうちに書き手としてのチャンネルがひらいたのでしょうね。私は自分が二次創作をしないのでわからないのですが、二次創作からプロになった人は、おそらくなにかの瞬間にパッと自分のなかにあるオリジナルのチャンネルがひらくんですよ。そういう人はプロに転向していく。

大森　素人だったのにあれが書けてしまうような人が出てくるのは、中国すごいなという感じがありますね。宝樹はハードSF作家というよりは時間SF作家に進みましたが、短篇を読むと、日本人が書いたといっても違和感がない。固有名詞だけ変えれば日本SFだといっても通じますよね。

上田　そうですね。私が最初に読んだ宝樹さんの作品は「だれもがチャールズを愛していた」（SFマガジン二〇一九年八月号訳載）

『三体X　観想之空』

なんですが、あれを読んだときに、八〇年代のSFを知っている自分たちの世代とほぼ感覚が共通していてびっくりしたんです。宝樹さんは八〇年代生まれの作家さんですが、中国はSFが社会的に圧迫されて一度ほろびかけたのでちょっとズレがあって、そのズレをちょきんと切ってつなげると、ほぼ私たちと感覚が変わらないんだな、という。

大森　文革の前後で、二十年ぐらい翻訳が止まっていた時期があるせいですね。

上田　それ以前はほぼリアルタイムで影響を与え合っているんですよね。文革がなければ同時期にアジアの二大拠点として日本と中国のSFは発展してきたのではないかと、宝樹さんの作品を読んでいて感じますね。

大森　それこそ『日本沈没』が、『三体』のように世界的に大ヒットした可能性もあったかなと。

上田　もったいないですよね。

大森　『三体』がヒューゴー賞をとったことで世の中というか、SFの歴史がこれだけ変わるのかという感慨もありますよね。

■世界と日本SF

大森　日本SFは英語圏への浸透度においては後れを取っていて、タイトル数では中国SFより訳されているのに、SFマニアの読むものというところから抜け出せなくて、認知度が低いままということに歯がゆい思いがあるのですが、上田さんはどう思われますか。

上田　日本SFは世界の中でもSFの最先端を走っている部分もあるのではないかと思っています。でも、レビューなどを読むと、日本のSF小説はわからないという声もあるのです。翻訳されているものは私から見てもオーソドックスなSFなのに、それでもわからないというのは、おそらく文化的な差異があるということなんですよね。いまだに日本に対するイメージが、茶室でおもてなし、みたいなところで止まっているような……。現代の日本人が社会の中で何を問題にしていて、何を価値基準にしてものを書いているのかということがまだ伝わりきっていないという印象を受けます。中国SFの場合は、そういうところよりも、海外のSFから受けた影響をストレートに作品に投影しているので、それなら自分たちも読んできたものだからわかるというような、そういう受け止められ方をしているのではないかという気がします。

大森　すぐれた日本SFが数十タイトル英訳されても、なかなか火がつかないというのは、そういう事情もあるのかもしれないですね。一方で、今はアメリカの中国に対する関心がすごく大きいというのもある。

■女性観、作家としてのジレンマ

大森　『三体』三部作は中国で出版された段階から女性観に問題があるのではという声があったそうです。日本でも李琴峰さんが〈文学界〉に長大な『三体』論を書かれて、そのなかで「SFとしてはすごく評価するけど、女性の描写については納得できない」と、女性観の古さについて言及されています。上田さんはそのあたりは気にならないですか。

上田　そういったところは完全にシャッターを下ろして読むようにしています（笑）。純粋にSFとして面白いかどうかということだけで評価しています。そこを無理に変えてほしいとは思っていなくて、おそらく、どんどん異質な価値観を入れて新しいものをつくっていこうとする作家でないかぎり、変化は難しいはずなんですよね。指摘される部分が、作品を書くための重要な動機と直結している場合も少なくないと思うので。私は書き手なので、そういう部分はよくわかる。だからあまり言いたくないなという気持ちもあります。

大森　もともと小松左京さんからして、いまの目で見ると女性の書き方に関してはかなりいろいろありますね。

上田　そうですね。でも、言われることで初めて気がつくこともあるので、読者はどんどん指摘すればいいと思いますよ。それで作家側が表現を変えることもあれば、変えないこともある。

■好きなキャラ、好きなシーン

大森　上田さんは、キャラクターでは雲天明が一番お好きだと。

上田　自分のなかにあるエネルギーをもてあまして鬱々としている人物が好きなんです。キャラクターではなく人間という感じがして。『三体』、特にⅡは、キャラが全員立っていますが、ああいう感じじゃない人が『三体』には二人いて、一人は葉文潔で、もう一人が雲天明だなと私は感じたんです。程心に会いたいがために、会えるはずがないのに上海の大学に行って待って、結局会えなくて鬱々と帰ってきたり、いきなり星をプレゼントしたり、ああいう部分もふくめて人間らしさを感じて大好きなんです。あまり好きな人はいないだろうと思うのだけど（笑）。

大森　あの「星をプレゼントする」というエピソードは最後までずっとつながる。最後は舞台にもなって、『三体X』にも、〝ぼくたちの星〟としてずっと残る。あのへんのスケール感というか、ちょっとした思い付きで入れた小さなネタだろうと思っていたものがずっとつながっていくというのは、中国的なのかどうかはわからないですが、ふりかえってみると限りない、はるかな道のりに感慨を抱くようなところがありますね。

上田　中国の読者はラストシーンにショックを受けたそうですが、日本の読者はこういった諸行無常観、いったん滅びて、新しいものが生まれてくるというのが大好きですよね。人類が滅びてこそＳＦといったところがある。

大森　滅びの美学というか、やられるのが好きというところがある。水滴によって地球艦隊がボコボコにされるあたりも喝采を送ったりして、あのシーンが一番好きという人も多い。二次元化攻撃で太陽系が壊滅していくあたりのクライマックスも、絶望感というよりも高揚感を抱いているようなところがありますね。上田さんは、一番お好きなシーンはどこですか。

上田　二次元化攻撃の場面が一番好きですね。『三体X』では宝樹さんが程心にひどいことをしていて、あの印象的な美しい場面をこう変えますかと（笑）。でもそれがファンの特権なのかなという気もします。

大森　自分だったらこう書くとか、逆にこのシーンは絶対に書けないとか、あるいは読んでいてライバル心的なものを刺戟されたりしましたか。

上田　『三体』を読んでいると、スケールの大きな長篇を書きたいなという気持ちがすごく高まります。こういうハードSF的なものを書きたいという意味ではなくて、私が書くと生活感のあるエンタメに近いものになるのですが、それでも力の入った長篇を書きたいという気持ちがすごくあります。しばらく短篇の仕事ばかりしていたので、これを読んだ後には長篇を書きたくなりました。

大森　素晴らしい。

上田　Ⅲを読み終えた瞬間から、自分も長篇を書きたいと。他人の作品を読んでそうなるというのはしばらくなかったのだけど、『三体』ではそうなったんですよね。

大森　長篇を書かれるのは大変だと思いますが、構想を温めていたりはされているのでしょうか。

上田　しばらく宇宙に出る作品を書いていないので、火星ぐらいまでは行動範囲に入れた作品を書こうかなと思って、それは出版社の方にもお話ししています。ＯＫも出たので、何年か先には単行本が出ていると思います。

（二〇二二年八月二十日／オンライン・イベント）

マイ・ベスト5

国内篇

全アンケート回答88名
（回答者50音順）

SF界で活躍する作家・評論家・翻訳家の方々に、2022年度（2021年11月〜2022年10月）の新作SFから、印象に残った国内作品5点を選んでもらいました。

掲載作品については、174ページからの「2022年度 SF関連書籍目録」に書誌情報の記載があります。また、右記の期間外の作品については、※印をつけ集計の対象外としました。

縣 丈弘 ……ときどきライター

①『残月記』小田雅久仁
②『地図と拳』小川哲
③『プロトコル・オブ・ヒューマニティ』長谷敏司
④『法治の獣』春暮康一
⑤『ｉｆの世界線 改変歴史SFアンソロジー』石川宗生、小川一水、斜線堂有紀、伴名練、宮内悠介

①は暗く熱い圧倒的な奇想小説。②は限りなくリアリズム小説に接近しているが、未来を見通す男が過去にいたらどう生きたかという思考実験としても読めた。③は著者の実体験を色濃く反映したと思しき作品だが、テクノロジーと人間性の関係を突き詰めた傑作だった。④は枠組はオーソドックスな宇宙SFだが、レムを思わせる思弁が充溢しており読み応えがあった。アンソロジーでは⑤が各収録作の完成度で頭ひとつ抜けていた。

秋山 完 ……作家

●『かぐや姫、物語を書きかえろ！』雀野日名子
●『まず牛を球とします。』作刈湯葉
●『鈴波アミを待っています』塗田一帆
●『チェレンコフの眠り』一條次郎
●『小説 すずめの戸締まり』新海誠（角川文庫）

昨夏、元総理を襲った銃弾は魔法のように開かずの扉を破って、秘められた凶事を一気に露出させた。『すずめの戸締まり』の扉の裏には〝災厄〟とともに〝真実〟も潜む。これを閉じるのか開けるのか、アリスが不思議の国の扉の鍵を手にして以来の命題なのだろう。かぐや姫が語るIFの作品史も、VRワールドの大衆心理も、SFという鍵が開く〝扉の向こう〟の出来事。究極のテーマは、〝死〟という扉の彼方には何があるのか、だが。

天野護堂 ……SF愛好家

①『アグレッサーズ 戦闘妖精・雪風』神林長平
②『クロノス・ジョウンターの黎明』梶尾真治
③『愚かな薔薇』恩田陸
④『新しい世界を生きるための14のSF』伴名練＝編
⑤『地図と拳』小川哲

新型コロナウイルス感染症の振る舞いも解明されつつ徐々に日常生活が戻ってくるかと思われた時期に、よりにも寄って、ロシア・

ウクライナ戦争や安倍晋三元総理銃撃が起きて、それらに関する雑誌書籍類の読破に時間を取られて例年より国内作品を読む時間が取られてしまいました。又、異世界転生小説やコミカライズ作品に手を出してしまい更に時間が無くなりました。猛省しております！　作家の皆様、素晴らしい作品を発表して頂き誠にありがとうございます。

安野貴博　作家

①『君のクイズ』小川哲
②『爆発物処理班の遭遇したスピン』佐藤究
③『百年文通』伴名練
④『AI法廷のハッカー弁護士』竹田人造
⑤『#真相をお話しします』結城真一郎（新潮社）

①「クイズプレイヤーの認知」という特殊な空間で繰り広げられるドラマにページをめくる手が止まりませんでした。②バリエーション豊かな異常シチュエーションが最高でした。③意外性のあるエスカレーションが素晴らしかったです。

石和義之　SF評論家

●『地図と拳』小川哲
●『パンとサーカス』島田雅彦（講談社）
●『残月記』小田雅久仁
●『獣たちの海』上田早夕里
●『SFマンガ傑作選』福井健太＝編

『地図と拳』『パンとサーカス』。ともに重量感ある大作だが、現在の世界において、骨太な作品が書かれることは好ましい。『SFマンガ傑作選』は、一九七〇年代の作品を中心に集められているが、すべて初読のものであり、たいへんありがたかった。難を言えば文庫サイズなので、せめて新書サイズにして欲しかった。『終わりなきタルコフスキー』（忍澤勉）、『萩尾望都がいる』（長山靖生）の注目すべき両評論には、教えられるところが多かった。

いするぎりょうこ　SF&ファンタジー・ファン

①『香君（上・下）』上橋菜穂子
②『アグレッサーズ　戦闘妖精・雪風』神林長平
③『法治の獣』春暮康一
④『新ドリトル先生物語　ドリトル先生ガラパゴスを救う』福岡伸一（朝日新聞出版）
⑤『獣たちの海』上田早夕里

新型コロナウイルスが人間社会の箍（たが）を外したか。激動のリアルワールドに日々慄然。人間が思っているほど人間は賢くないのではとの思いが募るなか、図らずも異質な存在を扱う作品が並ぶことになった。このまま、人間以外の地球の生き物の言語能力や論理的思考の解明が進んで、〝ドリトル先生〟がファンタジーでなくなったとき、衝撃の真実が……という展開を想像してしまう。『アグレッサーズ』の群れない反骨が好き。

磯部剛喜　UFO現象学者

①『SFする思考　荒巻義雄評論集成』荒巻義雄
②『SFマンガ傑作選』福井健太＝編
③『性差（ジェンダー）事変　平成のポップ・カルチャーとフェミニズム』小谷真理
④『2084年のSF』日本SF作家クラブ＝編
⑤『ハヤカワ文庫JA総解説1500』早川書房編集部＝編

ウクライナ戦争で世界が揺れている。これは第二次世界大戦勃発時の情勢とよく似ているが、一九四〇年に日本SFのパイオニアである海野十三は『地球要塞』を刊行し、反ナチスの姿勢を鮮明にした。言論統制のある当時の日本では勇気ある行動だった。ポスト『一九八四年』を意図した短篇集『2084年のSF』は、海野十三の意志を継ぐ作品集として強く評価したい。

市田 泉　翻訳家

①『地図と拳』小川哲

②『無垢なる花たちのためのユートピア』川野芽生
③『残月記』小田雅久仁
④『旅書簡集　ゆきあってしあさって』高山羽根子・酉島伝法・倉田タカシ
⑤『アグレッサーズ　戦闘妖精・雪風』神林長平

今年は面白い作品が多くて五点に絞るのが大変でした。圧倒的な熱量の『地図と拳』、暗い夢が絡みついてくるような『残月記』の文章、『ゆきあってしあさって』の無類の変てこさ、『雪風』の登場人物の理詰めの会話、いずれも大いに楽しみました。川野芽生の幻想世界とそれを支える文章の強さを味わうなら掌篇集『月面文字翻刻一例』も必読です。

岩郷重力 ……グラフィック・デザイナー

●『アグレッサーズ　戦闘妖精・雪風』神林長平
●『地図と拳』小川哲
●『獣たちの海』上田早夕里
●『法治の獣』春暮康一
●『まず牛を球とします。』柞刈湯葉

卯月鮎 ……書評家・ゲームコラムニスト

●『プロトコル・オブ・ヒューマニティ』長谷敏司
●『まず牛を球とします。』柞刈湯葉
●『旅書簡集　ゆきあってしあさって』高山羽根子・酉島伝法・倉田タカシ
●『チェレンコフの眠り』一條次郎
●『地図と拳』小川哲

『プロトコル〜』は痛切な祈り。機械と人間の間には何が存在し、何がその狭間をつなぐのか。『まず牛を〜』はユーモアと諦観。温かく冷徹なパウダーが一気に振りかけられたポップコーンのよう。『ゆきあって〜』は言葉の迷路に右往左往する。酩酊感に満たされるのは幸せなこと。『チェレンコフ〜』はシニカルな無垢、清らかな暴力。ビートルズの『アイ・アム・ザ・ウォルラス』が脳裏に流れた。

榎本秋 ……著述業

①『それをAI（あい）と呼ぶのは無理がある』支倉凍砂※
②『まず牛を球とします。』柞刈湯葉
③『AI法廷のハッカー弁護士』竹田人造
④『プロレス棚橋弘至と！　異世界タッグ無双！！！（上・下）』津田彷徨
⑤『幼馴染だった妻と高二の夏にタイムリープした　17歳の妻がやっぱりかわいい。』kattern

「完璧な相棒」としてのＡＩがいる世界の青春を描き切った作品を一位に。二位は奇想天外が詰まった短篇集で、視点の鋭さがたまらない。未来のＡＩと正義にまつわる物語で、読んでいて深く考えさせられることになった三位、異世界転生をするのがなんと実在する会社経営者とプロレスラーのコンビ（！）という発想がぶっとんでいる四位と来て、五位はタイムリープを小道具にラブコメがお腹いっぱい楽しめる青春もの。

海老原豊 ……ＳＦ評論家

●『性差事変　平成のポップ・カルチャーとフェミニズム』小谷真理
●『影絵の街にて』新井素子／日下三蔵＝編
●『名探偵に甘美なる死を』方丈貴恵
●『スター・シェイカー』人間六度
●『不可視の網』林譲治

現実がＳＦになりつつあるな、と感じる今日この頃。ではＳＦは何を描けるのだろうか？　と考えている。

大倉貴之 ……書評家・アンソロジスト

①『喜べ、幸いなる魂よ』佐藤亜紀（KADOKAWA）
②『性差事変　平成のポップ・カルチャーとフェミニズム』小谷真理

③『人類の起源　古代DNAが語るホモ・サピエンスの「大いなる旅」』篠田謙一（中公新書）
④『ベストSF2021』大森望＝編
⑤『ベストSF2022』大森望＝編

十八世紀のベルギーを舞台にした佐藤亜紀の傑作長篇を一位に推す。二位は小谷真理『性差事変』は圧巻の読み応えであった。篠田謙一『人類の起源』では多様な「人」に驚かされた。大森望、日下三蔵、伴名練によるアンソロジーはどれもよかった。

大阪大学SF研究会 …… 大学サークル

①『ツインスター・サイクロン・ランナウェイ2』小川一水
②『はじまりの町がはじまらない』夏海公司
③『ゴジラS.P〈シンギュラポイント〉』円城塔
④『2084年のSF』日本SF作家クラブ＝編
⑤『新しい世界を生きるための14のSF』伴名練＝編

アンソロジー系もさることながら、長篇作品も面白い作品が出た一年だった。ゴジラS.Pの書籍版では、映像脚本先行の円城塔作品という今までにない試みが味わえた。また、《なれる!SE》シリーズなどを愛読していた身からすると、夏海公司先生のSF長篇がハヤカワレーベルで読めたことは大変嬉しかった。

大野典宏 …… ただの一読者

①『いかに終わるか　山野浩一発掘小説集』山野浩一／岡和田晃＝編
②『獣たちの海』上田早夕里
③『笙野頼子発禁小説集』笙野頼子（鳥影社）
④『新装版　タイム・リープ　あしたはきのう（上・下）』高畑京一郎

日本が破滅に向かっている予感に苛まれた『笙野頼子発禁小説集』は特に身につまされました。

大野万紀 …… SF翻訳家・書評家

①『法治の獣』春暮康一
②『ifの世界線　改変歴史SFアンソロジー』石川宗生、小川一水、斜線堂有紀、伴名練、宮内悠介
③『箱庭の巡礼者たち』恒川光太郎
④『残月記』小田雅久仁
⑤『新しい世界を生きるための14のSF』伴名練＝編

今年も優れた国内SFが多数出版されたのに、読み終えたのはその一部だけ。でも①には驚いた。書き尽くされたような異星生物とその知性の物語をまだこのように描くことができるとは。生物学SFの傑作である。②は奇想も含めた改変歴史を扱ってどの作品も読み応え満点。③は日常と異世界が繋がりそれが本格SFとなる。④は圧倒的な想像力の強靱さを満喫した。⑤では宮西建礼、天沢時生、坂永雄一の作品が特に印象的だった。

大森 望 …… SF業

①『残月記』小田雅久仁
②『地図と拳』小川哲
③『プロトコル・オブ・ヒューマニティ』長谷敏司
④『ループ・オブ・ザ・コード』荻堂顕
⑤『新しい世界を生きるための14のSF』伴名練＝編

①は表題作の中篇が独創的かつ圧倒的にすばらしい。ディストピアと剣闘士と恋愛をひとつに融合させたオールタイムベスト級の傑作。②は満州に忽然と出現した幻の都市をめぐる（空想科学小説ならぬ）空想歴史小説。③は父親の介護の問題を重ね合わせることでサイボーグSFに新たな地平を切り開いた。④は、伊藤計劃トリビュートの域を遥かに超えて、反出生主義と正面から立ち向かう。⑤は再録アンソロジーの新たな方向を示す一冊。

岡田靖史
飲食店店主

①『プロトコル・オブ・ヒューマニティ』長谷敏司
②『法治の獣』春暮康一
③『大日本帝国の銀河5』林譲治
④『獣たちの海』上田早夕里
⑤『残月記』小田雅久仁

岡本俊弥
SFブックレビュアー

●『残月記』小田雅久仁
●『旅書簡集　ゆきあってしあさって』高山羽根子・酉島伝法・倉田タカシ
●『ループ・オブ・ザ・コード』荻堂顕
●『ベストSF2022』大森望＝編
●『プロトコル・オブ・ヒューマニティ』長谷敏司

『残月記』は著者の最高傑作、『プロトコル・オブ・ヒューマニティ』も渾身の長篇といえる。『ゆきあってしあさって』は、めずらしいタイプのリレー小説集なので選択。『ループ・オブ・ザ・コード』は設定の特異性を買う。二年分出た年刊傑作選では、「ベストSF」のうち伴名練の中篇を一挙掲載した2022年版を選ぶ。番外ながら、昨年に引き続き私家版で出た、内容充実の小説篇『眉村卓の異世界物語』もお忘れなく。

岡和田晃
SF評論家／ゲームデザイナー

●『三島由紀夫　最後の言葉』「図書新聞」編集部＝編（武久出版）
●『翻訳を産む文学、文学を産む翻訳　藤本和子、村上春樹、SF小説家と複数の訳者たち』邵丹（松柏社）
●『「信長の黒い城」ルールブック』朱鷺田祐介（冒険心をくすぐるお店「コノス」）
●『ヴェネツィアの陰の末裔』上田朔也
●『折口裕一郎教授の怪異譚　葛城山　紀伊』市川大賀（NextPublishing Authors Press）

順不同。『三島由紀夫』は収録作の高原英理「ボーイ・ミーツ・ミシマ」（川端との比較文学論小説）、樺山三英「２０２０１１２５」（AI三島から「北朝鮮」、天皇までをも論じる小説）、テネシー・ウィリアムズと三島の対談、「伊藤計劃以後」と接続させる柳瀬善治のコメントが必読。邵丹本は、伊藤典夫論として評価すべき。RPGは『信長の黒い城』。着想とメタルなアートワークを買う。上田本は一六世紀をファンタジーとして再解釈する手際の良さを。市川本は粗さをも逆用する意気込みを。

オキシタケヒコ
SFものかき

●『旅書簡集　ゆきあってしあさって』高山羽根子・酉島伝法・倉田タカシ
●『カラマーゾフの兄妹　オリジナルヴァージョン』高野史緒
●『ゴジラS.P〈シンギュラポイント〉』円城塔
●『神々の歩法』宮澤伊織
●『スター・シェイカー』人間六度

相変わらずあまり数を読めてないので、私なんぞが票を投じてよいのかと疑問に思いつつも。

忍澤勉
ライター

●『SFする思考　荒巻義雄評論集成』荒巻義雄
●『いかに終わるか　山野浩一発掘小説集』山野浩一／岡和田晃＝編
●『旅書簡集　ゆきあってしあさって』高山羽根子・酉島伝法・倉田タカシ
●『裂けた明日』佐々木譲
●『偽装同盟』佐々木譲

途中経過ながら見事な思考の集成に驚嘆し、丁寧な先達の珠玉の発掘作業に敬服し、もう一つ別の世界からの便りに心なごみ、ヒタヒタと迫る超近未来の明日に震撼し、再構築された過去の街角を逍遥した二〇二二年。私事ながら別枠で、SF映画『惑星ソラリス』と『ストーカー』の深淵を解く拙著『終わりなきタルコフスキー』の発行もめでたきかな。

尾之上浩司　怪獣小説翻訳家

①『クロノス・ジョウンターの黎明』梶尾真治
②『工作艦明石の孤独1』林譲治
③『SF作家の地球旅行記』柞刈湯葉
④『増補新装版　オカルト・クロニクル　奇妙な事件　奇妙な出来事　奇妙な人物』松閣オルタ（二見書房）
⑤『ハヤカワ文庫JA総解説1500』早川書房編集部＝編

ベテランの大御所二人の新作をトップに。抒情的な①もミリタリーな②も、リーダビリティと読後感の良さで大満足。じつは夏場にオミクロンに罹ったこともあって読書量が激減したので、小説は例年の三割程度に留まり、気分転換に読める企画本を楽しんでいた。そんな中で③は公に発表されていた連載をまとめたものだが、作者の遊び心が横溢していて楽しめた。④は中間領域の力作企画本。⑤は半世紀を一度に見返せる好企画でした。

小山正　ミステリ研究家

①『此の世の果ての殺人』荒木あかね
②『残月記』小田雅久仁
③『隠し女小春』辻原登（文藝春秋）
④『2084年のSF』日本SF作家クラブ＝編
⑤『爆発物処理班の遭遇したスピン』佐藤究

③はラブドールを扱った怪奇譚で、ヴァイオレンスとエロスが高尚に語られる。欄外としたが『赤虫村の怪談』もオカルトミステリの逸品だった。西洋と東洋の怪奇趣味が見事に融合している。小説以外では、荒巻義雄『SFする思考』や小谷真理『性差事変』が示唆に富む批評書。特に後者には『アンドロメダ病原体』をフェミニズムの視点で新解析する素晴らしい論考が載っている。旧作も視点を変えると大発見がある。勉強になるなあ。

風野春樹　精神科医兼SFレビュアー

①『法治の獣』春暮康一
②『スター・シェイカー』人間六度
③『サーキット・スイッチャー』安野貴博
④『百年文通』伴名練
⑤『クロノス・ジョウンターの黎明』梶尾真治

片桐翔造　レビュワー

①『法治の獣』春暮康一
②『まず牛を球とします。』柞刈湯葉
③『ゾンビ3．0』石川智健
④『名探偵のいけにえ　人民教会殺人事件』白井智之
⑤『神々の歩法』宮澤伊織

香月祥宏　書評家

①『プロトコル・オブ・ヒューマニティ』長谷敏司
②『法治の獣』春暮康一
③『残月記』小田雅久仁
④『ループ・オブ・ザ・コード』荻堂顕
⑤『旅書簡集　ゆきあってしあさって』高山羽根子・酉島伝法・倉田タカシ

人間の本質や人類の種としての性に迫ろうとする、読み応えのある作品がそろった。各作品とも、SF的なガジェットや奇想がテーマと深く絡み、存分に活かされている。長篇、短篇集、アンソロジー、復刊などがバランス良く出たのも良かった。境界作品で小川哲『地図と拳』、ファンタジイの森山光太郎『隷王戦記』、SFミステリでは潮谷験『あらゆる薔薇のために』も、収穫として挙げておきたい。豊作の年と言っていいだろう。

勝山海百合　小説家

①『残月記』小田雅久仁
②『プロトコル・オブ・ヒューマニティ』長

谷敏司
③『陽だまりの果て』大濱普美子
④『怪談小説という名の小説怪談』澤村伊智
⑤『本の幽霊』西崎憲（ナナロク社）

パンデミックのあとの独裁政権下の日本で、権利と行動を制限される中でも生まれる芸術に心打たれる『残月記』、『プロトコル…』は人間が病と死からは逃れられないことを冷酷に突き付ける。生きることのみっともなさと輝き。

鼎 元亨 ……一介のSF者

●『地図と拳』小川哲
●『プロトコル・オブ・ヒューマニティ』長谷敏司
●『AI法廷のハッカー弁護士』竹田人造
●『ifの世界線　改変歴史SFアンソロジー』石川宗生、小川一水、斜線堂有紀、伴名練、宮内悠介
●『法治の獣』春暮康一

アンソロジーが豊作の年であったが、幸なのか不幸なのか。若い人の作品に期待するところが大きいが、圭角の秀づるに読み下しに難を感じるのは、自らの齢のせいか。結局無難な選択になった悔いはある。中堅の堅い書き振りを高評価にした。神獣の悪疫、未だ街を漂い、欧州の戦雲、景気を覆う。銃声二発に首魁は伏し、政教癒着を白日に晒す。高度経済成長末期のマンガみたいだ。政治の鬱屈が活字になるのはまだか。

川合康雄 ……SFアート研究家

●『獣たちの海』上田早夕里
●『法治の獣』春暮康一
●『神々の歩法』宮澤伊織
●『残月記』小田雅久仁
●『星新一の思想　予見・冷笑・賢慮のひと』浅羽通明（筑摩選書）※

上記五作はそれぞれに違った魅力があって、どうにも順位を付けられなかった。「星新一の思想」は読んでいて、昔、星さんのお宅にお邪魔してお話を伺った時のことを思い出し、あの飄々とした笑顔と謎かけのような会話の意味が分かったような気がした。

北原尚彦 ……作家・翻訳家

①『神々の歩法』宮澤伊織
②『ゴジラS.P〈シンギュラポイント〉』円城塔
③『平成古書奇談』横田順彌／日下三蔵＝編
④『無垢なる花たちのためのユートピア』川野芽生
⑤『おもいでマシン　1話3分の超短編集』梶尾真治

次々に新たな才能の持ち主が現れ、日本SFは新世紀の豊饒の時代に入った。①はイメージの鮮烈な創元SF短篇賞受賞作と、それに続く連作集。②はTVアニメのノベライズだが、作者がそもそも脚本を担当しているので単なる小説化とは一味違う。③は、初の単行本化。横田さんの人柄がよく現われている連作集。古本好きは必読。④は山尾悠子の系譜を継ぐ、幻想の短篇集。同著者の掌篇集『月面文字翻刻一例』もお勧め。⑤はショートショート集だが、カジシン独特の温かさに満ちている。

日下三蔵 ……SF研究家

①『地図と拳』小川哲
②『ギークに銃はいらない』斧田小夜
③『爆発物処理班の遭遇したスピン』佐藤究
④『まず牛を球とします。』柞刈湯葉
⑤『SFマンガ傑作選』福井健太＝編

今年の長篇では小川哲さんが本領発揮の①が圧倒的に面白かった。好みでいえば小川さんのもう一作『君のクイズ』の方が上だったが、SF度の高さでこういう選択になりました。②〜④は新鋭作家による密度の濃い短篇集。著者自身の筆力もさることながら、優れた短篇を発表できる環境が維持されていることに、感謝と敬意を表したい。⑤はありそうでなかったSFマンガのアンソロジー。作家のチョイス、作品のチョイスともに納得感が

強く、レベルの高い作品集になっている。次点として馳星周さんがアダルト・ウルフガイシリーズの換骨奪胎に挑んだSFアクション『月の王』を挙げておきたい。

鯨井久志
研修医兼レビュアー

①『百年文通』伴名練
②『新しい世界を生きるための14のSF』伴名練＝編
③『法治の獣』春暮康一
④『ゴジラS．P〈シンギュラポイント〉』円城塔
⑤『プロトコル・オブ・ヒューマニティ』長谷敏司

①初読時、巧すぎて称賛を越えてドン引きました。②コンセプトにもかかわらず、はずれ無しのすごいアンソロジー。③イーガンを越えたかもと思わせるハードなファーストコンタクトSF。④アニメ版の相補ともなる良ノベライズ。⑤AIと人間、そして芸術についての喪失と乗り越えの物語。これ以外にも、『ｉｆの世界線　改変歴史SFアンソロジー』『新月／朧木果樹園の軌跡』〈Rikka Zine vol.1〉もよかったです。

小谷真理
SF＆ファンタジー評論家

●『SFする思考　荒巻義雄評論集成』荒巻義雄
●『終わりなきタルコフスキー』忍澤勉
●『萩尾望都がいる』長山靖生（光文社新書）
●『スター・シェイカー』人間六度

十一年ぶりにフェミニストSF評論集『性差事変』を刊行し、肩の荷をおろした気分で見回したら、今年はSF評論集のあたり年であった（間に合っちゃったのだ、私も！）。そうだよ、SFといえばメタ思考で評論が強いジャンル。特にメガトン級の『SFする思考』に魂を吹き飛ばされました。こういう高みを目指したい。

堺 三保
ライター

①『プロトコル・オブ・ヒューマニティ』長谷敏司
②『神々の歩法』宮澤伊織
③『百年文通』伴名練
④『ゴジラS．P〈シンギュラポイント〉』円城塔
⑤『大日本帝国の銀河5』林譲治

その他、ノンフィクションでは『ハヤカワ文庫JA総解説1500』や『日本アニメ史』、『増補改訂版　アニメ評論家宣言』などが印象に残りました。何はともあれ、世界が激変している中、それに負けない強度のフィクションを楽しめるだけでもありがたいことです。

坂永雄一
SF文筆業

●『法治の獣』春暮康一
●『旅書簡集　ゆきあってしあさって』高山羽根子・酉島伝法・倉田タカシ
●『ゴジラS．P〈シンギュラポイント〉』円城塔

生物学SF、それも生物工学ではなく生態学に関心がある読者として、『法治の獣』は刺激的な作品揃いだった。

坂村 健
電脳建築家

①『大日本帝国の銀河5』林譲治
②『地図と拳』小川哲
③『月の王』馳星周
④『偽装同盟』佐々木譲
⑤『法治の獣』春暮康一

仮想戦記系のSF作者には「未完の大作」の御大がおられるので、適度な巻数で着地してくれる『大日本帝国の銀河』の作者は安心感がある。ホラーミステリーの序盤から、スパイスリラーな中盤、轟天号のような空中戦艦の出てくる終盤。そして主題となる組織論は、異星生物の社会と比べるとやはり人間の個性の力という話に。主人公たちの世代との対比でタブレット世代が出てくるあたりは

『幼年期の終り』も少し思わせる。

佐々木敦　思考家

①『プロトコル・オブ・ヒューマニティ』長谷敏司
②『残月記』小田雅久仁
③『アグレッサーズ　戦闘妖精・雪風』神林長平
④『ゴジラS．P〈シンギュラポイント〉』円城塔
⑤『CF』吉村萬壱

①は、これを書き上げるのはあらゆる意味で途方もない作業であっただろう。作者の不屈の精神に敬意を込めて。②は創意といい書きっぷりといい才気走った、だがどこか奥ゆかしい佇まいの傑作作品集。③は前作の思弁性から一転してサービス満点の派手な展開に痺れた。④はこういうノベライズの方法（？）があったのかと感嘆。⑤は独特な語り口で描かれる近未来ディストピア。だが撃っているのは明らかに「現在」である。

佐藤大　脚本家

①『ギークに銃はいらない』斧田小夜
②『新しい世界を生きるための14のSF』伴名練＝編
③『SFアンソロジー　新月／朧木果樹園の軌跡』井上彼方＝編
④『ｉｆの世界線　改変歴史SFアンソロジー』石川宗生、小川一水、斜線堂有紀、伴名練、宮内悠介
⑤『残月記』小田雅久仁

閉塞感に陥りそうな世界を自粛のスタンスで切りぬけるには限界の今年をめぐる読書は、まだ知らない誰かの何かをもとめて手繰る一年でした。知らない文体、語り部、設定…発見が並んだ三冊の短篇アンソロジーに癒やされました。その上、1位と5位の作品も短・中篇集だったと選んだ後になって気づき、サブスクや早送り再生が常態化した時代の物語と受容の現状を自身が手を伸ばした読書経歴からも実感してしまいました。

三方行成　小説家

●『ベストSF2021』大森望＝編
●『スター・シェイカー』人間六度
●『ハヤカワ文庫JA総解説1500』早川書房編集部＝編
●『赤虫村の怪談』大島清昭
●『SFアンソロジー　新月／朧木果樹園の軌跡』井上彼方＝編

順不同。『新月』収録の「握り八光年」（苦草堅一）がとても好きだった。

志村弘之　SF読者

①『虹霓（こうげい）のかたがわ』榛見あきる
②『プロトコル・オブ・ヒューマニティ』長谷敏司
③『新しい世界を生きるための14のSF』伴名練＝編
④『スター・シェイカー』人間六度
⑤『ゴジラS．P〈シンギュラポイント〉』円城塔

アンソロジー、あと『ｉｆの世界線』も良かった。『Genesis』は次から形を変えるとの事。個人短篇集・連作短篇の『まず牛を球とします。』『法治の獣』『神々の歩法』も夫々に良かった。『AI法廷のハッカー弁護士』は昨年の『人工知能で10億ゲット……』に続く快作。映画化された『僕愛』『君愛』の栞のストーリー『僕が君の名前を呼ぶから』も読んで良かった。林譲治『不可視の網』は宇宙系の合間に現代もの。

下楠昌哉　英文学者

①『月面文字翻刻一例』川野芽生
②『岡本綺堂　怪談文芸名作集』岡本綺堂／東雅夫＝編（双葉社）
③『日々のきのこ』高原英理
④『ゴジラS．P〈シンギュラポイント〉』円城塔

⑤『マルドゥック・アノニマス7』冲方丁

①『SFが読みたい！』に自分を含めてもらっているのは、きっとこういう本に投票するためだと思っている。②二十世紀はじめの怪談文芸の姿がまた一つくっきりと。③きのこ文学は深い。④円城さんジョイスセッションではありがとうございました。今年は円城文学をかなり読んだ。⑤ついに、ついに追いついた。

十三不塔　作家

●『百年文通』伴名練
●『AI法廷のハッカー弁護士』竹田人造
●『虹霓のかたがわ』榛見あきる
●『残月記』小田雅久仁
●『鯉姫婚姻譚』藍銅ツバメ

充実したラインナップで豊穣の年と言える一年だったのではないでしょうか。幸運にも触れることのできた作品はどれも素晴らしい作品ばかりでした。とりわけここに挙げた上位五つは傑作であると自信を持っておススメできます。

水鏡子　SFロートル

①『プロトコル・オブ・ヒューマニティ』長谷敏司
②『TRPGプレイヤーが異世界で最強ビルドを目指す6 ～ヘンダーソン氏の福音を～』Schuld（オーバーラップ文庫）
③『残月記』小田雅久仁
④『まず牛を球とします。』作刈湯葉
⑤『獣たちの海』上田早夕里

山野浩一遺稿集、荒巻義雄評論集の刊行を記憶に留めておきたい。なろう系から選んだ②は、世界構築の密度が濃い作品で、まだまだ続く物語だが「帝都篇」に区切りがついたところで一度喚起を。①には安心できるわかりやすい筋立てに、半端なく稠密で、安心できない重い細部が詰め込まれた。SFを読まない人を引きずりこめる稀有な本格SF。③は投げっぱなし気味の掌篇もSF味だけは極濃。④剽軽。⑤安定。

鈴木力　ライター

①『ループ・オブ・ザ・コード』荻堂顕
②『獣たちの海』上田早夕里
③『法治の獣』春暮康一
④『新しい世界を生きるための14のSF』伴名練＝編
⑤『AI法廷のハッカー弁護士』竹田人造

五つ選んでみると現代的な問題意識を扱った作品が並ぶ結果となりましたが、その中でも『ループ・オブ・ザ・コード』は作者の豪腕ぶりにおいて頭ひとつ抜け出ていたと思います。この人にはもっとSFを書いてほしい。

代島正樹　SFセミナースタッフ

①『新しい世界を生きるための14のSF』伴名練＝編
②『プロトコル・オブ・ヒューマニティ』長谷敏司
③『サーキット・スイッチャー』安野貴博
④『SFマンガ傑作選』福井健太＝編
⑤『平成古書奇談』日下三蔵＝編／横田順彌

①アンソロジスト伴名練の圧倒的熱量たるや。ジャンルを俯瞰しながら提示する、同時代新鋭作家のショウケース。②待望にして痛切な一冊。③近未来の技術と倫理の問題をリーダビリティと両立させたハヤカワSFコンテスト優秀賞受賞作。④名作がまとまった形でSF文庫で手に取れる価値。コミックでは『百億の昼と千億の夜　完全版』も貴重。⑤古書にまつわる非日常のエトセトラ。必携の『ハヤカワ文庫JA総解説1500』のほか、竹書房の国内文庫も好調。

高島雄哉　小説家＋SF考証

①『眼球達磨式』澤大知
②『愚かな薔薇』恩田陸
③『哲学者たちの天球』アダム・タカハシ（名古屋大学出版会）

④『SFマンガ傑作選』福井健太＝編
⑤『ハヤカワ文庫JA総解説1500』早川書房編集部＝編

SFとは何かと考えることは甘美な夢なのだけれど、おそらくいったん忘れたほうが良い気がして、フィクション／ノンフィクションの区別からも遠く離れて面白い順に。

高槻真樹　SF評論・映画研究者

①「佐藤健寿展　奇界／世界」佐藤健寿（イベント）
②『終わりなきタルコフスキー』忍澤勉
③『いかに終わるか　山野浩一発掘小説集』山野浩一／岡和田晃＝編
④『ゴジラS．P〈シンギュラポイント〉』円城塔
⑤『スペシャル4』平方イコルスン（コミック／トーチコミックス）

驚くような周辺書には乏しい一年だったのはちょっと残念。ただ、現実世界の中に驚異の光景を見いだし続ける写真家・佐藤健寿と遭遇できたのは大きな収穫。①は展覧会もすばらしいが、図録も充実の内容。②は作品解読のみからタルコフスキーを読み解こうとするストイックな姿勢に心打たれた。③は評論家がなし得ることのひとつの到達点。④はアニメ版にも負けぬ驚異のノヴェライズ。⑤は四巻で完結。わからないことの凄みを体感。

竹田人造　作家

①『まず牛を球とします。』作刈湯葉
②『裏世界ピクニック7　月の葬送』宮澤伊織
③『不可視の網』林譲治
④『地図と拳』小川哲
⑤『鯉姫婚姻譚』藍銅ツバメ

『まず牛を球とします。』は斜めな物の見方を存分に楽しめる。短篇〝集〟としての出来栄えがよい。『裏世界ピクニック7』は本筋が加速。本作の醍醐味である逆襲の痛快さがよく出ていた。『不可視の網』は監視都市サスペンスのお手本的作品。『地図と拳』は同氏比でマジックリアリズム控えめだが重厚。『鯉姫婚姻譚』は昔話風な舞台や語り口を使いつつも現代的な構文を感じられた。

立原透耶　物書き

●『SFする思考　荒巻義雄評論集成』荒巻義雄
●『地図と拳』小川哲
●『新しい世界を生きるための14のSF』伴名練＝編
●『此の世の果ての殺人』荒木あかね
●『月面文字翻刻一例』川野芽生

ベストに選びたい作品が多すぎて選びにくい一年だった。特にアンソロジーは素晴らしいものが多く、その中から決めるのに苦労した。

巽 孝之　SF批評家

●『パンとサーカス』島田雅彦
●『孤立宇宙』熊谷達也
●『SFする思考　荒巻義雄評論集成』荒巻義雄
●『性差事変　平成のポップ・カルチャーとフェミニズム』小谷真理
●『終わりなきタルコフスキー』忍澤勉

トップの島田と熊谷はSFプロパーではないが、前者はギリシャ的理念のメタヴァース「イソノミア」を活写し、後者はシェルター国家同士が孕みうる新たな核戦争の火種を思弁したところを買う。荒巻が半世紀以上のSF的思弁を総括し、小谷がここ四半世紀のフェミニズムSF論議を集大成した二冊はそれぞれ二十一世紀SF批評の金字塔。最後の忍澤はレムからタルコフスキーを再検討し、SF映画批評に新境地を開く力作。

田中すけきよ　フリーアーキビスト

①『世界の終わりのオタクたち』羽流木はない（コミック／ビームコミックス）
②『宙に参る3』肋骨凹介（コミック／トー

チコミックス）
③『ピノ：P－NO』村上たかし（コミック／双葉社）
④『黒博物館　三日月よ、怪物と踊れ1』藤田和日郎（コミック／講談社モーニングコミックス）
⑤『リバイアサン1』黒井白（コミック／集英社ジャンプコミックス）

田中光

イラストレーター

●『箱庭の巡礼者たち』恒川光太郎
●『愚かな薔薇』恩田陸
●『獣たちの海』上田早夕里
●『新しい世界を生きるための14のSF』伴名練＝編
●『ベストSF2022』大森望＝編

タニグチリウイチ

書評家／ライター

●『地球外少年少女』（アニメ）
●《ユア・フォルマ》菊石まれほ（電撃文庫）
●プロジェクト「RE:BEL ROBOTICA レベルロボチカ」
●『ユーレイデコ』（アニメ）
●『二世界物語　世界最強の暗殺者と現代の高校生が入れ替わったら』深見真

テクノロジーの進化が何をもたらすかを見せてくれた作品が続々登場。宇宙時代の到来とＡＩの発達が描かれた『地球外少年少女』、人間そっくりのＡＩが人間の刑事と難事件に挑む《ユア・フォルマ》シリーズ、拡張現実や複合現実が一般化した世界にテクノロジーの恩恵を受けられない少年や少女が活躍する「RE:BEL ROBOTICA レベルロボチカ」に『ユーレイデコ』。遠からず訪れる未来を考える上で示唆を与えてくれた。

中村融

翻訳家・アンソロジスト

①『旅書簡集　ゆきあってしあさって』高山羽根子・酉島伝法・倉田タカシ
②『鯉姫婚姻譚』藍銅ツバメ
③『千吉と双子、修業をする　妖怪の子、育てます2』廣嶋玲子（創元推理文庫）
④『やおよろず神異録　鎌倉奇聞（上・下）』真園めぐみ
⑤『神々の歩法』宮澤伊織

惜しくも選外としたが、東雅夫編『日本鬼文学名作選』（創元推理文庫）の目配りの良さには唸らされた。対談やら古文の翻刻やらを収録する大胆な編集方針は見習いたいものだ。

長山靖生

文芸評論家

①『地図と拳』小川哲
②『ＳＦする思考　荒巻義雄評論集成』荒巻義雄
③『法治の獣』春暮康一
④『百年文通』伴名練
⑤『プロトコル・オブ・ヒューマニティ』長谷敏司

架空の地点、仮想の経緯を描きながら、ＳＦは人間や世界の本質に迫る。①はまさにそんな迫力に満ちている。②はＳＦ論のみならず多様な思想、芸術理論について書かれているが、荒巻作品と併せ読むと、それらがいかに作品に生かされたかよくわかってスリリング。③は異星物ＳＦ好きには堪らない。ほかにも入れたい本がいっぱい！

名古屋大学ＳＦ・ミステリ・幻想小説研究会

学生サークル

●『新しい世界を生きるための14のＳＦ』伴名練＝編
●『かわいそ笑』梨
●『ユア・フォルマⅢ　電索官エチカと群衆の見た夢』菊石まれほ
●『さよならの言い方なんて知らない。6』河野裕（新潮文庫nex）
●『ツインスター・サイクロン・ランナウェイ2』小川一水

このコメント文の筆者は今年まったく国内作品を読めていなかったので、来年は積極的に読んでいきたい。以下、コメントがあった作品。『14のＳＦ』新鋭気鋭の作家が集うＳＦ入門に最適な一冊。伴名練のＳＦ愛溢れる紹介文も必読。『かわいそ笑』混沌とした過去のネットを舞台としているのがリアリティの源泉だと感じた。

難波弘之

ミュージシャン、東京音楽大学教授

①『残月記』小田雅久仁
②『ＳＦする思考　荒巻義雄評論集成』荒巻義雄
③『いかに終わるか　山野浩一発掘小説集』山野浩一／岡和田晃＝編
④『アグレッサーズ　戦闘妖精・雪風』神林長平
⑤『クロノス・ジョウンターの黎明』梶尾真治

『ＳＦマンガ傑作選』、『新しい世界を生きるための14のＳＦ』、『スター・シェイカー』なども面白く読みました。

人間六度

作家・大学生

①『サマータイム・アイスバーグ』新馬場新
②『法治の獣』春暮康一
③『２０８４年のＳＦ』日本ＳＦ作家クラブ＝編
④『サーキット・スイッチャー』安野貴博
⑤『スター・シェイカー』人間六度

意気揚々と『零號琴』、『老ヴォールの惑星』って書こうとしたら全然今年じゃなくてワロタ。しかし今年はアンソロ乱戦の年でしたね。当方、一年前は全く短篇を書けなかったんですが最近は短篇の方が楽しいまである。そう、人は変わる。あと『ゴジラＳ.Ｐ』（アニメ版）が鬼ほど流行ってて僕も途中までめちゃめちゃ楽しく観てたんですが、最後にロボが謎の巨大化を果たしとこだけマジで訳わかんないから誰か説明してくれ〜〜！！

橋 賢亀

絵描き

●『月の王』馳星周
●『香君（上・下）』上橋菜穂子
●『皇女アルスルと角の王』鈴森琴
●『生を祝う』李琴峰
●『影絵の街にて』新井素子／日下三蔵＝編

どれもまずまず面白いですよ。

橋本輝幸

ＳＦ書評家

●『日々のきのこ』高原英理
●『旅書簡集　ゆきあってしあさって』高山羽根子・酉島伝法・倉田タカシ
●『獣たちの海』上田早夕里
●『法治の獣』春暮康一
●『ｉｆの世界線　改変歴史ＳＦアンソロジー』石川宗生、小川一水、斜線堂有紀、伴名練、宮内悠介

今年はＳＦあるいはファンタジーが描く人間の社会生活に心引かれ、例年以上に現実との異なりかたや現実の延長線をどう書くかに関心をもっていました。川野芽生『無垢なる花たちのためのユートピア』や長谷敏司『プロトコル・オブ・ヒューマニティ』にも心を動かされました。ミステリやそれ以外のジャンルからも、ＳＦファンタジーの意欲作が次々出版された年でした。

葉月十夏

物語愛好家

①『ＳＦマンガ傑作選』福井健太＝編
②『残月記』小田雅久仁
③『愚かな薔薇』恩田陸
④『ｉｆの世界線　改変歴史ＳＦアンソロジー』石川宗生、小川一水、斜線堂有紀、伴名練、宮内悠介
⑤『影絵の街にて』新井素子／日下三蔵＝編

①即買いでした。続篇希望。②月は想像力を掻き立てる存在だと再認識。濃密な物語は読み応えあり。③物語も表紙も魅力的。④存在したかもしれない異なる歴史、世界の数々。風変わりな物語はどれも興味深い。⑤いろんな物語に溢れた賑やかな短篇集。

林 譲治
SF作家

① 『法治の獣』春暮康一
② 『獣たちの海』上田早夕里
③ 『カラマーゾフの兄妹 オリジナルヴァージョン』高野史緒
④ 『ベストSF2022』大森望＝編
⑤ 『2084年のSF』日本SF作家クラブ＝編

豊作の年だと思うんですが、歳をとると本が読めなくて辛い。

林 哲矢
会社員

① 『旅書簡集 ゆきあってしあさって』高山羽根子・酉島伝法・倉田タカシ
② 『ゴジラS.P〈シンギュラポイント〉』円城塔
③ 『法治の獣』春暮康一
④ 『まず牛を球とします。』柞刈湯葉
⑤ 『プロトコル・オブ・ヒューマニティ』長谷敏司

票には入れなかったがアンソロジーがとても充実していた。特に『ifの世界線 改変歴史SFアンソロジー』（講談社タイガ）は傑作揃い。漫画では勇者と魔王の日常コメディにさらっと挑戦的アイデアが入る、へじていと『全部ぶっ壊す』が良い。

春暮康一
SF作家

① 『ifの世界線 改変歴史SFアンソロジー』石川宗生、小川一水、斜線堂有紀、伴名練、宮内悠介
② 『新しい世界を生きるための14のSF』伴名練＝編
③ 『まず牛を球とします。』柞刈湯葉
④ 『獣たちの海』上田早夕里
⑤ 『2084年のSF』日本SF作家クラブ＝編

中短篇集ばかり並んでしまったが、実際、去年はアンソロジーが豊作だったと思う。テーマ特化もテーマ全部載せも、個々の作品の面白さだけでなく総体としてのシナジーがある。拙作入りのもの（⑤）を含めたのは若干手前味噌な気もするが、1／23なのでご容赦いただきたい。柞刈湯葉さんの軽妙な語りと切れ味鋭いアイデア、上田早夕里さんのイメージ豊かな海上生活の描写も魅力的。後書きがあるのも個人的にとても嬉しい。

福井健太
書評系ライター

① 『まず牛を球とします。』柞刈湯葉
② 『爆発物処理班の遭遇したスピン』佐藤究
③ 『名もなき本棚』三崎亜記
④ 『ゴジラS.P〈シンギュラポイント〉』円城塔
⑤ 『神々の歩法』宮澤伊織

奇想短篇集を上位に挙げる。球状の牛を作る工場、未来のラジオを傍受する大正娘などを軽妙に語る①はまさに快著。②の黒いアイデアと物語性、③のスマートな非日常もそれぞれに美味。④はアニメを補完する力作長篇。⑤はエンタメ作家としての底力を感じさせる。アンソロジーでは伴名練「二〇〇一周目のジャンヌ」（『ifの世界線』所収）が印象に残った。高畑京一郎『タイム・リープ あしたはきのう』の復刊も喜ばしい。

福江 純
天文楽者

① 『新装版 タイム・リープ あしたはきのう（上・下）』
② 『エンタングル：ガール』高島雄哉（創元SF文庫）
② 『法治の獣』春暮康一
② 『工作艦明石の孤独1』林譲治
② 『星霊の艦隊1』山口優

残念ながらアンケート対象外だったが〈SFマガジン2022年10月号〉は、表紙絵が今年のダントツ一位だと思う。説明は不要だろう。ネットですぐ売り切れてたが、京都大学の書籍部で平積みされていてゲットできた。『タイム・リープ』は二種類の版をもっているぐらい、よくできた〝タイムリープ〟ものだ（コミックだが『サマータイムレン

ダ』に匹敵する)。他の作品も楽しめるものが多かった。

藤井太洋 SF作家

● 『SFアンソロジー　新月/朧木果樹園の軌跡』井上彼方＝編
● 『ギークに銃はいらない』斧田小夜
● 『地図と拳』小川哲
● 『獣たちの海』上田早夕里
● 『サーキット・スイッチャー』安野貴博

日経星新一賞やブンゲイファイトクラブで短篇小説を投稿できる場は増えてきた。作品も素晴らしいものばかり。それなのに出版に至るルートがない――という状況が続いていたのだが、ついにKaguya Booksから堂々たるアンソロジーが出版されたことを、今年最大の成果だと讃えたい。単一の作品では圧倒的なリアリティで現在をSFとして描いた『ギークに銃はいらない』の表題作を強く推す。本書は造本も美しい。

藤田雅矢 作家・植物育種家

● 『旅書簡集　ゆきあってしあさって』高山羽根子・酉島伝法・倉田タカシ
● 『獣たちの海』上田早夕里
● 『百年文通』伴名練
● 『新しい世界を生きるための14のSF』伴名練＝編
● 『SFアンソロジー　新月/朧木果樹園の軌跡』井上彼方＝編

WEBで読んでいた『旅書簡集　ゆきあってしあさって』もようやく本にまとまり、オーシャンクロニクルシリーズの最新短篇集『獣たちの海』も読めた。伴名練の『百年文通』もよかった。そして、新しい作家によるSFアンソロジーが複数出版されたことはすばらしい、今後が楽しみ。『残月記』や『日々のきのこ』が入りきらなかった。

冬木糸一 レビュアー

① 『プロトコル・オブ・ヒューマニティ』長谷敏司
② 『アグレッサーズ　戦闘妖精・雪風』神林長平
③ 『法治の獣』春暮康一
④ 『スター・シェイカー』人間六度
⑤ 『神々の歩法』宮澤伊織

『プロトコル・オブ・ヒューマニティ』、ちょ～おすすめ～

古山裕樹 書評家

① 『アグレッサーズ　戦闘妖精・雪風』神林長平
② 『工作艦明石の孤独1』林譲治
③ 『あさとほ』新名智
④ 『ｉｆの世界線　改変歴史SFアンソロジー』石川宗生、小川一水、斜線堂有紀、伴名練、宮内悠介
⑤ 『AI法廷のハッカー弁護士』竹田人造

思索に偏りすぎることなく物語を動かしていった①は純粋に楽しく読むことができた。②は課題の立て方が面白く、今後の展開にも期待。③は大きく茫洋としたテーマをきちんと物語に組み立てた手際に、④は収録作それぞれのアイデアに歓喜。⑤の軽妙さも忘れがたい。

細谷正充 文芸評論家

① 『神々の歩法』宮澤伊織
② 『プロトコル・オブ・ヒューマニティ』長谷敏司
③ 『ループ・オブ・ザ・コード』荻堂顕
④ 『ｉｆの世界線　改変歴史SFアンソロジー』石川宗生、小川一水、斜線堂有紀、伴名練、宮内悠介
⑤ 『愚かな薔薇』恩田陸

①は一冊の本になるのを、ずっと待っていた。それほど好き。ストーリーやキャラクターは〝今〟のエンターテインメントだが、どこか懐かしいSFの匂いがするところが、たまらないのだ。⑤は、内容の面白さは当然として、きちんと完結したことに感謝感激。や

はり始めた物語は、終るのが望ましい。死ぬまでに一冊でも多くの物語世界を、十全に堪能したいと、この歳になると思ってしまうのだ。

牧眞司

SF研究家・文藝評論家

①『獣たちの海』上田早夕里
②『いかに終わるか　山野浩一発掘小説集』岡和田晃＝編／山野浩一
③『アグレッサーズ　戦闘妖精・雪風』神林長平
④『法治の獣』春暮康一
⑤『陽だまりの果て』大濱普美子

『獣たちの海』は《オーシャンクロニクル》の最新短篇集にして、収録四作品がすべて書き下ろしという贅沢な一冊。ポストヒューマン／トランスヒューマンの魅力的なアイデアを核に、私たちが生命／現存在として抱える情動を切実に示す。『いかに終わるか』は、山野浩一再評価の引き金となる素晴らしい企画。

牧紀子

編集者、SFイラスト研究家

①『まず牛を球とします。』柞刈湯葉
②『平成古書奇談』横田順彌／日下三蔵＝編
③『日々のきのこ』高原英理
④『SFマンガ傑作選』福井健太＝編
⑤『ベストSF2022』大森望＝編

一〜三位は好きな順にすんなり選ぶことができたのですが、最後まで、四、五位にする作品集をどれにするか悩みに悩み、この続きを出して欲しい二冊を入れさせてもらいました。最後まで悩んだのは『いかに終わるか　山野浩一発掘小説集』『神々の歩法』そして『新しい世界を生きるための14のSF』。どれもとても印象に残っています。

増田まもる

翻訳家

●『SFする思考　荒巻義雄評論集成』荒巻義雄
●『SFにさよならをいう方法　飛浩隆評論随筆集』飛浩隆
●『性差事変　平成のポップ・カルチャーとフェミニズム』小谷真理
●『いかに終わるか　山野浩一発掘小説集』山野浩一／岡和田晃＝編
●『2084年のSF』日本SF作家クラブ＝編

この一年、日本のSF史においてきわめて重要な意味を持つ評論と小説集が刊行されました。こうして顔ぶれを眺めているだけで、大きな感慨がこみあげてきます。若い人たちがこの成果を踏まえて日本のSFをより大きく育てていってほしいと思います。

宮樹弌明

会社員・ライター

①『地図と拳』小川哲
②『まず牛を球とします。』柞刈湯葉
③『ゴジラS．P〈シンギュラポイント〉』円城塔
④『法治の獣』春暮康一
⑤『怪談小説という名の小説怪談』澤村伊智

個性が強い作品が好きなのでどれも楽しめた。中でも①はその物量に圧倒されたものの満足感は高かった。

三宅香帆

書評家

●『パパララレレルル』最果タヒ
●『新しい世界を生きるための14のSF』伴名練＝編
●『地図と拳』小川哲

『新しい世界を生きるための14のSF』ではSF若手作家が国内でも多数台頭していることが分かってとても刺激を受けました！

森下一仁

本読み／著述

①『地図と拳』小川哲
②『残月記』小田雅久仁
③『新しい世界を生きるための14のSF』伴名練＝編
④『プロトコル・オブ・ヒューマニティ』長

谷敏司
⑤『法治の獣』春暮康一

①②④は小説のおもしろさを堪能させてくれる力作。⑤は宇宙生物を想像する楽しさを味わわせてくれました。③は日本SFの現在を見事に腑分けし、読書案内としても最適。アンソロジーでは創元日本SFアンソロジーⅤ『Genesis この光がおちないように』も読みごたえかありました。

山岸真 SF翻訳業

①『プロトコル・オブ・ヒューマニティ』長谷敏司
②『法治の獣』春暮康一
③『孤立宇宙』熊谷達也
④『あらゆる薔薇のために』潮谷験
⑤『かぐや姫、物語を書きかえろ!』雀野日名子

まさに二〇二二年のSF(連載は前年)として、単独の電子書籍で出ているという理屈で伴名練『百年文通』を一位にしようかと思いましたが紙書籍に限定しました。本アンケート投票者の既読率が低そうなお薦め作品として、夏凪空『虹のような染色体』と鳴海章『不可触領域』をあげておきたい。〈SFマガジン〉日本作品の年度ベストは六月号の斜線堂有紀「骨刻」。

山之口洋 作家/AI技術者

①『残月記』小田雅久仁
②『孤立宇宙』熊谷達也
③『首取物語』西條奈加

五作選ばなきゃ持ち点が無駄になるのだが、クリスティ文庫全冊一気読み(至福!)のシワ寄せで、自分史上一番SFが読めなかった年なのでご勘弁を。小田さんの文章はデビュー以来「ただならぬ感」がハンパないけれど、①はその極致。②はマタギや箕作りといった東北の職業ものが得意だとイメージしていた熊谷さんのまさに「新境地」。人間と機械を隔てる最後の一線は、特定の他者に対するこの不思議な思い入れ――「愛」しかない。

YOUCHAN イラストレーター

①『まず牛を球とします。』柞刈湯葉
②『大日本帝国の銀河5』林譲治
③『SFする思考 荒巻義雄評論集成』荒巻義雄
④『2084年のSF』日本SF作家クラブ=編
⑤『アウレリャーノがやってくる』高橋文樹(破滅派)

柞刈湯葉さんは流石だなという一冊だった。おみごと。林譲治さん、このクオリティでのコンスタントな刊行がすごいし、なにより面白かった。荒巻義雄さんの論考集、実に素晴らしい。そして、アンソロジーや復刊に名作が多く、かなり悩んだ。『アウレリャーノ』は普通小説なんだけど読後感がSFのそれだったので入れてしまいました。

ゆずはらとしゆき 作家&企画編集者

①『地図と拳』小川哲
②『爆発物処理班の遭遇したスピン』佐藤究
③『偽装同盟』佐々木譲
④『前夜祭』針谷卓史
⑤『信仰』村田沙耶香

①史実を曖昧なフェイクで再構築したマジックリアリズムな満州興亡史。武侠要素がベタすぎて、やや浮いているのが惜しい。②通俗的なサスペンスかと思いきや、あらぬ方向へ「スピン」して自爆しまくる奇想短篇集。③『抵抗都市』の直接的続篇。やっぱり真面目な『サモワール・メモワール』。④端正な作風で描く混乱と混沌。⑤奇想小説面白かった枠。

吉上亮 作家

①『プロトコル・オブ・ヒューマニティ』長谷敏司
②『地図と拳』小川哲

③『爆発物処理班の遭遇したスピン』佐藤究
④『アグレッサーズ　戦闘妖精・雪風』神林長平
⑤『ループ・オブ・ザ・コード』荻堂顕

『プロトコル・オブ・ヒューマニティ』はＳＦ小説ゆえに取り組める主題が著者の長谷敏司さんの経験がもたらす描写の重み＝深みによって途方もない高みに達した稀有な作品。ＳＦのみならず今年最も心を揺さぶられた小説でした。ＳＦの技法によって語られる文芸作品たる『地図と拳』『爆発物処理班〜』『ループ〜』の三作、難解な前作を引き継ぎながら明快な論理展開によって軽やかに空を舞う『アグレッサーズ』。いずれも傑作です。

吉田親司　小説家

①『ｉｆの世界線　改変歴史ＳＦアンソロジー』石川宗生、小川一水、斜線堂有紀、伴名練、宮内悠介
②『２０８４年のＳＦ』日本ＳＦ作家クラブ＝編
③『あなたのための時空のはざま』矢崎存美
④『サマータイム・アイスバーグ』新馬場新
⑤『星霊の艦隊１』山口優

アンソロジーに良作の多い一年。①と②は甲乙つけ難し。③は短篇集枠、④はライトノベル枠で。⑤は堂々たるＳＦ戦記の誕生に拍手したい。

吉田隆一　ＳＦ音楽家

●『アグレッサーズ　戦闘妖精・雪風』神林長平
●『神々の歩法』宮澤伊織
●『仕事ください』眉村卓／日下三蔵＝編
●『プロトコル・オブ・ヒューマニティ』長谷敏司
●『旅書簡集　ゆきあってしあさって』高山羽根子・酉島伝法・倉田タカシ

極めて個人的な感慨ですが……中学生の私に日本人作家ＳＦの魅力を教えてくれた眉村卓『奇妙な妻』（ハヤカワ文庫ＪＡ）が、新たに再編集版『仕事ください』として再び書店で手に取れるようになり、嬉しく思っております。本書の魅力が新たな読者に届くことを願っています。そして、『Genesis　この光が落ちないように』（創元日本ＳＦアンソロジーⅤ）にて、水見稜さんが執筆活動を継続してくださっているのが本当にありがたいです。

らっぱ亭　放射線科医（ラファティアン）

①『旅書簡集　ゆきあってしあさって』高山羽根子・酉島伝法・倉田タカシ
②『スペシャル』枚方イコルスン（コミック／リイド社トーチコミックス）
③『残月記』小田雅久仁
④『百年文通』伴名練
⑤「ＳＦマガジンのもくじのもくじ①【１９６０年代篇】」田中すけきよ＝編（同人誌）

へんてこで超ワンダーな旅日記をうっとりと味わい、少し不思議な日常から溢れだす不穏さにおののき、月に誘われる世界の様相に戦慄し、セピア色の百合ロマンへ容赦なく切り込む現実に鳥肌をたてる。あらゆる文化に浸透と拡散を果たしすべてのエンタメと非エンタメに遍在するＳＦ。「これはＳＦじゃない」私の苦手な言葉です。そして今日も秀逸な歴史改変ＳＦ『チェンソーマン』を読み「刃渡り2億センチ」に爆音で聴き入るのです。

ワセダミステリ・クラブ　文学サークル

①『２０８４年のＳＦ』日本ＳＦ作家クラブ＝編
②『アグレッサーズ　戦闘妖精・雪風』神林長平
③『百億の昼と千億の夜　完全版』萩尾望都／光瀬龍＝原作
④『新しい世界を生きるための14のＳＦ』伴名練＝編
⑤『ゴジラＳ．Ｐ〈シンギュラポイント〉』円城塔

小説より奇なる事実にＳＦという形で秀逸な回答を出した珠玉のアンソロジー。待望の

新作。人類と全く異なる知性との接触を描く筆致は衰えず、磨きがかかっている。手元に置いておきたい、カラーイラストや萩尾望都のインタビューなどを収めた完全版。これからのSFを担う新たな才能が味わえるアンソロジー。合間のコラムも読み応えアリ。新解釈ゴジラ。非常に面白いが、同作アニメ版を観ているのが前提の内容となっている。

渡邊利道 ……作家・評論家

①**『プロトコル・オブ・ヒューマニティ』長谷敏司**
②**『無垢なる花たちのためのユートピア』川野芽生**
③**『法治の獣』春暮康一**
④**『残月記』小田雅久仁**
⑤**『獣たちの海』上田早夕里**

他に、岡和田晃編『いかに終わるか　山野浩一発掘小説集』高山羽根子・酉島伝法・倉田タカシ『ゆきあってしあさって』平山瑞穂『さもなくば黙れ』宮澤伊織『神々の歩法』斧田小夜『ギークに銃はいらない』井上彼方編『新月』橋本輝幸責任編集〈Rikka Zine vol.1〉髙原英理『日々のきのこ』永原皓『コーリング・ユー』小谷真理『性差事変』邵丹『翻訳を産む文学、文学を産む翻訳』などがよかったです。

獣たちの海

上田早夕里

定価880円(税込)　ハヤカワ文庫JA
カバーイラスト　Tarosuke　カバーデザイン　岩郷重力+S.I

『華竜の宮』『深紅の碑文』に続く、
《オーシャンクロニクル・シリーズ》待望の全篇書き下ろし中短篇集

陸地の大半が水没した25世紀。生物船〈魚舟(うおぶね)〉を駆る海上民と陸上政府は、海上都市への移住権をめぐり対立していた。一触即発の危機迫るなか海上都市の保安員(リンカー)と海上民の長(オサ)の交歓を描く中篇「カレイドスコープ・キッス」、己の生まれた船団を探し続ける〈魚舟〉の心身の変容を追う表題作ほか、海に暮らすものたちの美しくも激しい生きざまを叙情的に紡ぐ、全作書き下ろしの《オーシャンクロニクル・シリーズ》中短篇4作。

ＳＦが読みたい！の早川さん

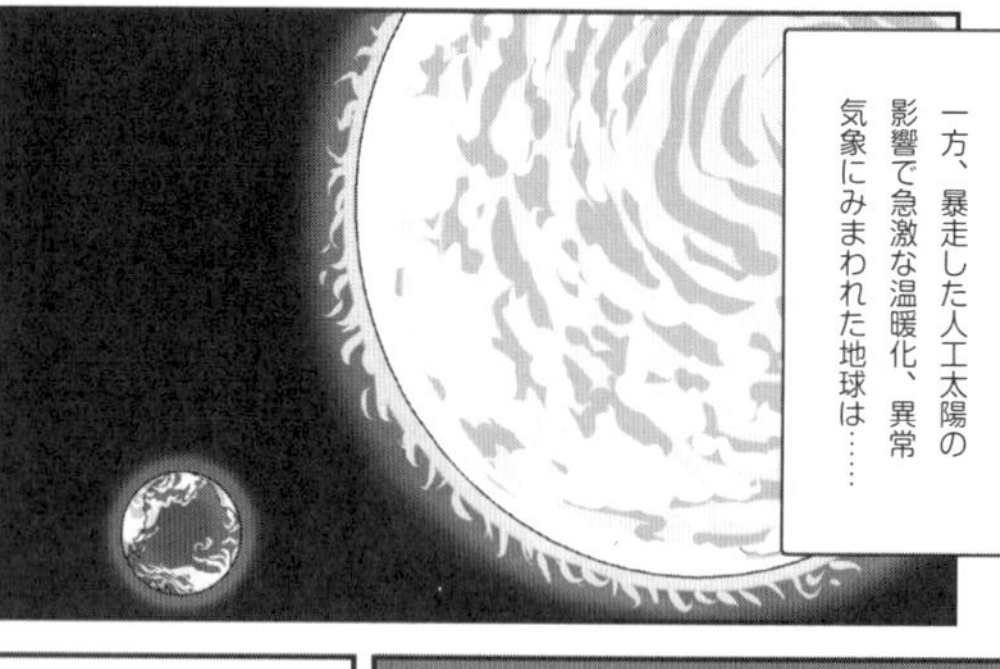

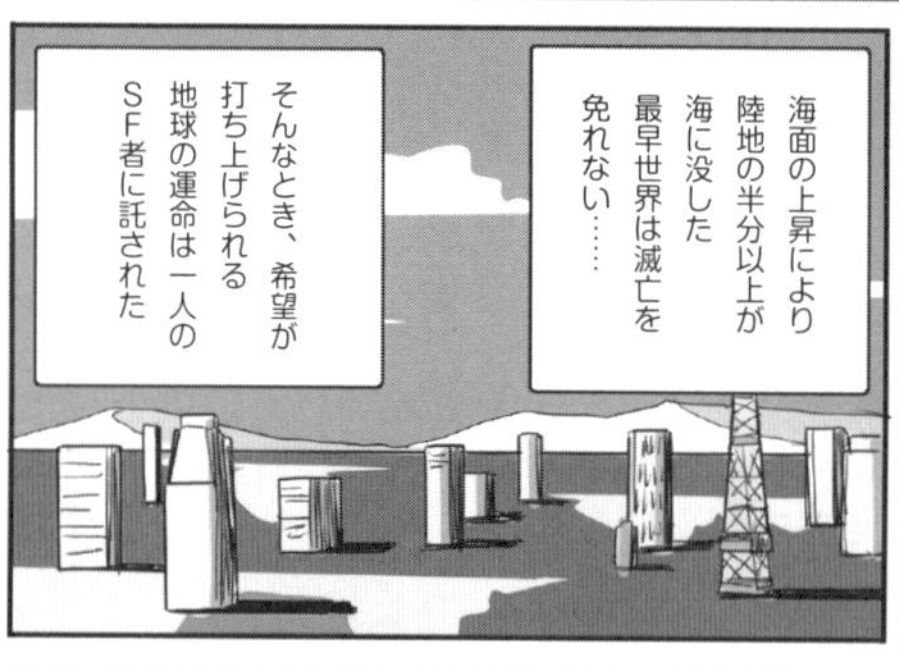

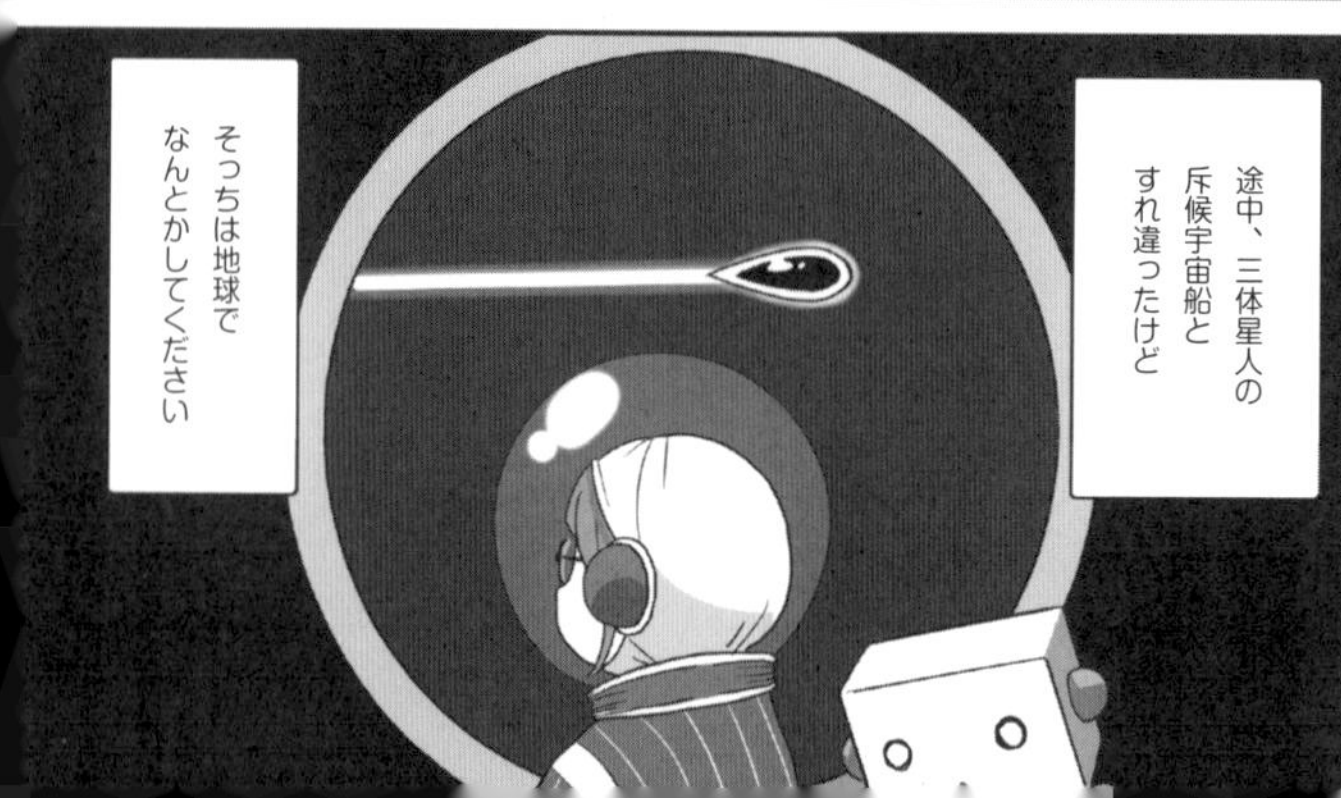

目指すは大宇宙の魔女と称される
唯一神。マゼラン星雲の彼方を
目指し、探索行は続く
18
そのころ、アメリカの
片田舎で不思議な事件
が起こった
HAHAHA
ユタ州で長年農場
と牧場経営を営む
マードックさんは
語る
おらがトウモロコシ倉から
とつぜん幽霊が飛び出して
きてよう
一体どこに今まで
隠れてたんだって
くれぇ出てきてよぅ
あっちこっちに飛ん
で行っちまっただ
突如世界中に現れた
幽霊たちは秘密警察
もゾンビも食べ尽くし
人工太陽の暴走
まで食い止めると
またトウモロコシ倉
へと帰って行った
一方宇宙の彼方では……
宇宙飛行士が老神介護に
疲れ果てていた
わたしはイスカンダル
のスターシャ
ちがうだろ！
交信の途絶えた
宇宙飛行士は
逃亡テレメトリー
による監視対象となり
いつしか地球の
裏切者と呼ばれ
ましたとさ
途中から勝手に
変えるなよ
いいところだけ繋いでも
面白くなるわけではない
とよくわかりました

マイ・ベスト5

海外篇

全アンケート回答98名（回答者50音順）

SF界で活躍する作家・評論家・翻訳家の方々に、2022年度（2021年11月〜2022年10月）の新作SFから、印象に残った海外作品5点を選んでもらいました。

掲載作品については、174ページからの「2022年度 SF関連書籍目録」に書誌情報の記載があります。また、右記の期間外の作品については、※印をつけ集計の対象外としました。

縣 丈弘 …… ときどきライター

①『三体X 観想之宙（かんそうのそら）』宝樹
②『プロジェクト・ヘイル・メアリー（上・下）』アンディ・ウィアー
③『NSA（上・下）』アンドレアス・エシュバッハ
④『極めて私的な超能力』チャン・ガンミョン
⑤『不死鳥と鏡』アヴラム・デイヴィッドスン

①は稚気あふれる見事な作品で大変楽しんだ。個人的にはここまで読まないと《三体》シリーズは完結しないと思う。②は著者ならではの地に足の着いた描写で、これまでの作品よりもぶっ飛んだシチュエーションが描かれる。③は歴史改変ディストピアSFだが、エンターテインメントとしての出来が非常によい。④は多彩な作風・テーマの短篇集。⑤は殊能将之が絶賛した著者の代表作。こういう作品が邦訳されたことがうれしい。

秋山 完 …… 作家

●『プロジェクト・ヘイル・メアリー（上・下）』アンディ・ウィアー
●『アポロ18号の殺人（上・下）』クリス・ハドフィールド
●『銀河帝国の興亡【新訳版】1〜3』アイザック・アシモフ
●『大宇宙の魔女 ノースウェスト・スミス全短編』C・L・ムーア
●『菌類が世界を救う キノコ・カビ・酵母たちの驚異の能力』マーリン・シェルドレイク

核大国の侵略で滅亡に瀕した非核国の大統領が逃亡せず、過酷な犠牲に耐えて祖国を守り抜く、まるで奇蹟のような世界史が現出した。絶望的な戦争という〝環境〟に直面して、味方と頼む諸国家との新たな〝関係〟を死に物狂いで構築した成果だ。ヘイル・メアリー号の主人公もファウンデーションの人々も、その宇宙や社会の〝環境〟に屈せず、何者かとの独創的な〝関係〟を築いて危機に対処する。菌類も然り。これもSFの面白さでは。

天野護堂 …… SF愛好家

①『プロジェクト・ヘイル・メアリー（上・下）』アンディ・ウィアー
②『九段下駅 或いはナインス・ステップ・ステーション』マルカ・オールダー、フラン・ワイルド、ジャクリーン・コヤナギ、カーティス・C・チェン

③『逃亡テレメトリー　マーダーボット・ダイアリー』マーサ・ウェルズ
④『星命体（上・中・下）』クリストファー・パオリーニ
⑤『壜のなかの永遠』ジェス・キッド

毎年名作傑作が刊行されるので選ぶのに物凄く悩みます。他に気になった作品として、『NSA（上・下）』、『われらはレギオン4　驚異のシリンダー世界』、『盟約の少女騎士』、『フィッシャーマン　漁り人の伝説』、『パン焼き魔法のモーナ、街を救う』、『無情の月（上・下）』『いずれすべては海の中に』、『アポロ18号の殺人』、『流浪蒼穹』、『疫神記（上・下）』、『マゼラン雲』、『地球の平和』、『永遠の真夜中の都市』、『ヨーロッパ・イン・オータム』、『闇の覚醒　死のエデュケーションLesson2』、『不死鳥と鏡』などがありました。素晴らしい作品を翻訳して頂いた翻訳者の皆様ありがとうございます。

安野貴博 ……作家

①『プロジェクト・ヘイル・メアリー（上・下）』アンディ・ウィアー
②『アポロ18号の殺人（上・下）』クリス・ハドフィールド
③『異常（アノマリー）』エルヴェ・ル・テリエ
④『創られた心　AIロボットSF傑作選』ジョナサン・ストラーン＝編
⑤『三体X　観想之宙』宝樹

『プロジェクト・ヘイル・メアリー』は読んでる間ずっと「しあわせ！」と脳内で叫び続けていました。化学、物理学、生物学、地学、情報科学を使って仮説を立て、DIYし、実験を繰返し、目の前の大問題を解決していくのはひたすら気持ちよかったです。主人公がエクセル職人なのもいい！

石和義之 ……SF評論家

●『異常』エルヴェ・ル・テリエ
●『プロジェクト・ヘイル・メアリー（上・下）』アンディ・ウィアー
●『円　劉慈欣短篇集』劉慈欣
●『NSA（上・下）』アンドレアス・エシュバッハ
●『創られた心　AIロボットSF傑作選』ジョナサン・ストラーン＝編

自分のSF的原点にあるジュール・ヴェルヌの『海底二万里』を除くとフランスのSFには縁がなかったが、フランス産の『異常』は、オーソドキシーからはずれた風変わりな読み応えが印象的。逆に『プロジェクト・ヘイル・メアリー』は、王道のSFで、昭和的というか、『少年ジャンプ』のようなテイストがとても懐かしくてうれしい。また、SFとミステリの親和性の高さを改めて再確認した。やはりエンターテインメントにミステリは武器となる。

いするぎりょうこ ……SF&ファンタジー・ファン

①『大宇宙の魔女　ノースウェスト・スミス全短編』C・L・ムーア
②『塩と運命の皇后』ニー・ヴォ
③『逃亡テレメトリー　マーダーボット・ダイアリー』マーサ・ウェルズ
④『黄金の人工太陽　巨大宇宙SF傑作選』J・J・アダムズ＝編
⑤『怪談』ラフカディオ・ハーン

『大宇宙の魔女』はやっぱり傑作。自分の中のジェンダー観がクリアになった今の目で読むと、新たな発見と新たな感慨が。円城塔の翻訳になる『怪談』の、言葉による日本の異化に驚嘆。何ごとも自分の尺度だけでわかったつもりになっちゃいかんなぁと思う一方、日本の文化にどっぷり浸かり、日本語でしか思考できない自分の限界に思いを致す。

磯部剛喜 ……UFO現象学者

①『大宇宙の魔女　ノースウェスト・スミス全短編』C・L・ムーア
②『NSA（上・下）』アンドレアス・エシュバッハ
③『黄金の人工太陽　巨大宇宙SF傑作選』

J・J・アダムズ＝編
④『血を分けた子ども』オクテイヴィア・E・バトラー
⑤『マゼラン雲』スタニスワフ・レム

一九五三年以来最大の核戦争の危険が高まっているウクライナ戦争で、すでにNATOとロシアは事実上の戦争状態にあると警告している異端派の人口人類学者エマニュエル・トッド博士は「私は……精神を外に開くために、改めてサイエンス・フィクションを読み始めた。われわれの政治指導者に、同じタイプのエクササイズを強く勧めたい」と語っている。この五作はまさにそれにあたるだろう。

市田 泉

翻訳家

①『プロジェクト・ヘイル・メアリー（上・下）』アンディ・ウィアー
②『ピラネージ』スザンナ・クラーク
③『血を分けた子ども』オクテイヴィア・E・バトラー
④『異常』エルヴェ・ル・テリエ
⑤『不死鳥と鏡』アヴラム・デイヴィッドスン

一九六〇年代の作品と二〇二〇年代の作品を並べて挙げられるのは豊かなことだと思います。①と⑤は書かれた年代も雰囲気も異なる作品ですが、知識によって難題に対処していくという点がどちらも熱かった。人間にとっての異世界の意味を問う②は舞台となる館の描写がすばらしい。あと、ニー・ヴォ『塩と運命の皇后』も傑作でした。続篇もぜひ翻訳してほしいです。

乾石智子

ファンタジー小説家

①『プロジェクト・ヘイル・メアリー（上・下）』アンディ・ウィアー
②『チベット幻想奇譚』星泉＋三浦順子＋海老原志穂＝編訳
③『火守』劉慈欣
④『アディ・ラルーの誰も知らない人生』V・E・シュワブ
⑤『その昔、N市では　カシュニッツ短編傑作選』マリー・ルイーゼ・カシュニッツ

読了後、何か月たっても心に残る小説というものに巡り合えることは多くないが、（特に短期記憶が抜けていくこの頃では）『プロジェクト・ヘイル・メアリー』は、「あれはおもしろかったー、楽しかったー、すごかったー」といつまでもいえる作品だ。『チベット幻想奇譚』は闇にうごめくものと人との境界があいまいで、忘れかけていたものを思いださせる。

岩郷重力

グラフィック・デザイナー

●『プロジェクト・ヘイル・メアリー（上・下）』アンディ・ウィアー
●『スターメイカー』オラフ・ステープルドン
●『創られた心　AIロボットSF傑作選』ジョナサン・ストラーン＝編
●『無情の月（上・下）』メアリ・ロビネット・コワル
●『マゼラン雲』スタニスワフ・レム

卯月 鮎

書評家・ゲームコラムニスト

●『流浪蒼穹』郝景芳
●『とうもろこし倉の幽霊』R・A・ラファティ
●『蛇口　オカンポ短篇選』シルビナ・オカンポ
●『動物奇譚集』ディーノ・ブッツァーティ
●『円　劉慈欣短篇集』劉慈欣

『流浪蒼穹』は静謐で繊細ながら内に葛藤が渦巻く群像劇。針水晶の佇まい。『とうもろこし倉の幽霊』は深淵を覗いてしまったほら話。私たちは何に戦慄しているのだろうか？『蛇口』はシュールな夢幻のなかに人間心理の奇妙さを滲ませた、乾いた鉛筆画の手触り。『動物奇譚集』は人間存在の罪、生命の罰を問う哀しき引き出し。うちの猫を撫でた

くなった。

榎本 秋
著述業

①『デスパーク』ガイ・モーパス
②『永遠の真夜中の都市』チャーリー・ジェーン・アンダーズ
③『ロボットには尻尾がない《ギャロウェイ・ギャラガー》シリーズ短篇集』ヘンリー・カットナー
④『アポロ18号の殺人（上・下）』クリス・ハドフィールド
⑤『とうもろこし倉の幽霊』R・A・ラファティ

①は「時間」を奪い合うゲームのある世界の作り込み具合、描写具合がすごいと感じた。同じようにシチュエーションの表現……永遠に続く昼と夜の世界に挟まれた黄昏に心惹かれた②、酔っ払いの天才が巻き起こすはちゃめちゃが楽しい③と来て、④は著者が元宇宙飛行士という異色のバックボーンだけに宇宙開発現場の描写が圧倒的だった作品。⑤はわけのわからなさがもはや突き抜けていると感じて選んだ。

大倉貴之
書評家・アンソロジスト

①『プロジェクト・ヘイル・メアリー（上・下）』アンディ・ウィアー
②『創られた心 AIロボットSF傑作選』ジョナサン・ストラーン＝編
③『すべてはイブからはじまった ミクロの傑作圏』浅倉久志＝編訳

アンディ・ウィアーの『プロジェクト・ヘイル・メアリー』は、次から次と科学的なネタと驚くべき展開が繰り広げられる傑作。編集部のリストにあった作品を消化しきれなかったので④と⑤は該当作無しとした。

大阪大学SF研究会
大学サークル

①『プロジェクト・ヘイル・メアリー（上・下）』アンディ・ウィアー
②『三体X 観想之宙』宝樹
③『円 劉慈欣短篇集』劉慈欣
④『流浪地球』劉慈欣
⑤『老神介護』劉慈欣

三体のヒットにより劉慈欣の名が日本に広まったおかげもあってか、今年は氏の作品が収録された書籍が多数刊行された。個人的にはNetflixで配信されていた映画『流転の地球』の原作をようやく読むことができて満足である。また、書籍に限らず映画の分野においても『マトリックス リザレクション』や『ジュラシックワールド 新たなる支配者』など往年の名作の続篇や完結篇が公開され、各作品を振り返るきっかけになった。

大迫公成
技術翻訳・CONTACT Japan代表

①『大宇宙の魔女 ノースウェスト・スミス全短編』C・L・ムーア
②『ファニーフィンガーズ ラファティ・ベスト・コレクション2』R・A・ラファティ
③『黄金の人工太陽 巨大宇宙SF傑作選』J・J・アダムズ
④『プロジェクト・ヘイル・メアリー（上・下）』アンディ・ウィアー
⑤『ウィリアム・ギブスン エイリアン³』ウィリアム・ギブスン、パット・カディガン

①珠玉の短篇集。宇宙に散らばる妖しい恐怖の世界を訪れる。怖い美女の出演多数！②幻想とエスエフの世界。恐ろしかったりくすっと笑ったりする二十篇。③宇宙大冒険の数々。センス・オブ・ワンダーの十八篇。解説もいい。④深宇宙と現時点が絡み合った進行は見事。地球生命体の絶滅とは？ 宇宙船の描写も精緻で、映画化は楽しみ。⑤ヒックス伍長やニュート、ビショップにも会える。正当続篇の『エイリアン³』。またもエイリアンが襲ってくる。

大野典宏
ただの一読者

①『フィッシャーマン 漁り人の伝説』ジョン・ランガン
②『逃亡テレメトリー マーダーボット・ダ

イアリー』マーサ・ウェルズ
③『ヴィリコニウム　パステル都市の物語』M・ジョン・ハリスン
④『極めて私的な超能力』チャン・ガンミョン
⑤『呑み込まれた男』エドワード・ケアリー

あまり冊数を読めませんでした。

大野万紀 ……SF翻訳家・書評家

①『プロジェクト・ヘイル・メアリー（上・下）』アンディ・ウィアー
②『極めて私的な超能力』チャン・ガンミョン
③『いずれすべては海の中に』サラ・ピンスカー
④『円　劉慈欣短篇集』劉慈欣
⑤『創られた心　AIロボットSF傑作選』ジョナサン・ストラーン＝編

今年も読み終えたのは短篇集が多かったが、①は文句なしの長篇で本格SFの傑作。とにかく面白いし「うっそだろう！」という展開が素晴らしい。②は文学的なものからハードSF、派手なスペオペまでバラエティ豊かな韓国SF。③は奇想よりの作品集だがSF味もあって心に染みる。④も奇想からハードSFまでの幅広い作品の中に確かな作者らしさがある。⑤にはAIがテーマの現代的な傑作が多数収録されていて読み応えがあった。

大森望 ……SF業

①『プロジェクト・ヘイル・メアリー（上・下）』アンディ・ウィアー
②『ヨーロッパ・イン・オータム』デイヴ・ハッチンソン
③『とうもろこし倉の幽霊』R・A・ラファティ
④『創られた心　AIロボットSF傑作選』ジョナサン・ストラーン＝編
⑤『平和という名の廃墟（上・下）』アーカディ・マーティーン

①は現代SFエンターテインメントの最高峰。こんなの書かれたら誰も勝てない。存在自体が奇跡。②は未来の分裂ヨーロッパを舞台にした超オフビートなSFスパイ小説。③は著者の異常さが爆発するオール初訳の傑作選。羽根毛・カモ足への跳躍的形態変化を描くラファティ流バイオSF「サンペナタス断層崖の縁で」とか必読です。④は編者の実力をまざまざと見せつけるオリジナルアンソロジー。⑤は最新型ミリタリーSFのお手本。

岡田靖史 ……飲食店店主

①『プロジェクト・ヘイル・メアリー（上・下）』アンディ・ウィアー
②『疫神記（上・下）』チャック・ウェンディグ
③『三体X　観想之宙』宝樹
④『異常』エルヴェ・ル・テリエ
⑤『円　劉慈欣短篇集』劉慈欣

岡本俊弥 ……SFブックレビュアー

●『円　劉慈欣短篇集』劉慈欣
●『異常』エルヴェ・ル・テリエ
●『中国女性SF作家アンソロジー　走る赤』武甜静・橋本輝幸＝編、大恵和実＝編訳
●『いずれすべては海の中に』サラ・ピンスカー
●『極めて私的な超能力』チャン・ガンミョン

複数作出た劉慈欣の中からは充実の『円』を、出版社は違うが毎年恒例となった中国SFアンソロジーからは『走る赤』を選択。同じく着実に紹介が進む韓国SFから、『タワー』も忘れがたいが、『極めて私的な超能力』を選んだ。話題を呼んだ『異常』は、ゴンクール賞受賞の文芸作品ながら「SF風」ではなく「SFそのもの」だった。そんな中では『いずれすべては海の中に』は純文寄りのテイストが味わえる逸品だろう。

小川一水
SF作家

①『プロジェクト・ヘイル・メアリー（上・下）』アンディ・ウィアー
②『平和という名の廃墟（上・下）』アーカディ・マーティーン
③『NSA（上・下）』アンドレアス・エシュバッハ
④『逃亡テレメトリー　マーダーボット・ダイアリー』マーサ・ウェルズ
⑤『われらはレギオン4　驚異のシリンダー世界（上・下）』デニス・E・テイラー

①は未来科学でファーストコンタクトを乗り切る王道のハードSFだが、バディものとして爽快だった。②はまた別の意味でのバディものでもある百合SF、巨大銀河帝国の陰謀を切り抜けてエイリアンと対峙する二人が輝かしい。③はインターネットを手にしたナチスという最悪のifに完敗した。④はやれやれ系つよキャラロボットの苦労に同情。⑤は螺旋型リングワールドでの異星人の調査を楽しみ、ラストでうなずく。

岡和田晃
SF評論家／ゲームデザイナー

●『ファイティング・ファンタジーコレクション～レジェンドの復活～』
●『ロバート・アボット　新テーブルゲーム作品集成』ロバート・アーボット
●『ピラネージ』スザンナ・クラーク
●『不死鳥と鏡』アヴラム・デイヴィッドスン
●『非情の片道切符　眼には目を』リイ・ブラケット

順不同。今回は国内含め他の拙批評で扱っていないものを。『FFコレクション』は箱入り五巻本＋解説本セットの第二弾。キース・マーティン（カール・サージェント）『魂を盗むもの』とリビングストン『危難の都』のゲームブック新訳二冊に瞠目。アボット本で扱われるシステムはコロンブスの卵。『ピラネージ』は建築文学の新機軸。『不死鳥と鏡』は原書でも読み、とにかく待ち望んでいた一冊。敬愛するリイ・ブラケットの新訳にも心が躍った。

オキシタケヒコ
SFものかき

●『疫神記（上・下）』チャック・ウェンディグ
●『プロジェクト・ヘイル・メアリー（上・下）』アンディ・ウィアー
●『呑み込まれた男』エドワード・ケアリー
●『ロボットには尻尾がない　《ギャロウェイ・ギャラガー》シリーズ短篇集』ヘンリー・カットナー

変な本も好きなのだけど、SFエンタメの手本的な大作にも弱かったり。

尾之上浩司
怪獣小説翻訳家

①『プロジェクト・ヘイル・メアリー（上・下）』アンディ・ウィアー
②『シャーロック・ホームズとシャドウェルの影』ジェイムズ・ラヴグローヴ
③『グラーキの黙示（1・2）』ラムジー・キャンベル
④『【閲覧注意】ネットの怖い話　クリーピーパスタ』ミスター・クリーピーパスタ＝編
⑤『イラストで見るUFOの歴史』アダム・オールサッチ・ボードマン

理詰めでSF的難局を乗り越える過去作で二十一世紀の巨匠の一人となったウィアーの新刊は、孤立無援な主人公設定に記憶欠落を絡めて、さらにより大きな仕掛けに挑んでいて痛快！　②は原書刊行時に読んで、これは当たると思ったものだが、やはり日本でも歓迎されているようでシリーズ訳出継続が楽しみ。③はクトゥルー神話の王道がようやく単行本にまとめられたことを歓迎して。④⑤のような企画本も嬉しかった。

小山正
ミステリ研究家

①『地球の平和』スタニスワフ・レム
②『プロジェクト・ヘイル・メアリー（上・下）』アンディ・ウィアー
③『フィッシャーマン　漁り人の伝説』ジョ

ン・ランガン
④『とうもろこし倉の幽霊』R・A・ラファティ
⑤『血を分けた子ども』オクテイヴィア・E・バトラー

①は壮大な宇宙文明論。これで《泰平ヨン》シリーズがすべて訳された。うれしい。今後は神棚に並べて、繰り返し読むことになるだろう。同じくレムの『マゼラン雲』刊行も夢のようだ。少し前に映画版を観て歓喜したが、幻の原作が邦訳で読めるとは思わなかったぞ！　怪奇幻想系も豊饒で、新旧の傑作に出会えた。特に『フィッシャーマン』『手招く美女』『グラーキの黙示』は、狂った憂き世を忘れさせてくれる素晴らしい内容だ。

柿崎 憲
ライター

①『円　劉慈欣短篇集』劉慈欣
②『プロジェクト・ヘイル・メアリー（上・下）』アンディ・ウィアー
③『極めて私的な超能力』チャン・ガンミョン
④『三体X　観想之宙』宝樹
⑤『異常』エルヴェ・ル・テリエ

①と②はこの先二十年はオールタイムベストとして挙げられる短篇集と長篇だと思います。③収録の「アスタチン」を中学生の頃に読んでいたら、間違いなくこの作家の熱烈なファンになっていたはず。当時自分がSFに求めていたものが凝縮されていた。④はシェフが調理の際に贅沢にも投げ捨てた部分を拾い集めて作られた一品。美味し。⑤は途中の展開もさることながらラストの性格の悪さが個人的に好みでした。

梶尾真治
無位無官／年金生活者

①『プロジェクト・ヘイル・メアリー（上・下）』アンディ・ウィアー
②『すべてはイブからはじまった　ミクロの傑作圏』浅倉久志＝編訳
②『いずれすべては海の中に』サラ・ピンスカー
②『疫神記（上・下）』チャック・ウェンデイグ
②『ルビーが詰まった脚』ジョーン・エイキン

『プロジェクト・ヘイル・メアリー』がぶっちぎりでした。なにより、読みやすい文体でハードを語る。しかもユーモアを忘れない。センス・オブ・ワンダーに満ちていて、かつSF初心者をも夢中にさせるという（知り合いの話）奇跡のような作品でした。私自身、高校の頃のSF読書体験を思いださせてくれました。二位以下に順位はありません。それほど読んでいるわけでもないので、思いだした順に。

風野春樹
精神科医兼SFレビュアー

①『NSA（上・下）』アンドレアス・エシュバッハ
②『プロジェクト・ヘイル・メアリー（上・下）』アンディ・ウィアー
③『三体X　観想之宙』宝樹
④『タワー』ペ・ミョンフン
⑤『円　劉慈欣短篇集』劉慈欣

片桐翔造
レビュアー

①『プロジェクト・ヘイル・メアリー（上・下）』アンディ・ウィアー
②『最後の宇宙飛行士』デイヴィッド・ウェリントン
③『名探偵と海の悪魔』スチュアート・タートン
④『【閲覧注意】ネットの怖い話　クリーピーパスタ』ミスター・クリーピーパスタ＝編
⑤『パン焼き魔法のモーナ、街を救う』T・キングフィッシャー

香月祥宏
書評家

①『プロジェクト・ヘイル・メアリー（上・下）』アンディ・ウィアー
②『NSA（上・下）』アンドレアス・エシュバッハ

③『いずれすべては海の中に』サラ・ピンスカー
④『円　劉慈欣短篇集』劉慈欣
⑤『血を分けた子ども』オクテイヴィア・E・バトラー

①は「最近おもしろかったSFは？」と訊かれた時に、どんな人にも躊躇なく差し出せる一作。②も王道の改変歴史小説。きちんと書くこととあえて書かないことの取捨選択が上手い。③は変化球だが、奇想と洗練された文章が心地よく、これも広くおすすめできる。④劉慈欣短篇集の代表として。最近あまり見ない、アイデアも展開もフルスイングのSFで気持ち良い。⑤待望の翻訳だが、現在でも色褪せない力がある。

勝山海百合　……小説家

①『いずれすべては海の中に』サラ・ピンスカー
②『永遠の真夜中の都市』チャーリー・ジェーン・アンダーズ
③『プロジェクト・ヘイル・メアリー（上・下）』アンディ・ウィアー
④『ヨーロッパ・イン・オータム』デイヴ・ハッチンソン
⑤『塩と運命の皇后』ニー・ヴォ

短篇集『いずれ～』の中では「深淵をあとに歓喜して」が特に良いと思った。⑤は架空のアジア的世界が丁寧に作られていて好ましい。この地を支配する虎（自称）は住民から税を取り立てないという説明に、虎は自尊心が満足するだけでいいんだと納得した。

鼎 元亨　……一介のSF者

●『翻訳を産む文学、文学を産む翻訳　藤本和子、村上春樹、SF小説家と複数の訳者たち』邵丹
●『プロジェクト・ヘイル・メアリー（上・下）』アンディ・ウィアー
●『パン焼き魔法のモーナ、街を救う』T・キングフィッシャー

毎年、海外はベスト5を選べるほど冊数を読んでないが、今回は『翻訳を産む文学、文学を産む翻訳』を推したいので参加。本邦のSFは欧米（特に米）の影響が強いのが、日本語話者は気付きにくい。中国語話者からの視点がありがたい。翻訳≠逐語訳の話者の視点は好奇心をそそる。

川合康雄　……SFアート研究家

①『円　劉慈欣短篇集』劉慈欣
②『いずれすべては海の中に』サラ・ピンスカー
③『創られた心　AIロボットSF傑作選』ジョナサン・ストラーン＝編
④『流浪蒼穹』郝景芳
⑤『ロボットには尻尾がない　《ギャロウェイ・ギャラガー》シリーズ短篇集』ヘンリー・カットナー

何故か今年は選んだ作品が短篇集かそれに準じたものになった。それぞれに考えさせられるし、SFを読む楽しさにあふれていて、読んでいる間中楽しかった。

北原尚彦　……作家・翻訳家

①『プロジェクト・ヘイル・メアリー（上・下）』アンディ・ウィアー
②『いずれすべては海の中に』サラ・ピンスカー
③『老神介護』劉慈欣
④『中国女性SF作家アンソロジー　走る赤』武甜静・橋本輝幸＝編、大恵和実＝編訳
⑤『逃亡テレメトリー　マーダーボット・ダイアリー』マーサ・ウェルズ

短篇集好きを自認していても、上下巻の長篇である①は譲れなかった。二〇二一年末刊行の時点で、二〇二二年度翻訳SFベストワンを確信させる面白さ。②は奇想SF短篇集で、めっちゃ好み。中華SFは今年も収穫大で、③は大作『三体』の作者が短篇でも巧者であることがよく分かる。④はイマジネーション豊かなアンソロジー。⑤は「弊機」シリーズ中篇＋短篇。安定の面白さだが、視点の

違う短篇も含まれていて、やはり「弊機」の語りが最高と確認。

日下三蔵　……SF研究家

① 『プロジェクト・ヘイル・メアリー（上・下）』アンディ・ウィアー
② 『ロボットには尻尾がない　《ギャロウェイ・ギャラガー》シリーズ短篇集』ヘンリー・カットナー
③ 『とうもろこし倉の幽霊』R・A・ラファティ
④ 『大宇宙の魔女　ノースウェスト・スミス全短編』C・L・ムーア
⑤ 『いずれすべては海の中に』サラ・ピンスカー

①は話題になってから数ヶ月遅れで読んだので、参考リストを見て今年度の対象作品だったことに驚いてしまった。②以降は、例によって楽しめた短篇集を。つい安心できる往年の職人作家の本ばかり読んでしまうが、現代作家の作品集では、それらに引けを取らないクオリティの⑤にビックリ。

草野原々　……SF作家

① 『なぜ私は私であるのか　神経科学が解き明かした意識の謎』アニル・セス
② "*Cold Eyes*" Peter Cawdron
③ "*Eversion*" Alastair Reynolds
④ 『アポロ18号の殺人（上・下）』クリス・ハドフィールド
⑤ 『最後の宇宙飛行士』デイヴィッド・ウェリントン

フィクションではないが、①は「私」という概念自体を「脳は予測外のことを最小化する」という単純明快な原理で見事に説明しており、ミステリの解決を見ているようであった。②は赤色矮星のスーパーアースを舞台にファーストコンタクトを描く。主人公が『文系のクローン人間』というほかにみない設定。⑤は巨大異星存在に対する実存的恐怖という古典的なSFの魅力に満ちた作品。

鯨井久志　……研修医兼レビュアー

① 『いずれすべては海の中に』サラ・ピンスカー
② 『プロジェクト・ヘイル・メアリー（上・下）』アンディ・ウィアー
③ 『円　劉慈欣短篇集』劉慈欣
④ 『中国女性SF作家アンソロジー　走る赤』武甜静・橋本輝幸＝編、大恵和実＝編訳
⑤ 『極めて私的な超能力』チャン・ガンミョン

①奇想がちりばめられた良短篇集。未訳の作品もめちゃくちゃ面白いので、どんどん紹介されてほしい作家です。②実は『火星の人』にはそんなにハマらなかったんですが、これはかなりハマりました。③ほとんどバカSFすれすれまでいく発想のスケールの大きさが好きです。④すごく限定的な縛りのアンソロジーかと思いきや、幅も広いし質も高くて、編者の人たちがすごいです。⑤テッド・チャンを思わせる巻頭作がかなり好きです。

COCO　……漫画・文筆・生き物屋

① 『プロジェクト・ヘイル・メアリー（上・下）』アンディ・ウィアー
② 『フィッシャーマン　漁り人の伝説』ジョン・ランガン
③ 『NSA（上・下）』アンドレアス・エシュバッハ
④ 『兎の島』エルビラ・ナバロ
⑤ 『疫神記（上・下）』チャック・ウェンディグ

①は文句なし。これだけ没入させてくれる作品は多ジャンル含め滅多にない。②は古風な装いも嬉しい幻想怪奇もの。③も古風ながら今なればこその恐ろしさが際立つ。④は主流寄りのものだろうが、繊細かつ鋭利な恐怖が比類なく、⑤はいかにも現代的なテーマを大部で描き切った力業に感服。

小谷真理　SF＆ファンタジー評論家

●『ヨーロッパ・イン・オータム』デイヴ・ハッチンソン
●『血を分けた子ども』オクテイヴィア・E・バトラー
●『塩と運命の皇后』ニー・ヴォ
●『プロジェクト・ヘイル・メアリー（上・下）』アンディ・ウィアー
●『ヴィリコニウム　パステル都市の物語』M・ジョン・ハリスン

　BLMやLGBTQにウクライナと激動の時代に相応しい傑作がそろい踏み。不安定なNATO情勢を横目に、ハッチンソン描く架空の欧州を彷徨した読書体験は忘れられない思い出。また、長年待ち望んでいたバトラーとハリスンの本が遂に出版され、丁寧な本作りにも感動した。

堺 三保　ライター

①『プロジェクト・ヘイル・メアリー（上・下）』アンディ・ウィアー
②『無情の月（上・下）』メアリ・ロビネット・コワル
③『いずれすべては海の中に』サラ・ピンスカー
④『終わらない週末』ルマーン・アラム
⑤『永遠の真夜中の都市』チャーリー・ジェーン・アンダーズ

　その他、ファンタジーやホラーでは『闇の覚醒』、『パン焼き魔法のモーナ、街を救う』、『吸血鬼ハンターたちの読書会』、『メキシカン・ゴシック』などが印象的でした。

坂永雄一　SF文筆業

●『ロボットには尻尾がない　《ギャロウェイ・ギャラガー》シリーズ短篇集』ヘンリー・カットナー
●『ファニーフィンガーズ　ラファティ・ベスト・コレクション2』R・A・ラファティ
●『ピラネージ』スザンナ・クラーク
●『ヨーロッパ・イン・オータム』デイヴ・ハッチンソン
●『不死鳥と鏡』アヴラム・デイヴィッドスン

坂村 健　電脳建築家

①『プロジェクト・ヘイル・メアリー（上・下）』アンディ・ウィアー
②『マゼラン雲』スタニスワフ・レム
③『血を分けた子ども』オクテイヴィア・E・バトラー
④『アポロ18号の殺人（上・下）』クリス・ハドフィールド
⑤『NSA（上・下）』アンドレアス・エシュバッハ

　『プロジェクト・ヘイル・メアリー』は作者らしい手作業での問題解決がワクワクする科学実験SF。『火星の人』と同様一人舞台で幕を開けるが、今作は中盤からバディものに。刊行がほんの一年前なのに、この二人？が大親友になる展開より、たとえ人類絶滅回避のためでも米露中が欧州人のリーダーシップで協力する方がありえない、と感じる今の世界が悲しい。ところでエネルギー保存法則はニュートリノとして安全に消えるのですよね。

佐々木敦　思考家

①『血を分けた子ども』オクテイヴィア・E・バトラー
②『極めて私的な超能力』チャン・ガンミョン
③『タワー』ペ・ミョンフン
④『いずれすべては海の中に』サラ・ピンスカー
⑤『ヴィリコニウム　パステル都市の物語』M・ジョン・ハリスン

　バトラーがこんなに訳されるとは。強固な信念と鋭い疑いと豊穣な想像力の高度な結合。他の長篇も出るらしい。同じアジアでも中国と韓国のSFって全然違う印象。前者が外向き後者が内向きに見えるのは社会や国家を反映しているというべきなのか。サラ・ピンスカーのような実力派の作家が長篇、短篇集と立て続けに出るのも今っぽい。『パステル都市』は好きだった。リトルプレスによるマイナー文学の発掘、素晴らしいと思います。

佐藤 大
脚本家

①『アポロ18号の殺人（上・下）』クリス・ハドフィールド
②『三体X 観想之宙』宝樹
③『NSA（上・下）』アンドレアス・エシュバッハ
④『シャーロック・ホームズとシャドウェルの影』ジェイムズ・ラヴグローヴ
⑤『ウィリアム・ギブスン エイリアン3』ウィリアム・ギブスン、パット・カディガン

二次創作というものにはオリジナルが必要だ。発想の原点は歴史的な事実でも有名な小説でも映画でも同じ手つきで何でも創作することも出来る。その上、どこかの誰かの何かの二次創作でも腕次第で刺激的な良い物語を生み出せる。そんな実感をしたことで勇気をもらえた読書の一年。ということで題材のネタを選ぶ組み合わせのセンスから刺激を受けた作品ばかり自然と選んでいました。中でも『アポロ18号の殺人』はやられた。

三方行成
小説家

①『フィッシャーマン 漁り人の伝説』ジョン・ランガン
②『プロジェクト・ヘイル・メアリー（上・下）』アンディ・ウィアー
③『ヨーロッパ・イン・オータム』デイヴ・ハッチンソン
④『ロボットには尻尾がない《ギャロウェイ・ギャラガー》シリーズ短篇集』ヘンリー・カットナー
⑤『メキシカン・ゴシック』シルヴィア・モレノ＝ガルシア

①は恐ろしい話だった。この話は読んだのではなく体験したような気がしている。③は後半の急加速が嬉しかった。

志村弘之
SF読者

①『プロジェクト・ヘイル・メアリー（上・下）』アンディ・ウィアー
②『流浪地球』劉慈欣
③『黄金の人工太陽 巨大宇宙SF傑作選』J・J・アダムズ
④『ギデオン 第九王家の騎士（上・下）』タムシン・ミュア
⑤『極めて私的な超能力』チャン・ガンミョン

『いずれすべては海の中に』、昨年『新しい時代への歌』のピンスカーの短篇集も良かった。『男たちを知らない女』はパンデミックで男性の激減した世界の女性たち。あと『マーダーボット』の続巻が嬉しい。公式二次『三体X』も楽しかった、昨年『帝国という名の記憶』に続く『平和という名の廃墟』も面白かった。分割された東京でのミステリ的な『九段下駅』は複数著者・訳者の連作。

下楠昌哉
英文学者

①『吸血鬼ラスヴァン 英米古典吸血鬼小説傑作集』G・G・バイロン、J・W・ポリドリほか
②『怪談』ラフカディオ・ハーン
③『新編 怪奇幻想の文学1 怪物』紀田順一郎・荒俣宏＝監修、牧原勝志＝編
④『スターメイカー』オラフ・ステープルドン
⑤『血を分けた子ども』オクテイヴィア・E・バトラー

①なんと言っても「黒い吸血鬼－サント・ドミンゴの伝説」。百五十年早かった大傑作。②雑誌連載の時から待ちわびた。ハーン翻訳に革命を起こした「直訳」。③私にツボのアンソです。④英国ロマン派の想像力が二十世紀にも健在だったことを知る。⑤尖り方がすごい。無傷では読めない。

十三不塔　作家

●『プロジェクト・ヘイル・メアリー（上・下）』アンディ・ウィアー
●『三体Ｘ　観想之宙』宝樹
●『中国女性ＳＦ作家アンソロジー　走る赤』武甜静・橋本輝幸＝編、大恵和実＝編訳
●『九段下駅　或いはナインス・ステップ・ステーション』マルカ・オールダー、フラン・ワイルド、ジャクリーン・コヤナギ、カーティス・Ｃ・チェン

宇宙を舞台にした圧倒的なスケールの作品の洗礼を受けた気がします。肌の合わない作風であっても認めざるを得ないパワーがあって見習うべきだと思いました。日本から海外へ向けて発信できる作品を作ろうという意欲がわきました。

水鏡子　ＳＦロートル

①『流浪地球』『老神介護』劉慈欣
②『とうもろこし倉の幽霊』Ｒ・Ａ・ラファティ
③『町かどの穴』『ファニーフィンガーズ』Ｒ・Ａ・ラファティ
④『いずれすべては海の中に』サラ・ピンスカー
⑤『創られた心　ＡＩロボットＳＦ傑作選』ジョナサン・ストラーン＝編

今年は近来でも稀な豊穣の年。古い有名な変な本から現代を代表する作品群まで千差万別。それでも、期ずれも含めたラファティ・セットで首位は動かないはずだったのに、土壇場でひっくり返った。少し前『銀河帝国の崩壊』を読み返し、感動した。劉慈欣の作品集はＳＦに向けた精神性やヴィジョンがクラークの一番輝いていたあの時期と異常なまでに呼応して、ああ、そういう作家だったのかとカチッと嵌り納得した。首位以外ありえない。

鈴木力　ライター

①『プロジェクト・ヘイル・メアリー（上・下）』アンディ・ウィアー
②『ＮＳＡ（上・下）』アンドレアス・エシュバッハ
③『タワー』ぺ・ミョンフン
④『いずれすべては海の中に』サラ・ピンスカー
⑤『三体Ｘ　観想之宙』宝樹

『プロジェクト・ヘイル・メアリー』は悪いニュースばかり続く世の中で、いかにもＳＦＳＦした明るい未来志向の小説として一位に選びました。『三体Ｘ』は、毀誉褒貶分かれる作品だとは思いますが、やり過ぎな点も含めて私は好きです。

添野知生　映画評論家

①『いずれすべては海の中に』サラ・ピンスカー
②『男たちを知らない女』クリスティーナ・スウィーニー＝ビアード
③『壜のなかの永遠』ジェス・キッド
④『ヨーロッパ・イン・オータム』デイヴ・ハッチンソン
⑤『無情の月（上・下）』メアリ・ロビネット・コワル

びっくり箱のようなバラエティに富んだ①は、ＳＦ史における真に優れた短篇集を選ぶなら必ず候補に入れたい。その伝統を引き継いでいるし、そのぐらいすばらしい。恐ろしいほど時宜を得たパンデミック小説の②は、世界を変革するスペキュレイティヴ・フィクションとしての痛快さと、喪失と悲嘆の重さを併記していることに打たれた。③は十九世紀ロンドンを舞台にありそうにない探偵がありそうにない生き物を追う痛切なファンタジー。

代島正樹　ＳＦセミナースタッフ

①『ロボットには尻尾がない　《ギャロウェイ・ギャラガー》シリーズ短篇集』ヘンリー・カットナー
②『大宇宙の魔女　ノースウェスト・スミス

全短編』C・L・ムーア
③『プロジェクト・ヘイル・メアリー（上・下）』アンディ・ウィアー
④『創られた心　AIロボットSF傑作選』ジョナサン・ストラーン＝編
⑤『明日をこえて』ロバート・A・ハインライン

①稀代のユーモアSF、初訳含む全五篇を集成！　②こちらも古典的名作シリーズ、新訳版全一巻で登場。カットナーとムーアの代表作が同時期に刊行された奇遇になぞらえワン・ツー・フィニッシュ。③本格宇宙SFの第一人者としての期待に応える快作。④好調のテーマ別アンソロジーシリーズから。⑤まさかの翻訳に一番驚かされた刊行物。その点では『マゼラン雲』も相当なもの。〈英雄コナン全集〉など新紀元社の活躍も頼もしい限り。

高島雄哉
……小説家＋SF考証

①『いずれすべては海の中に』サラ・ピンスカー
②『異常』エルヴェ・ル・テリエ
③『地球温暖化はなぜ起こるのか　気候モデルで探る過去・現在・未来の地球』真鍋淑郎、アンソニー・J・ブロッコリー
④『その昔、N市では　カシュニッツ短編傑作選』マリー・ルイーゼ・カシュニッツ
⑤『因果推論の科学　「なぜ？」の問いにどう答えるか』ジューディア・パール、ダナ・マッケンジー

引き続き／ますます〈環境〉がテーマとなり、〈AI環境問題〉とでも呼ぶべき事態もそろそろ前面に。SF考証としては、二十世紀の詩やビデオゲーム――たとえばシューティングゲームだろうか――の世界設定を見ていくと面白そうな予感があるので来年がんばりたい。

高槻真樹
……SF評論・映画研究者

①『最後のライオニ　韓国パンデミックSF小説集』キム・チョヨプ他
②『地球の平和』スタニスワフ・レム
③『タワー』ペ・ミョンフン
④『とうもろこし倉の幽霊』R・A・ラファティ
⑤『ヨーロッパ・イン・オータム』デイヴ・ハッチンソン

今年も充実の韓国SF。すっかり人気が定着したようでうれしい。なかでも優れていたのが①で、オリジナルアンソロジーを主体に地道な活動を続けてきた韓国作家陣の底力と考察の深さ・幅広さを感じる。既存のアイデアに洗練を重ねて独自のものにしてしまうという点では③も注目。では他国の作品はどうかといえば、②レム最後の長篇がやはりすごい。④ラファティはまだまだ楽しめる。⑤竹書房SFの快進撃はまだまだ続くようだ。

高橋良平
……SF評論家

①『ヨーロッパ・イン・オータム』デイヴ・ハッチンソン
②『いずれすべては海の中に』サラ・ピンスカー
③『プロジェクト・ヘイル・メアリー（上・下）』アンディ・ウィアー
④『NSA（上・下）』アンドレアス・エシュバッハ
⑤『シャーロック・ホームズとシャドウェルの影』ジェイムズ・ラヴグローヴ

今期も新しい作家が多く紹介され（創元SF文庫のアンソロジーも含め）おおいに楽しませてくれました。引き続き、中国、韓国のSF作品の紹介（流行？）には目を見張っていますが、いまひとつ、魅かれない自分がいるのを不思議に思っています。

立原透耶
……物書き

①『プロジェクト・ヘイル・メアリー（上・下）』アンディ・ウィアー
②『円　劉慈欣短篇集』劉慈欣
③『最後のライオニ　韓国パンデミックSF小説集』キム・チョヨプ他

④『老神介護』劉慈欣
⑤『流浪地球』劉慈欣
偏ってはならない、偏ってはいけない！と思いつつも、劉慈欣が三作品も入ってしまった。だってもう好きだからしょうがないですよね。他にも『異常』とか『チベット幻想奇譚』とか『タワー』とか面白い作品たくさんありました。

巽 孝之

SF批評家

●『プロジェクト・ヘイル・メアリー（上・下）』アンディ・ウィアー
●『読書セラピスト』ファビオ・スタッシ
●*"American Stutter 2019-2021"* Steve Erickson
●*"Night Shift"* Robin Cook
●*"Dangerous Visions and New Worlds"* Andrew Nette, Iain McIntyre＝編

ウィアーは久々に心あたたまるファーストコンタクトSF、スタッシはミステリ形式だがSF的幻想に満ちた大団円を含むポスト・ノワール。エリクソンはトランプ政権を相手取るノンフィクションかと思いきや著者の家族設定からして既に魔術的リアリズム。ガンのアンソロジーは好短篇揃いだが、特に名編集者ドゾワへのオマージュが泣ける。ネット&マッキンタイアの編著はふんだんに図版を使ったニューウェーヴ以降の思弁小説史。

田中すけきよ

フリーアーキビスト

●『ロボットには尻尾がない　《ギャロウェイ・ギャラガー》シリーズ短篇集』ヘンリー・カットナー
●『プロジェクト・ヘイル・メアリー（上・下）』アンディ・ウィアー
●『ヨーロッパ・イン・オータム』デイヴ・ハッチンソン
●『塩と運命の皇后』ニー・ヴォ
●『シャーロック・ホームズとシャドウェルの影』ジェイムズ・ラヴグローヴ

『プロジェクト・ヘイル・メアリー』と中国SFが目立っていましたが、改めて見ると内容も版元もなかなかバラエティに富んだ年だったように思います。ホラー系の作品も多かったですね。

田中 光

イラストレーター

●『プロジェクト・ヘイル・メアリー（上・下）』アンディ・ウィアー
●『円　劉慈欣短篇集』劉慈欣
●『いずれすべては海の中に』サラ・ピンスカー
●『血を分けた子ども』オクテイヴィア・E・バトラー
●『ヴィリコニウム　パステル都市の物語』M・ジョン・ハリスン

中藤龍一郎

会社員兼SF研究家

①『とうもろこし倉の幽霊』R・A・ラファティ
②『ロボットには尻尾がない　《ギャロウェイ・ギャラガー》シリーズ短篇集』ヘンリー・カットナー
③『ファニーフィンガーズ　ラファティ・ベスト・コレクション2』R・A・ラファティ
④『ヴィリコニウム　パステル都市の物語』M・ジョン・ハリスン
⑤『血を分けた子ども』オクテイヴィア・E・バトラー

ラファティの初翻訳作品集が①です。粒選りラファティを楽しめる短篇集は③で。本国でもラファティの埋もれた作品やラファティに関する評論を収めた作品集が5巻まで刊行されており、さながらラファティ・ルネサンスですね。カットナーをウェルメイドなだけの作家と思っていましたが、奥底に何やら不気味なものを感じました。杉浦茂のような。あとはカッコいいハリスン作品と衝撃的なバトラー作品をベストに推します。

中野善夫

ファンタジイ研究家

①『ピラネージ』スザンナ・クラーク
②『アディ・ラルーの誰も知らない人生』V・E・シュワブ

③『ヨーロッパ・イン・オータム』デイヴ・ハッチンソン
④『メキシカン・ゴシック』シルヴィア・モレノ＝ガルシア
⑤『兎の島』エルビラ・ナバロ

この世界と繋がった別の世界、あるいは重なった別の世界という話で強く印象に残る作品が多い年だったように思う。今回選んだ五冊のうち三冊は原書で買って読もうと思っているうちに邦訳が出てしまって日本語で読んだものだった。もっと読めるようにならなければ。『兎の島』の原作はスペイン語。スペイン語も読めるようになりたい。

中村融

翻訳家・アンソロジスト

①『地球の平和』スタニスワフ・レム
②『いずれすべては海の中に』サラ・ピンスカー
③『円　劉慈欣短篇集』劉慈欣
④『塩と運命の皇后』ニー・ヴォ
⑤『アフロフューチャリズム　ブラック・カルチャーと未来の想像力』イターシャ・L・ウォマック

SFどころか奇想小説の範疇にもはいらないので選外としたが、今年いちばん面白かったのは、アンヌ＝マリー・ルヴォルの『ロシアの星』（集英社）。人類初の宇宙飛行を果たしたユーリ・ガガーリンの半生を綴ったものだが、虚実とりまぜた人物の視点から連作形式で描きだす手法がユニーク。宇宙開発の歴史に興味がある向きには強くお勧めする。

長山靖生

文芸評論家

①『異常』エルヴェ・ル・テリエ
②『円　劉慈欣短篇集』劉慈欣
③『ピラネージ』スザンナ・クラーク
④『平和という名の廃墟（上・下）』アーカディ・マーティーン
⑤『兎の島』エルビラ・ナバロ

①は科学性は薄いが、静謐な思弁小説であり、リーダビリティも高い。自己の分裂を描いて、逆に不可逆一過性の人生の重みを浮かび上がらせる。なおSFではないものの①が気に入っている読者には、アニー・エルノー『嫉妬／事件』やヘルター・ミュラー『呼び出し』もおススメ。

名古屋大学SF・ミステリ・幻想小説研究会

学生サークル

①『流浪蒼穹』郝景芳
②『プロジェクト・ヘイル・メアリー（上・下）』アンディ・ウィアー
③『極めて私的な超能力』チャン・ガンミョン
④『三体X　観想之宙』宝樹
⑤『老神介護』劉慈欣

去年と同じく中国SFと新☆ハヤカワ・SF・シリーズが入っているのは、海外篇の投票が約一名の部員の嗜好に染まっているからである。①屈指の傑作と思っている。夏コミ帰りに夜行バス待ちの東京駅で読んだのが思い出深い②海外篇一位はこれじゃないですか③二年後くらいに韓国SFの時代が来ます、来させます④肝心の『三体』本篇の内容を思い出すのに時間がかかった⑤安定枠

鳴庭真人

英米SF紹介者

①『プロジェクト・ヘイル・メアリー（上・下）』アンディ・ウィアー
②『平和という名の廃墟（上・下）』アーカディ・マーティーン
③『永遠の真夜中の都市』チャーリー・ジェーン・アンダーズ
④『創られた心　AIロボットSF傑作選』ジョナサン・ストラーン＝編
⑤『異常』エルヴェ・ル・テリエ

①は結局一番楽しんだので。②は続篇だが前作の陰謀劇に宇宙SF要素がプラスされて良くなっていた。③は著者が本格的なSFに挑戦したということでポイント。アンソロジーは基本入れないが、④はストラーンのアンソロジーが邦訳されて嬉しかったので。⑤は非プロパーのSFらしい変化球を評価。

難波弘之 ……ミュージシャン、東京音楽大学教授

① 『とうもろこし倉の幽霊』R・A・ラファティ
② 『円 劉慈欣短篇集』劉慈欣
③ 『ロボットには尻尾がない 《ギャロウェイ・ギャラガー》シリーズ短篇集』ヘンリー・カットナー
④ 『マゼラン雲』スタニスワフ・レム
⑤ 『大宇宙の魔女 ノースウェスト・スミス全短編』C・L・ムーア

何だか馴染みのある古い作家の作品ばかりを、つい手に取ってしまいます。ただ懐かしいだけではなく、今でも十分にセンス・オブ・ワンダーを感じます。懐メロではないのです。

二階堂黎人 ……小説家

● 『創られた心 AIロボットSF傑作選』ジョナサン・ストラーン＝編
● 『黄金の人工太陽 巨大宇宙SF傑作選』J・J・アダムズ
● 『ロボットには尻尾がない 《ギャロウェイ・ギャラガー》シリーズ短篇集』ヘンリー・カットナー
● 《宇宙英雄ローダン・シリーズ》

今年の、私のベストはネット配信『宇宙探査艦オーヴィル シーズン3』で、ワーストはネット配信『ピカード シーズン2』でした（過去を戻ってからがグダグダ）。

人間六度 ……作家・大学生

● 『プロジェクト・ヘイル・メアリー（上・下）』アンディ・ウィアー
● 『異常』エルヴェ・ル・テリエ

『プロジェクト・ヘイル・メアリー』、大学の先生にゴリ勧めされて読んだんですが納得の作品でした。僕が推さなくてもどうせみんな推してるんでしょ？ という感じの。でもそこだけ父親（SF好き）とは合わなくて喧嘩しかけましたよね。は〜〜〜？ 面白いやろが〜〜〜！ ヘイルメアリー、主人公が最後までヘタレだったのが本当に良かった。世界救いたい病の「狂人」じゃなくて、ちゃんと「人間」だったところが。

橋 賢亀 ……絵描き

● 『大宇宙の魔女 ノースウェスト・スミス全短編』C・L・ムーア
● 『呑み込まれた男』エドワード・ケアリー
● 『塩と運命の皇后』ニー・ヴォ
● 『血を分けた子ども』オクテイヴィア・E・バトラー
● 『ガラスの顔』フランシス・ハーディング

すっかり刊行点数が減った海外翻訳物ですが面白いものはたくさんありますね。

橋本輝幸 ……SF書評家

● 『プロジェクト・ヘイル・メアリー（上・下）』アンディ・ウィアー
● 『血を分けた子ども』オクテイヴィア・E・バトラー
● 『ギデオン 第九王家の騎士（上・下）』タムシン・ミュア
● 『いずれすべては海の中に』サラ・ピンスカー
● 『極めて私的な超能力』チャン・ガンミョン

PHMはぜひ映画化でさらにファンを増やしてほしい、オールタイムベスト級の作品。不朽といえば一九九五年の短篇集『血を分けた子ども』の衝撃は今も色褪せない。派手なアクションとバトルと連続殺人に彩られた『ギデオン』は英語圏の大人気作品。ピンスカーとチャン・ガンミョンの短篇集は共に懐かしさと現代性を兼ね備えている。

葉月十夏 ……物語愛好家

① 『スターメイカー』オラフ・ステープルドン
② 『いずれすべては海の中に』サラ・ピンスカー

③『パン焼き魔法のモーナ、街を救う』T・キングフィッシャー
④『中国女性SF作家アンソロジー　走る赤』武甜静・橋本輝幸＝編、大恵和実＝編訳
⑤『九段下駅　或いはナインス・ステップ・ステーション』マルカ・オールダー、フラン・ワイルド、ジャクリーン・コヤナギ、カーティス・C・チェン

①壮大、緻密な世界に圧倒されるばかり。衝撃。②多彩な物語の数々。読了するのがもったいないほど。③主人公たちの魔法は各々かなり独特。時にくすりと笑え、泣けた。④序文から熱い。宇宙ものや和風など、様々な物語を堪能できる。⑤近未来、占領された日本が舞台の刑事もの。まるで連続ドラマのようで引き込まれる。

林譲治 ……SF作家

①『プロジェクト・ヘイル・メアリー（上・下）』アンディ・ウィアー
②『いずれすべては海の中に』サラ・ピンスカー
③『中国女性SF作家アンソロジー　走る赤』武甜静・橋本輝幸＝編、大恵和実＝編訳

①、③あたりは鉄板という感じだったが、その点で②を読めたのは最大の収穫だったと思う。

林哲矢 ……会社員

①『プロジェクト・ヘイル・メアリー（上・下）』アンディ・ウィアー
②『とうもろこし倉の幽霊』R・A・ラファティ
③『三体X　観想之宙』宝樹
④『いずれすべては海の中に』サラ・ピンスカー
⑤『ヨーロッパ・イン・オータム』デイヴ・ハッチンソン

ランク外にはしたがアヴラム・デイヴィッドスン『不死鳥と鏡』がすばらしい。伝承魔術描写の衒学的にもほどがあるディティールよ。地中海が舞台のおかげか、過剰に重苦しくならないのも良いところ。必読。

春暮康一 ……SF作家

①『いずれすべては海の中に』サラ・ピンスカー
②『サバイバー〔新版〕』チャック・パラニューク
③『創られた心　AIロボットSF傑作選』ジョナサン・ストラーン＝編
④『極めて私的な超能力』チャン・ガンミョン
⑤『異常』エルヴェ・ル・テリエ

テクノロジー寄りの作品というよりは、情動の変化や文化的変容に寄った作品のほうが心に残った。中でも『いずれすべては海の中に』は収録作どれも面白く、文化の衝突と継承をテーマとした「風はさまよう」、自由意思と選択の意味を描いた「そして（Nマイナス1）人しかいなくなった」は特に傑作。AI・ロボットもののテーマ特化アンソロジー『創られた心』の中では、ワッツ「生存本能」、レナルズ「人形芝居」がお気に入り。

福井健太 ……書評系ライター

①『プロジェクト・ヘイル・メアリー（上・下）』アンディ・ウィアー
②『ロボットには尻尾がない　《ギャロウェイ・ギャラガー》シリーズ短篇集』ヘンリー・カットナー
③『老神介護』劉慈欣
④『シャーロック・ホームズとシャドウェルの影』ジェイムズ・ラヴグローヴ
⑤『呑み込まれた男』エドワード・ケアリー

魅惑的な状況と語り口、科学的アイデアと巧みなプロット。①はエンタテインメントSFの理想型の一つだろう。②は天才発明家（泥酔時）が騒ぎを起こす《ギャロウェイ・ギャラガー》シリーズを纏めた待望の一冊。劉慈欣の短篇集はどれも良いが、表題作と続篇に味がある③を推す。④はホームズとクトゥルーを絡めた野心作。⑤はピノッキオを追

って魚に呑まれたジュゼッペの手記。挿入されたイラストやアートの写真も楽しい。

福江 純　天文楽者

● 『逃亡テレメトリー　マーダーボット・ダイアリー』マーサ・ウェルズ
● 『最後の宇宙飛行士』デイヴィッド・ウェリントン
● 『平和という名の廃墟（上・下）』アーカディ・マーティーン

SFの出版数自体はそこそこにあると思うが、どうも食指の動く作品があまりなくて、時代に取り残されてきた感じがする。なんと、今年読んだ海外SFはこの三冊しかなかった。こんなことははじめてだ。『うる星やつら（旧版）』とか『銀河英雄伝説』などのSFアニメばかり観ていたせいかなぁ。

藤井太洋　SF作家

①『プロジェクト・ヘイル・メアリー（上・下）』アンディ・ウィアー
②『中国女性SF作家アンソロジー　走る赤』武甜静・橋本輝幸＝編、大恵和実＝編訳
③『血を分けた子ども』オクテイヴィア・E・バトラー
④『流浪地球』劉慈欣
⑤『九段下駅　或いはナインス・ステップ・ステーション』マルカ・オールダー、フラン・ワイルド、ジャクリーン・コヤナギ、カーティス・C・チェン

振り返ると大作、傑作、名作揃いの一年だった。最高のエンターテインメント『プロジェクト・ヘイル・メアリー』に、現在を否応なく突きつける中国女性作家たちの傑作選、三十年の時を超えてなお切実な問題を突きつけてくるバトラーの『血を分けた子ども』に安定の劉慈欣、現代SFを牽引する女性作家マルカ・オールダーもついに日本語で読める日がやってきた。翻訳と出版に携わった全ての方に感謝を申し上げたい一年だった。

藤田雅矢　作家・植物育種家

● 『いずれすべては海の中に』サラ・ピンスカー
● 『タワー』ペ・ミョンフン
● 『プロジェクト・ヘイル・メアリー（上・下）』アンディ・ウィアー
● 『パン焼き魔法のモーナ、街を救う』T・キングフィッシャー
● 『三体X　観想之宙』宝樹

サラ・ピンスカーの短篇集『いずれすべては海の中に』、特に並行世界から集まったサラによるSFミステリ「そして（Nマイナス1）人しかいなくなった」が心響いた。高層タワー都市国家を舞台とした連作集『タワー』、その世界観が見えてくるのがいい。『プロジェクト・ヘイル・メアリー』は、『火星の人』と同じく一気に読んでしまったファーストコンタクトもの。パンとお菓子にしか効かない魔法というのにも惹かれた。

冬木糸一　レビュアー

①『プロジェクト・ヘイル・メアリー（上・下）』アンディ・ウィアー
②『三体X　観想之宙』宝樹
③『いずれすべては海の中に』サラ・ピンスカー
④『極めて私的な超能力』チャン・ガンミョン
⑤『平和という名の廃墟（上・下）』アーカディ・マーティーン

今年はあまり悩まなかった。他、『九段下駅』、『タワー』、『静寂の荒野』あたりは入れたかったな。

古山裕樹　書評家

①『プロジェクト・ヘイル・メアリー（上・下）』アンディ・ウィアー
②『ヨーロッパ・イン・オータム』デイヴ・ハッチンソン
③『逃亡テレメトリー　マーダーボット・ダイアリー』マーサ・ウェルズ

④『異常』エルヴェ・ル・テリエ
⑤『黄金の人工太陽　巨大宇宙SF傑作選』J・J・アダムズ

デビュー作にも通じる過酷なワンオペから意外な展開を見せる①は一気に読ませる。②の奇妙なスパイ小説風味、③のぼやき口調も、それぞれの語りを読んでいるだけで楽しかった。④の皮肉なラスト、⑤の収録作それぞれの風景も印象深い。

細谷正充　文芸評論家

①『プロジェクト・ヘイル・メアリー（上・下）』アンディ・ウィアー
②『ロボットには尻尾がない　《ギャロウェイ・ギャラガー》シリーズ短篇集』ヘンリー・カットナー
③『老神介護』劉慈欣
④『逃亡テレメトリー　マーダーボット・ダイアリー』マーサ・ウェルズ
⑤『祖父の祈り』マイクル・Z・リューイン

今年最大の喜びは②の刊行だった。なにしろ《ギャロウェイ・ギャラガー》シリーズが、本邦初訳作品も含めて、一冊に纏まったのだから。ベストから漏れてしまったが、R・A・ハインラインの『明日をこえて』の刊行も嬉しかった。この手の昔の作品が、どんどん出版されたなら欣喜雀躍である。③は、『円』でも『流浪地球』でもいいけど、自分の趣味に一番マッチしたこれを選んだ。しかし劉慈欣、どれを読んでも面白いなあ。

牧眞司　SF研究家・文藝評論家

①『ファニーフィンガーズ　ラファティ・ベスト・コレクション2』R・A・ラファティ
②『とうもろこし倉の幽霊』R・A・ラファティ
③『血を分けた子ども』オクテイヴィア・E・バトラー
④『極めて私的な超能力』チャン・ガンミョン
⑤『マゼラン雲』スタニスワフ・レム

昨年のアンケートでも述べたとおり、五十年にわたる私のSF歴はほぼ《ラファティ・ベスト・コレクション》を編むためにあったので、一位は不動です。もちろん二位も不動。この二冊の刊行に合わせて井上央さんとラファティの話ができ、たいへん愉快な想い出になった。バトラーの短篇集は、普通の年なら文句なく一位です。とくに表題作が傑出している。

牧紀子　編集者、SFイラスト研究家

①『ファニーフィンガーズ　ラファティ・ベスト・コレクション2』R・A・ラファティ
②『いずれすべては海の中に』サラ・ピンスカー
③『血を分けた子ども』オクテイヴィア・E・バトラー
④『ヨーロッパ・イン・オータム』デイヴ・ハッチンソン
⑤『地球の平和』スタニスワフ・レム

安定のラファティを①に、⑤を《泰平ヨン》シリーズ最後の作品にするとして、あいだの三冊は、読み終わったときに思わず「好きやわあ」と声が出た、サラ・ピンスカーの『いずれすべては海の中に』を②に。③は、すごいすごいと次々読んだ『血を分けた子ども』、④にはとにかくヘンでいつの間にかその世界観にハマってしまった『ヨーロッパ・イン・オータム』を選ばせていただきました。

増田まもる　翻訳家

●『大宇宙の魔女　ノースウェスト・スミス全短編』C・L・ムーア
●『ヴィリコニウム　パステル都市の物語』M・ジョン・ハリスン
●『いずれすべては海の中に』サラ・ピンスカー
●『吸血鬼ラスヴァン　英米古典吸血鬼小説傑作集』G・G・バイロン、J・W・ポリドリほか
●『新編　怪奇幻想の文学1　怪物』紀田順

一郎・荒俣宏＝監修、牧原勝志＝編

J・G・バラード短篇全集をきっかけに、すぐれたSF作家の短篇全集がつぎつぎを刊行されるようになったのはうれしい傾向です。さらに往年の名作の続篇も刊行されて、この一年もなかなか充実した年になりました。

宮樹式明　会社員・ライター

①『異常』エルヴェ・ル・テリエ
②『アポロ18号の殺人（上・下）』クリス・ハドフィールド
③『いずれすべては海の中に』サラ・ピンスカー
④『サラゴサ手稿（上）』ヤン・ポトツキ
⑤『三体X　観想之宙』宝樹

ここ数年、多彩な言語圏の作品が充実しており、また過去作の復刊や新訳も進んで非常に楽しめている。直球から変化球までどの作品も面白かった。

三宅香帆　書評家

①『アホウドリの迷信　現代英語圏異色短篇コレクション』岸本佐知子・柴田元幸＝編訳
②『円　劉慈欣短篇集』劉慈欣
③『流浪地球』劉慈欣
④『中国女性SF作家アンソロジー　走る赤』武甜静・橋本輝幸＝編、大恵和実＝編訳
⑤『プロジェクト・ヘイル・メアリー（上・下）』アンディ・ウィアー

『アホウドリの迷信』、『走る赤』、アンソロジーで新しい作家が発掘できてよかった！　アンソロジーや短篇小説の台頭が素晴らしかった一年だったように感じます。

森下一仁　本読み／著述

①『流浪地球』劉慈欣
②『プロジェクト・ヘイル・メアリー（上・下）』アンディ・ウィアー
③『NSA（上・下）』アンドレアス・エシュバッハ
④『流浪蒼穹』郝景芳
⑤『いずれすべては海の中に』サラ・ピンスカー

劉慈欣の短篇がたっぷり読めた一年。『老神介護』、『円　劉慈欣短篇集』もあり、SFの原初の可能性を再確認させられました。ドイツSF『NSA』では主人公たちを襲う容赦ない運命に呆然とさせられ、『流浪蒼穹』ではユートピアとアンチユートピアがきわどく重なり合う状況を見てとりました。『いずれすべては海の中に』は今年ピカイチの短篇集。マーティーン『平和という名の廃墟』にもゾクゾクしました。

柳下毅一郎　特殊翻訳家

①『とうもろこし倉の幽霊』R・A・ラファティ
②『ファニーフィンガーズ　ラファティ・ベスト・コレクション2』R・A・ラファティ
③『兎の島』エルビラ・ナバロ
④『ブッチャー・ボーイ』パトリック・マッケイブ
⑤『ロボットには尻尾がない　《ギャロウェイ・ギャラガー》シリーズ短篇集』ヘンリー・カットナー

ラファティの完全新訳の短篇集が出るんだから、長生きをすればいいことがあるというものである。①は現代の黙示作家ラファティの真髄が味わえる、恐怖と歓喜（そのふたつは、たぶん同じものである）に満ちた短篇集。恐れなく炎の中に歩み入れ、と命じるラファティは、たぶん二十世紀ではなく、それより数百年昔の時代精神に生きていた人なのだ。

山岸　真　SF翻訳業

①『プロジェクト・ヘイル・メアリー（上・下）』アンディ・ウィアー
②『NSA（上・下）』アンドレアス・エシュバッハ
③『三体X　観想之宙』宝樹

④『**極めて私的な超能力**』チャン・ガンミョン
⑤『**ロシアの星**』アンヌ＝マリー・ルヴォル

「いま」を映した作品として、また応援の意味でも『NSA』を一位にしようかと思いましたが《三体》に続く新たなオールタイム・ベスト上位作品誕生を感じたPHMがやはり一位。本アンケート投票者の既読率が低そうなお薦め作品として、ハ・ジウン『氷の木の森』とケイシー・マクイストン『明日のあなたも愛してる』をあげておきたい。〈SFマガジン〉翻訳作品の年度ベストは六月号のチャン・ガンミョン「データの時代の愛」。

山之口洋
作家／AI技術者

①『**逃亡テレメトリー**』マーダーボット・ダイアリー』マーサ・ウェルズ
②『**マクロプロスの処方箋**』カレル・チャペック
③『**スターメイカー**』オラフ・ステープルドン

①メンサー博士同様「弊機」には最近少しホレている。一人称代名詞が存在しない日本語の欠点を逆手にこの主語を選び抜いただけでも、訳者中原さんは日本翻訳大賞に値する。②町医者の家に生まれたチャペックが不老不死をテーマに人間の運命と幸福を寓意的に描いた初期の戯曲。晩年の『白い病』と好一対。③ステープルドンくらい「主語がデカい」作家はいないが、疫病と戦争を通じて一つになりつつある現代社会でこそ読まれるべき。

YOUCHAN
イラストレーター

①『**読者に憐れみを　ヴォネガットが教える「書くことについて」**』カート・ヴォネガット&スザンヌ・マッコーネル
②『**その昔、N市では　カシュニッツ短編傑作選**』マリー・ルイーゼ・カシュニッツ
③『**新編　怪奇幻想の文学1　怪物**』紀田順一郎・荒俣宏＝監修、牧原勝志＝編
④『**中国女性SF作家アンソロジー　走る赤**』武甜静・橋本輝幸＝編、大恵和実＝編訳
⑤『**英雄コナン全集1　風雲編**』ロバート・E・ハワード

今年はヴォネガットの新作（厳密には教え子がまとめた名言集とその分析）が読めたことが本当に嬉しかった。今年は奇想系の作品に良いものが多く、カシュニッツは初めて知ったが、特に良かった。中華系SFも相変わらず強かった。ところで怪奇幻想の文学とコナンは外せないと思いました。

ゆずはらとしゆき
作家&企画編集者

①『**NSA（上・下）**』アンドレアス・エシュバッハ
②『**ロボットには尻尾がない　《ギャロウェイ・ギャラガー》シリーズ短篇集**』ヘンリー・カットナー
③『**疫神記（上・下）**』チャック・ウェンディグ
④『**タワー**』ペ・ミョンフン
⑤『**異常**』エルヴェ・ル・テリエ

①「もしも」一九三〇年代ドイツがWEB社会だったら……のif小説。ナチスにネット、横山やすしにマグナム。リアリズムで描くドリフ大爆笑。②『ハングオーバー！』系マッドサイエンティストの古典的ブラックコメディ。藤子Fよりもムロタニツネ象。③「もしも」男塾名物直進行軍がパンデミックSFな奇病だったら。④韓国版『ハイ・ライズ』。秩序が際限なく肥大化していくのがお国柄の違いか。⑤ドッペルゲンガー奇譚。

吉上亮
作家

①『**プロジェクト・ヘイル・メアリー（上・下）**』アンディ・ウィアー
②『**異常**』エルヴェ・ル・テリエ
③『**血を分けた子ども**』オクテイヴィア・E・バトラー
④『**NSA（上・下）**』アンドレアス・エシュバッハ

『プロジェクト・ヘイル・メアリー』は「こ

れぞＳＦ！」と呼ぶほかない宇宙の彼方へ突き抜ける圧倒的なエンタメ力＝推進力で最初から最後まで待ったなしで読んでしまう／読まされてしまうＳＦ小説。『異常』も抜群に面白く唯一の欠点は「展開を語るとネタバレになってしまうので面白さを伝えたくても何も語れない」こと。文学とＳＦの高度な融合に圧倒されました。

吉田親司　小説家

①『プロジェクト・ヘイル・メアリー（上・下）』アンディ・ウィアー
②『異常』エルヴェ・ル・テリエ
③『黄金の人工太陽　巨大宇宙ＳＦ傑作選』Ｊ・Ｊ・アダムズ
④『アポロ18号の殺人（上・下）』クリス・ハドフィールド
⑤『ウィリアム・ギブスン　エイリアン3』ウィリアム・ギブスン、パット・カディガン

今年度は①が突出しているが、②も難解ながら素晴らしい。優れたアンソロジーの③、推理的要素に酔わせてくれた④、見果てぬ夢を形にしてくれた⑤にも感謝。

らっぱ亭　放射線科医（ラファティアン）

①『ファニーフィンガーズ　ラファティ・ベスト・コレクション2』Ｒ・Ａ・ラファティ
②『とうもろこし倉の幽霊』Ｒ・Ａ・ラファティ
③『不死鳥と鏡』アヴラム・デイヴィッドスン
④『いずれすべては海の中に』サラ・ピンスカー
⑤『円　劉慈欣短篇集』劉慈欣

『町かどの穴』に続くベスト第二弾と新訳短篇集の刊行というラファティ・ルネサンスにゼッキョーの幕開けとなったが、二〇二三年が生誕百周年となるデイヴィッドスンの最高傑作がまさかの刊行（出ましたよ、殊能センセー！）。そしてバトラー『血を分けた子ども』やカットナー『ロボットには尻尾がない』とＳＦロートルも感涙のラインナップに、いずれアレも出るんじゃないかと円円のシャボン玉みたいに期待が膨らんでいくのだ。

ワセダミステリ・クラブ　文学サークル

①『円　劉慈欣短篇集』劉慈欣
②『異常』エルヴェ・ル・テリエ
③『流浪地球』劉慈欣
④『吸血鬼ラスヴァン　英米古典吸血鬼小説傑作集』Ｇ・Ｇ・バイロン、Ｊ・Ｗ・ポリドリほか
⑤『創られた心　ＡＩロボットＳＦ傑作選』ジョナサン・ストラーン＝編

①はデビュー作を含む十三篇を収録。執筆当時の社会情勢も窺える秀逸なＳＦが多数。②登場人物それぞれの選択と人生、そして三か月のやり直しが切ない群像劇。③太陽系脱出計画を巡る人類の対立を描いた表題作から、作者出演のコメディＳＦまで幅広く収録。④バイロンら英米作家達による最初期の吸血鬼小説アンソロジーは、吸血鬼おたく必読。⑤人間と似て非なる存在の人工生命体を、多種多様なまなざしで描き出している。

渡邊利道　作家・評論家

①『黄金虫変奏曲』リチャード・パワーズ
②『創られた心　ＡＩロボットＳＦ傑作選』ジョナサン・ストラーン＝編
③『ヨーロッパ・イン・オータム』デイヴ・ハッチンソン
④『とうもろこし倉の幽霊』Ｒ・Ａ・ラファティ
⑤『アフロフューチャリズム　ブラック・カルチャーと未来の想像力』イターシャ・Ｌ・ウォマック

他に、郝景芳／及川茜他訳『流浪蒼穹』大森望他訳『円　劉慈欣短篇集』サラ・ピンスカー／市田泉訳『いずれすべては海の中に』スタニスワフ・レム／芝田文乃訳『地球の平和』アブラム・デヴィッドソン／福森典子訳『不死鳥と鏡』武甜静他編『中国女性ＳＦ作

家アンソロジー　走る赤』などがよかったです。あと、岡和田晃責任編集の雑誌『ナイトランド・クォータリー』は、詩や評論も含めて毎回非常に刺激的で面白かったです。

渡辺英樹

……SFレビュアー

①『血を分けた子ども』オクテイヴィア・E・バトラー
②『ヨーロッパ・イン・オータム』デイヴ・ハッチンソン
③『不死鳥と鏡』アヴラム・デイヴィッドスン
④『最後のライオニ　韓国パンデミックSF小説集』キム・チョヨプ他
⑤『プロジェクト・ヘイル・メアリー（上・下）』アンディ・ウィアー

本来入るはずのレム、ラファティなど読み残し多数で申し訳ないです。①はまとめて読むことによってバトラーの真価がわかる好短篇集。②は料理人とスパイの取り合わせが絶妙。③は神話世界をよみがえらせる手つきに酔わされる。④は韓国SFのレベルの高さに対して。⑤はファースト・コンタクトものとして文句なしの面白さ。今年も旧作から新作まで大いに楽しめる一年でした。

サブジャンル別 ベスト10 & 総括

ライトノベルSF

未来予測やタイムループなど、時間が関わる作品が多く見られたライトノベル分野

タニグチリウイチ Taniguchi Riuichi

❶『サマータイム・アイスバーグ』 新馬場新
❷『EVE―世界の終わりの青い花―』 佐原一可
❸『刻をかける怪獣』 メソポ・たみあ
❹『琥珀の秋、0秒の旅』 八目迷
❺『俺の召喚獣、死んでる』 楽山
❻『二世界物語 世界最強の暗殺者と現代の高校生が入れ替わったら』 深見真
❼《ユア・フォルマ》 菊石まれほ
❽『はじまりの町がはじまらない』 夏海公司
❾『ソレオレノ』 喜田川信
❿『バブル』 武田綾乃

見通せない未来への不安がやり直しへの憧憬を誘うのか、時間が関わる作品がライトノベルの分野でも多く見られた。第十六回小学館ライトノベル大賞〈優秀賞〉の新馬場新『**サマータイム・アイスバーグ**』がそのひとつ。真夏の三浦半島沖に現れた巨大な氷山を見に行った宗谷進という少年が、一年前に事故で昏睡状態になった富士天音とそっくりな少女を拾ったことで物語が動き出す。エネルギーのカタマリとも言えそうな氷山を巡ってうごめく陰謀をくぐり抜け、氷山と共にもたらされたメッセージの意味を探り、未来につながる決断を迫られる少年少女の活躍と、冒険を通した少年少女の成長を見せてくれた。

佐原一可『**EVE―世界の終わりの青い花―**』は、未来が見えるようになりかけているイヴという少女が主人公。人類の未来を計算し尽くす方程式を求める女性型アンドロイドが起こした事件に巻き込まれ、漂流する宇宙船に閉じ込められたイヴは、酸素の欠乏に加えて敵の襲撃という危機をしのいで生き残る道を探る。予測され半ば確定した未来からの脱出を描いたハードな設定のSF作品だ。

メソポ・たみあ『**刻をかける怪獣**』も、悲劇に至る時間のループから抜け出す道を探る作品。世界を襲う怪獣に食われた蘭堂シンが目覚めると、時間が遡っていて自分に怪獣の力が混じり合っていた。最強の「破壊の怪獣」が現れ、戦っては敗れて時間を遡りまた戦うループを一万五千回繰り返しても倒せない状況に絶望するシンだが、そこで諦めたら終わってしまうとあがき続ける。時間物に怪獣物が掛け合わさったユニークさで読ませた。

『夏へのトンネル、さよならの時間』の八目迷による『**琥珀の秋、0秒の旅**』も時間がテーマ。函館に修学旅行に来て時間停止現象に巻き込まれた少年が、誰も動けない中で自分と同じように動いていた地元の少女とともに、東京までの長い道のりを歩き出す。逃げていたい、留まっていたいという思春期にありがちな心理を止まった時間で暗喩し、歩み始める意義を問うジュブナイルだ。

楽山『**俺の召喚獣、死んでる**』は、死体となっている巨大な魔獣を生き返らせて活用するための方法に挑むという内容。モンスターや天使を呼びだし相棒にして戦う召喚術師の

タニグチリウイチ氏が選んだ！

2022年度 ライトノベルSF作品ベスト3

1

2

3

養成学校にあって、神話にその名を刻む〝終界の魔獣〟パンドラの死体を呼びだしてしまった少年が、学院トップに試合で勝たなくてはいけなくなり、電気信号で神経を刺激してパンドラの死体を動かせないかと考える。工夫と結束の勝利を堪能できるストーリーだ。

『君の名は。』の入れ替わりと流行りの異世界転生が組み合わさった作品が、深見真『**二世界物語　世界最強の暗殺者と現代の高校生が入れ替わったら**』。高校でいじめられていた海斗が気づくと異世界の暗殺者カイトになっていて、逆に異世界の暗殺者アベルは海斗の体に入っていた。暗殺のスキルを繰り出せばいじめにも容易に反撃できたが、アベルは海斗の貧弱な肉体の改造から始める。海斗もカイトの強靱な体に入って心を強くしていく。異境への対応の方法や肉体と心の関係など、さまざまなことを考えさせてくれる。

脳に巡らされたデバイスに潜って記憶を探る電索官のエチカと、ハロルドというロボット補助官による事件捜査を描く菊石まれほ**《ユア・フォルマ》**シリーズは、続刊となる『ユア・フォルマⅢ　電索官エチカと群衆の見た夢』『ユア・フォルマⅣ　電索官エチカとペテルブルクの悪夢』が刊行。『Ⅳ』ではハロルドの恩人が殺害された「ペテルブルクの悲劇」に酷似した事件によりシリーズ開幕からの課題に決着がついたかに見えながら、ハロルドに存在する秘密も浮かび上がって謎は深まるばかり。ＳＦアンソロジー『Ｇｅｎｅｓｉｓ　この光が落ちないうちに』にも寄稿してＳＦシーンが注目する作家だけに押さえておきたいシリーズだ。

ライトノベルで活躍する作家のＳＦ進出には、夏海公司『**はじまりの町がはじまらない**』もある。サービス終了が近づいたゲーム内のキャラクターたちが突然自意識を持ち、滅亡に立ち向かう様子を描いた作品で、どうして自意識を持つに至ったのか、そして滅亡にどのように対抗するのかといった展開の中で繰り出されるアイデアに驚ける。

喜田川信『**ソレオレノ**』は、虫型のマシン「虫樹」が飛び交うビジョンがＴＶアニメ『聖戦士ダンバイン』を思い出させた。冒険者のリョウが三人の仲間と共に砂漠化が進む世界に無尽蔵の水をもたらす古代遺物を手に入れながら、裏切られ岩の牢獄に閉じ込められて十年。どうにか生き延びて脱獄したリョウは、奪った遺物を三分割して世界を支配するようになった元仲間に挑んでいく。

武田綾乃『**バブル**』は荒木哲郎監督による同名のアニメ映画のノベライズ。宇宙から降ってきた泡に沈み、重力もおかしくなった東京で、少年たちがバトルクールと呼ばれる一種の障害物競走に明け暮れている状況に、泡から生まれた少女が絡む。泡の正体と少女がひとりの人間の少年に執着する理由が、映画よりも分かって補完できるノベライズだ。

たにぐち・りういち●65年生れ。書評家。〈ＳＦマガジン〉〈ミステリマガジン〉などでライトノベル評担当。趣味の書評サイト「積ん読パラダイス」は1800冊突破。

サブジャンル別 ベスト10 &総括

国内&海外ファンタジイ

繊細で妖美な細工箱的アジアンファンタジイと、乾と湿が同居する月にまつわる幻想譚

卯月鮎 *Uzuki Ayu*

❶『塩と運命の皇后』ニー・ヴォ
❷『残月記』小田雅久仁
❸『箱庭の巡礼者たち』恒川光太郎
❹『ピラネージ』スザンナ・クラーク
❺『ヴィリコニウム　パステル都市の物語』M・ジョン・ハリスン
❻『香君』上橋菜穂子
❼『ガラスの顔』フランシス・ハーディング
❽『神と王　亡国の書』浅葉なつ
❾『鯉姫婚姻譚』藍銅ツバメ
❿『パン焼き魔法のモーナ、街を救う』T・キングフィッシャー

二〇二二年は中華風ファンタジイの金字塔、《十二国記》が三十周年を迎え、『「十二国記」30周年記念ガイドブック』など関連書籍が盛り上がりを見せた。ここ数年、ミステリ風味の強いアジアン後宮ファンタジイが人気だが、《十二国記》の存在は大きい。

映像メディアに目を向けると、海外ドラマでは『ゲーム・オブ・スローンズ』の前日譚『ハウス・オブ・ザ・ドラゴン』が八月から放送開始（日本ではU－NEXT独占配信）。『ロード・オブ・ザ・リング』の前日譚『力の指輪』も九月から配信が始まった（アマゾンプライム独占配信）。大作ファンタジイドラマが動画サービスの目玉となる時代が到来している。また、ゲームジャンルではジョージ・R・R・マーティンが世界観設定を手掛けた、北欧神話をベースにした『エルデンリング』が「ゲーム・オブ・ザ・イヤー」を獲得した。映像系ファンタジイでは、いかに世界を緻密に構築しているかがヒットのカギを握っていそうだ。

さて、書籍に戻って二〇二二年のファンタジイ十冊を振り返っていきたい。まずは海外。ニー・ヴォ『**塩と運命の皇后**』は、ヒューゴー賞ノヴェラ篇部門を受賞した連作アジアンファンタジイ。歴史を収集する聖職者が聴き取る昔語り、その奥には女たちの素顔が見え隠れする。真実へのアプローチという重厚な主題がファンタジイの細工箱に見事に収まっている。真実とは藪にありて思うもの。

『ジョナサン・ストレンジとミスター・ノレル』のスザンナ・クラークによる久々の長篇『**ピラネージ**』は、無数の彫像が並ぶ奇妙な館を舞台にした静謐な幻想小説。館を探索する記憶喪失の青年の彷徨はやがて反転し、意外な真相が示される。愛おしく切ない異世界のイメージから逃れられない。

長らく入手困難だったダークファンタジイの新訳版と、パラレル的な短篇四本を収録したM・ジョン・ハリスン『**ヴィリコニウム　パステル都市の物語**』。文明が崩壊し、科学を持たない人類が砂漠から金属や機械を発掘して暮らす中世風世界。そこでの冒険譚は退廃的な美しさをまとう。黄昏のビジョンは日本のファンタジイにも大きな影響を与えた。

フランシス・ハーディング『**ガラスの顔**』

卯月鮎氏が選んだ！

2022年度　国内＆海外ファンタジイ作品ベスト3

は、作られた表情「面(おも)」を使い分ける民が住む地下都市を舞台に、感情が素直に出てしまう少女が宮廷での陰謀劇に巻き込まれる。この洞窟内国家は歪んで映るが、それは現代社会の写し鏡といえるだろう。

T・キングフィッシャー**『パン焼き魔法のモーナ、街を救う』**は、ローカス賞ヤングアダルト部門をはじめ数々の賞に輝いた魔法ファンタジイ。パンに関するささやかな魔法を賢く使い傭兵団に立ち向かっていく少女モーナ。ユーモアたっぷりながら、望まざる英雄の苦悩というテーマが深みを与えている。

続いては日本の五冊。小田雅久仁**『残月記』**は月にまつわる幻想中篇三本。表題作は独裁国家となった近未来の日本で、感染症「月昴」に冒され、剣闘士になることを強いられた青年の恋愛を描く。切れ味鋭い冴え冴えした幻想味と叙情的な月面の風景、乾と湿が同居する得難い感覚。

恒川光太郎**『箱庭の巡礼者たち』**は、多元世界で繰り広げられる枠物語系ファンタジイ。時間と道具をテーマにした短篇が巧みにつなぎ合わされ、壮大なビジョンが読者を囲う。複雑に絡む仕掛けと構成に唸らされる。

上橋菜穂子**『香君』**は香りをモチーフに、奇跡の稲で繁栄を誇る帝国の騒乱を描く。人並み外れた嗅覚で、植物や昆虫が発する香りを声として感じる力を持つ少女アイシャ。姿なきものを見せる表現はさすが。芳醇な神秘を湛えた自然が広がる。

《神様の御用人》の浅葉なつによる**《神と王》**は、『古事記』からインスピレーションを得たという、世界の創世を巡るアジアンファンタジイ。各国が独自の信仰体系を持つ大陸で、草木が人を襲う森「闇戸(くらと)」に秘められた「世界のはじまり」の謎を追っていく。信仰、そして政治とは何かを問いかける硬派な一面が作品の要石となる。

藍銅ツバメ**『鯉姫婚姻譚』**は、日本ファンタジーノベル大賞2021大賞作。江戸時代、若隠居が人魚の娘に、人と人ならざるものが夫婦になる話を聞かせていく形の枠物語。耳馴染みのある伝承を、細やかな心情を描き込むことで紡ぎ直す。異種の遭遇と相愛、ファーストコンタクトは悲恋の始まりか。

そのほかの作品としては、重厚な歴史幻想戦記として完結を迎えた森山光太郎《隷王戦記》、イラン革命に翻弄される家族をマジックリアリズム的に描いたショクーフェ・アーザル『スモモの木の啓示』、十九世紀のマレーシアを舞台に中国系移民の死者たちが住まう国を賑やかに表現したヤンシィー・チュウ『彼岸の花嫁』などが印象に残った。二〇二三年は、傑作オープンワールドゲームの続篇『ゼルダの伝説　ティアーズ オブ ザ キングダム』、シリーズ最新作『ファイナルファンタジーXVI』と日本発の大作ファンタジイゲームが発売予定。こちらも楽しみだ。

うづき・あゆ●書評家、ゲームコラムニスト。〈ＳＦマガジン〉〈日刊ＳＰＡ！〉等で書評・ゲームコラムを連載中。

& 総括

国内&海外ホラー

ジャンルホラーのガジェットに、今日的なテーマ性や文学的試みを加えた作品が並ぶ

笹川吉晴 Sasagawa Yoshiharu

- ●『フィッシャーマン　漁り人の伝説』ジョン・ランガン
- ●『吸血鬼ハンターたちの読書会』グレイディ・ヘンドリクス
- ●『メキシカン・ゴシック』シルヴィア・モレノ＝ガルシア
- ●『グラーキの黙示』ラムジー・キャンベル
- ●『シャーロック・ホームズとシャドウェルの影』ジェイムズ・ラヴグローヴ
- ●『赤虫村の怪談』大島清昭
- ●『怪談小説という名の小説怪談』澤村伊智
- ●『濱地健三郎の呪える事件簿』有栖川有栖
- ●『めぐみの家には小人がいる。』滝川さり
- ●『アナベル・リイ』小池真理子

今年度の海外ホラー長篇はジャンルホラーのガジェットに、今日的なテーマ性や文学的試みを加えた作品が並んだ。妻を喪った男が釣りに没入する川で怪異に遭遇するジョン・ランガン**『フィッシャーマン　漁り人の伝説』**はホラーの定番である〈死者の蘇り〉の恐怖と、アメリカ文学の伝統テーマである〈釣り〉を通した自然＝自己との対話が哀切な情感と奇妙な語りの構造によって結びつき、不気味な伝奇的深淵に至る傑作。グレイディ・ヘンドリクス**『吸血鬼ハンターたちの読書会』**は米南部の保守的な富裕層に入り込んだ吸血鬼に主婦グループが立ち向かうが、吸血鬼の搾取・支配性を白人男性優位社会に重ね合わせ、抑圧された女性や有色人種が自身を取り巻く世界そのものと戦う重さを見せる。奇怪な英国人一族がメキシコ山中の屋敷に君臨するシルヴィア・モレノ＝ガルシア**『メキシカン・ゴシック』**もゴシック小説を五〇年代のメキシコに移築し、進歩的な現代女性が家父長制や優生学の重厚な抑圧に晒されるが、その先に待つ驚愕の真相は見事なB級ホラー。短篇集では〝スパニッシュ・ホラー〟と称されるスペイン語圏幻想文学のエルビラ・ナバロ『兎の島』が明確な怪異より、ぼんやりとした不気味さが登場人物の孤独や疎外感に感応して、作品世界を不安に揺るがし続ける。また、星泉・三浦順子・海老原志穂編訳『チベット幻想奇譚』も怪異伝承が今なお日常に遍在するチベットの、しかし怪異そのものよりも社会状況と心象風景を描き出している。米ネット怪談の最前線とでもいうべきミスター・クリーピーパスタ編『【閲覧注意】ネットの怖い話　クリーピーパスタ』や、ミステリ作家アンソニー・ホロヴィッツのYAホラー集『ホロヴィッツ・ホラー』にも注目。

クトゥルー神話では英国モダンホラーの巨匠ラムジー・キャンベルの作品集**『グラーキの黙示』**が、単なるラヴクラフト・フォロワーにとどまらずオリジナルのガジェット創出と、疎外感や狂気というテーマ的アプローチによって構築した独自の作品世界をまとまった形で堪能できるが、クラウドファンディングによって刊行に漕ぎ着けたという出版形態も、このジャンルのこれからのあり方について示唆的である。一方、ジェイムズ・ラヴグ笹川吉晴氏が選んだ！

2022年度　おすすめ国内＆海外ホラー作品

ローヴ**『シャーロック・ホームズとシャドウエルの影』**はホームズ＆ワトスンが邪神群に立ち向かうという騎士道精神と宇宙的恐怖（コズミックホラー）の激突。二段構えのメタ趣向によって正典をずらしねじ曲げ、二つの神話体系を接合する手つきはそのまま、合理世界への侵食である。

古典ではドラキュラ以前に現れた近代吸血鬼像を集めた夏来健次・平戸懐古編訳『吸血鬼ラスヴァン　英米古典吸血鬼小説傑作集』、怪異に対し奇妙にして精緻な心理的アプローチを見せるオリヴァー・オニオンズの日本初作品集『手招く美女』がそれぞれ初訳も多く嬉しい。また、監修に紀田順一郎・荒俣宏を迎えた牧原勝志編『新編　怪奇幻想の文学』のスタートにも心強いものを覚える。

国内では、やはり〈怪談〉にまつわるものとミステリ趣向が相変わらず強い。大島清昭**『赤虫村の怪談』**は妖怪にまつわる数々の奇怪な伝承が今なお実話として生きる村で起こった連続不可能殺人、という実話系怪談＋本格ミステリの代表的な一篇だが、研究者ならではの実話怪談パスティシュが質・量とも読み応えあるだけでなく、なんとクトゥルー神話を入れ込むというアクロバティックな捻りをも見せる三位一体の怪作。他に、恐怖の様相はさまざまだがいずれも〈語る〉ことについて自覚的な作品を集めた澤村伊智**『怪談小説という名の小説怪談』**、呪われた写本を題材に〈語る〉ことそれ自体をテーマに据えた新名智『あさとほ』、ネット上に流布する断片同士がぼんやりと繋がっていく恐怖を描き出す梨『かわいそ笑』、コロナ禍における怪異のあり方を追究するという点において極めて今日的な有栖川有栖の心霊探偵シリーズ**『濱地健三郎の呪（まじな）える事件簿』**、妖怪伝説の残る山中の屋敷に逃げ込んだ強盗団が、仲間の中に混じった怪異によって自滅していく原浩『やまのめの六人』などがある。

モダンホラーでは、滝川さり**『めぐみの家には小人がいる。』**が洋館に潜む小人の群れと少女との交流というファンタジーの定番ネタを苛烈ないじめ問題と、小人のグロテスクな生態によって陰湿極まりない厭ホラーへと逆昇華した怪作。また、小池真理子**『アナベル・リイ』**は新妻の亡霊が夫と関わりのある二人の女の前に姿を現すという恋愛小説＋心霊譚だが、何をするわけでもない亡霊の存在が日常を蝕んでいく不条理な恐怖は出色。

他に、異能の作家に傾倒するあまり狂気の世界へと踏み込んでいく人々を描いた飴村行『空を切り裂いた』、英人少女が大正時代の日本で死者を鎮める魔道を修行する山吹静吽『夜の都』、カルト教団が超常的な大量殺人を引き起こす芦花公園『とらすの子』、短篇集では〈夢〉をモチーフに、日常を侵食する怪異幻想を描いた宇佐美まこと『夢伝い』、社会に潜む様々な人外を描いた恒川光太郎『怪物園』などが作者らしさを発揮している。

ささがわ・よしはる●69年生れ。文芸評論家。

ベスト10 &総括

国内&海外ミステリ

ミステリファンからも高く評価されてきた児童小説作家の最高傑作

千街晶之
Sengai Akiyuki

❶『ガラスの顔』 フランシス・ハーディング
❷『爆発物処理班の遭遇したスピン』 佐藤究
❸『贋物霊媒師 櫛備十三のうろんな除霊譚』 阿泉来堂
❹『幻告』 五十嵐律人
❺『AI法廷のハッカー弁護士』 竹田人造
❻『繭の季節が始まる』 福田和代
❼『ループ・オブ・ザ・コード』 荻堂顕
❽『此の世の果ての殺人』 荒木あかね
❾『九段下駅 或いはナインス・ステップ・ステーション』 マルカ・オールダー、フラン・ワイルド、ジャクリーン・コヤナギ、カーティス・C・チェン
❿『NSA』 アンドレアス・エシュバッハ

フランシス・ハーディングは初邦訳作品『嘘の木』以降、ミステリファンからも高く評価されてきた児童小説作家だが、①は間違いなく彼女の最高傑作である。表情を持たない人々が住む地下世界で育った好奇心旺盛な少女が、宮廷の陰謀に翻弄される物語だ。細部まで作り込まれた幻想的な世界観、少女が地下世界の真実に辿りつくクライマックスの高揚感、特殊設定ミステリとしての構築美……と、どこを取っても完璧と言える。

②は『テスカトリポカ』で直木賞と山本周五郎賞をダブル受賞した著者のノン・シリーズ短篇集。何といっても、連続爆破事件と量子力学理論を結びつけた表題作の奇抜な発想に度肝を抜かれるし、夢野久作や江戸川乱歩の作品と戦中・戦後史の暗部とを絡ませた「猿人マグラ」や「九三式」もユニークそのもの。内容も発表媒体もバラバラであるにもかかわらず、ヴァイオレンスと幻想と知的遊戯が同居する著者ならではの作品世界には不思議な統一感がある。

ホラー・ミステリ方面では有栖川有栖『濱地健三郎の呪える事件簿』、大島清昭『赤虫村の怪談』、近藤史恵『筆のみが知る』などの収穫があったが、中でも高く評価したいのが③だ。今世紀最強の霊媒師という触れ込みながら実は除霊能力は持たない櫛備十三が、独自の調査力と推理力で事態を解決してゆく……というのが連作としてのフォーマットだが、ミステリとしてのどんでん返しの切れ味が素晴らしい。阿泉来堂は今年度に他にも、作家・那々木悠志郎シリーズの『忌木のマジナイ 作家・那々木悠志郎、最初の事件』と『邪宗館の惨劇』というホラー・ミステリの意欲作を発表した。

その『邪宗館の惨劇』同様、時間ネタのミステリとして要注目だったのが④だ。主人公は、タイムリープを繰り返しながら父の冤罪を晴らそうとする裁判所書記官。過去に及ぼした影響が現在を改変してしまう展開が結末の予測を難しくさせている。法廷ものでは⑤も注目作。人間の裁判官が公平なAIへと置き換わった近未来で、「不敗弁護士」機島雄弁がAIの特性の裏をかくハッキング戦法で勝訴してゆく、『逆転裁判』風の痛快な法廷バトル・ミステリだ。

千街晶之氏が選んだ！

2022年度 国内＆海外ミステリ作品ベスト3

コロナ禍を背景にした国産ミステリは数多いが、⑥は珍しくポスト・コロナの世界を描いている。現在から数十年後の日本では、ウイルスの相次ぐ世界的流行への対策として政府が定めた期間の外出が禁じられたが、その期間でも屋外で働かなければならない警察官は、感染の恐れがある人間の同僚ではなくAI搭載のロボットを相棒として事件を捜査している。パンデミックによる社会構造の変化への鋭い洞察に注目したい。

⑦はすべての歴史を抹消された元独裁国家を舞台に、人間がこの世に生まれてくることは祝福か呪いかというテーマを扱った壮大な国際謀略小説。江戸川乱歩賞受賞作の⑧は、小惑星の落下を間近に控えて人々が絶望に囚われた世界を舞台とする謎解き小説。設定自体はありふれているものの、そこで展開される物語は清新な印象だ。

「分断日本」テーマの作品としては佐々木譲『裂けた明日』などもあったが、⑨は海外作家が合作でこのテーマを扱った前代未聞の試みだ。東京が中国とアメリカに分割統治されている近未来日本で、九段下の警視庁に勤める刑事と、そこに出向を命じられたアメリカの軍人という二人の女性がコンビを組んで、特異なテクノロジーなどが絡む難事件の捜査にあたる連作である。

最後の⑩は、現実世界における二一世紀並みにコンピュータとインターネットと携帯電話の技術が発達しているナチス・ドイツを舞台にした戦慄的な改変歴史小説。この種の作品としては最も衝撃的な結末だ。

その他の作品では、実在するが読み方が不明な漢字が絡む詠坂雄二の異色作『5A73』、架空の難病の患者が次々と襲われる潮谷験『あらゆる薔薇のために』、VR世界でデスゲームが繰り広げられる方丈貴恵『名探偵に甘美なる死を』、日露戦争で日本が敗れたパラレルワールドが舞台のシリーズの第二弾である佐々木譲『偽装同盟』、変格探偵小説の醍醐味の再現に挑んだ倉野憲比古『弔い月の下にて』、AI監視社会が舞台の林譲治『不可視の網』、サイコメトリーの少女が登場する宮田眞砂の学園ミステリ『ビブリオフィリアの乙女たち』、人を一人でも殺せば死刑になる社会を描く貫井徳郎『紙の梟 ハーシュソサエティ』、中国が極秘に生み出したデザイナーベビーが登場する穂波了のアクション警察小説『裏切りのギフト』、ホームズ×クトゥルーという組み合わせのジェイムズ・ラヴグローヴ『シャーロック・ホームズとシャドウェルの影』、クリス・ハドフィールドの歴史改変SF『アポロ18号の殺人』、陳漸の奇想歴史ミステリ『大唐泥犁獄（だいとうないりごく）』、エルヴェ・ル・テリエのあらすじ紹介不能な怪作『異常（アノマリー）』、ジェローム・ルブリの異色の孤島もの『魔王の島』などが要注目と言える。

せんがい・あきゆき●70年生れ。ミステリ評論家。著書『水面の星座　水底の宝石』（光文社）が電子書籍として復刊。

海外文学

未知の作家との不意打ちのような出会い

牧 眞司
Maki Shinji

❶『鑑識レコード倶楽部』マグナス・ミルズ［英］＊
❷『愚か者同盟』ジョン・ケネディ・トゥール［米］
❸『異常（アノマリー）』エルヴェ・ル・テリエ［仏］＊
❹『雌犬』ピラール・キンタナ［コロンビア］
❺『その昔、N市では』マリー・ルイーゼ・カシュニッツ［独］＊
❻『テュルリュパン ある運命の話』レオ・ペルッツ［オーストリア］
❼『メアリ・ヴェントゥーラと第九王国』シルヴィア・プラス［米］
❽『動物奇譚集』ディーノ・ブッツァーティ［伊］＊
❾『兎の島』エルビラ・ナバロ［スペイン］＊
❿『アホウドリの迷信 現代英語圏異色短篇コレクション』岸本佐知子・柴田元幸編訳［日、他］＊

［ ］内は作者・編者の国籍（もしくは居住地）
＊は、とくに奇想・幻想の要素が多い作品。

今回は、はじめて名前を聞く未知の作家、あるいはこれまでに紹介はあったものの埋もれていた作家が上位を占めることになった。

一位にあげた**『鑑識レコード倶楽部』**のマグナス・ミルズは、第一長篇『フェンス』と第二長篇『オリエント急行戦線異状なし』がだいぶ前に翻訳され、一部では高く評価されたものの、あまり話題にならずに翻訳が途絶えていた。いずれの作品も不条理小説だが、深刻や陰鬱ではなく、平静な日常とあまり変わらぬように淡々とストーリーがつづいていくのが独特である。『フェンス』の職人たちは農場でのフェンス張りを、『オリエント急行戦線異状なし』の語り手は近隣住民から頼まれた雑用を延々と繰り返す、いわば仕事についての物語だった。いっぽう、『鑑識レコード倶楽部』は趣味が題材で、趣味に打ちこむ者の性ゆえというべきか、よけいに事態がこじれる。メンバーが持ちよったレコードを聴くサークルで、中心人物が求道的なことを言いだしたり、新入会員が些末なルールに異常にこだわったり、謎の対抗サークルが挑んできたり、メンバーのすれ違いや離反があったり……。ひとつひとつはありがちな問題ながら、それがつらなると世界の因果がスリップしている不穏な感覚がある。なにしろ、会合でレコードを聴いている体感時間と本当に経過した実時間とのあいだに、ウラシマ効果のごとき遅延すら生じているのだ。ただし、登場人物たちはあんがい平然としている。独特のユーモアが流れる作品だ。

二位のジョン・ケネディ・トゥール**『愚か者同盟』**は、まさに「こんな作家がいたのか！ こんな作品があったのか？」と仰天する一作である。アメリカ文学史的には、一九六〇年代ブラックユーモアの流れにあって、特異なカルト小説として位置づけられる。ただし、原稿は持ちこんだすべての出版社で断られ、ようやく日の目を見たのは作者没後の一九八〇年だ。この物語、とにかく主人公のイグネイシャスが強烈だ。「体が超でかい変態」と形容される風貌の三十歳独身、傍若無人な怠け者、我流の哲学を弄してひとを煙に巻き、いきあたりばったりの行動で迷惑を撒き散らす。彼に翻弄される周囲の人間たちも、いずれ劣らぬ個性派ばかり。ドミノ倒し

牧 眞司氏が選んだ！

2022年度 海外文学作品ベスト3

1

2

3

のように被害が連鎖し、ニューオリンズの街が大騒動となる。爆笑必至のスラップスティック文学。

三位のエルヴェ・ル・テリエ『**異常**（アノマリー）』は、「ベストSF2022」のアンケート投票でもランクインしている。シチュエーションはSFだが、謎に対する合理的な解明もなく、できごとを俯瞰する視点もないままに、多くの登場人物の運命が綴られる。彼らを結びつけているのは、二〇二一年三月十日、パリ発ニューヨーク行きのエールフランス006便に搭乗したという共通体験だ。機は途中、超巨大積乱雲に遭遇して損傷を受けたものの、人的被害はなくぶじ到着した……はずだった。それから百日ほど経って、前代未聞の異変が発覚する。それはアメリカの安全保障を脅かす事態であると同時に、搭乗者ひとりひとりにとっては自らのアイデンティティを否応なく問い直す契機だった。専門家のあいだで哲学・認知科学・宗教的な議論があてどもなく交わされる。また、登場人物のひとりミゼルが006便の体験後に執筆した作品『異常（アノマリー）』が繰り返し参照され、クラインの壺的な小説空間が構成される。

四位以下は簡単に。

『**雌犬**』は、太平洋岸の村に暮らす既婚黒人女性（子どもを望んでいたが妊娠しなかった）と、彼女が溺愛するペットの雌犬の物語。思わぬ方向へ心理が傾斜していくさまを突き放した筆致で綴り、戦慄的な結末へ至る。

『**その昔、N市では**』は短篇集。怪異が描かれたものもあれば、妄想あるいは異常心理めいたものもあるが、その境は判然としない。いわゆる「奇妙な味」だが、じわじわ不安が広がる感じが独特だ。

『**テュルリュパン　ある運命の話**』は十七世紀パリを舞台に、主人公の思いこみや軽率な行動が、革命計画と妙な具合に絡みあうことで、たいへんな歴史の局面がかたちづくられてしまう。因果の綾が鮮やかだ。

『**メアリ・ヴェントゥーラと第九王国**』は、夭折した詩人が遺した短篇集。表題はディストピア小説で、静かに染みこむ寓話の感触。病院勤務の女性職員たちがハリケーンの一夜をすごす「ブロッサム・ストリートの娘たち」も、思わず引きこまれる傑作。

『**動物奇譚集**』は、風刺的作品から変身譚まで動物を題材にした三十六篇を集める。

『**兎の島**』は、カフカやコルタサルと比較される現代作家による短篇集。

『**アホウドリの迷信　現代英語圏異色短篇コレクション**』は、編者のふたりが互いに作品を持ちよって披露する、いわば対局形式のアンソロジー。未知の作家と出会う歓喜に満ち満ちている。

まき・しんじ●59年生れ。ＳＦ研究家。著書に『『けいおん！』の奇跡、山田尚子監督の世界』『JUST IN SF』『世界文学ワンダーランド』ほか、編著に《Ｒ・Ａ・ラファティ・ベスト・コレクション》ほか。

& 総括

文芸ノンフィクション

人気作家の半世紀以上にわたる思考の軌跡をはじめ、世界の不思議旅行案内書まで

長山靖生
Nagayama Yasuo

❶『SFする思考　荒巻義雄評論集成』荒巻義雄
❷『ハヤカワ文庫JA総解説1500』早川書房編集部＝編
❸『性差事変　平成のポップ・カルチャーとフェミニズム』小谷真理
❹『翻訳を産む文学、文学を産む翻訳　藤本和子、村上春樹、SF小説家と複数の訳者たち』邵丹
❺『増補改訂版　「アニメ評論家」宣言』藤津亮太
❻『日本アニメ史　手塚治虫、宮崎駿、庵野秀明、新海誠らの100年』津堅信之
❼『東宝空想特撮映画　轟く　1954－1984』小林淳
❽『映像のポエジア　刻印された時間』アンドレイ・タルコフスキー
❾『未来救済宣言　グローバル危機を越えて』イアン・ゴールディン
❿『地球の歩き方　ムー　異世界（パラレルワールド）の歩き方』地球の歩き方編集室

荒巻義雄は『白き日旅立てば不死』や『神聖代』から、超古代史に材を取った伝奇SFシリーズ、『紺碧の艦隊』など、長年にわたって第一線で活躍してきた人気作家だが、評論家としてのキャリアも長い。「術（クンスト）の小説論」が〈SFマガジン〉に発表されたのは一九七〇年のことだ。①は、そんな著者が六〇年代に同人誌に発表した評論や書評から近年の作品論まで、半世紀以上にわたる思考の軌跡をまとめた重量級の論集である。その視野は広く、奥行きの深さは驚異的だ。著者は特定の理論や学説に捉われず、自由に再構築し、独自の世界観を構築する。ここに〝研究〟とは異なる〝評論〟のレゾンデートルがある。研究は本来なら人文科学分野であっても、自然科学の研究がそうであるように再現性があり、誰が論究しても同じ結論に達することを目指しているはずだ。だが評論には独創性があり個性が宿る。優れた評論は優れた小説同様、無意識の底から未確定の何ものかを引き出す予言的側面がある。創作と評論が一人の作家の中でどう機能してきたのかを伝えている点でも貴重な著作だ。

②はハヤカワ文庫JA一五〇〇冊の総解説。同文庫は一九七三年三月、日本人作家のSF専門レーベルとして創刊され、その後、ミステリや評論、コミックスなども含めた総合エンタメレーベルとして発展してきた。最初期には小松左京『果しなき流れの果に』、星新一『夢魔の標的』、眉村卓『幻影の構成』、豊田有恒『モンゴルの残光』、光瀬龍『百億の昼と千億の夜』など、《日本SFシリーズ》で日本における創作SFの画期を告げた名作を収録。その後も、平井和正、筒井康隆……と、つい少年時代に戻って好きな作家の名前を列記していくだけでも楽しくなる人々が並ぶ。作品紹介を通して読む日本SF史であり、各読者個人にとってもSFとともに生きてきた日々を回想する縁となるだろう。

センス・オブ・ワンダーは、意識せずに囚われていた固定観念を人に気付かせるが、ファンタジーやSF、アニメなどを通して、女性を閉じ込めてきた社会通念や欲望の罠を解き明かしていく③は、「目からウロコ」がたくさんあり衝撃的だった。正直言って男であ長山靖生氏が選んだ！

2022年度 文芸ノンフィクション作品ベスト3

る私にこの本を正確に紹介できる自信はないが、重要な本であることだけは理解できるので、繰り返し読みながら自分の無自覚な思考の死角を認識していきたい。それはSFをより深く読んでいく助けともなるだろう。

④は現代日本文学に、翻訳SF（の文と思考）が与えた影響を高く評価している。

藤津亮太がアニメを論じた⑤は、アニメーションの歴史を踏まえたうえで、主要なアニメ演出家の諸作を取り上げ、作品制作時の状況や制作スタッフにも着目しつつ、その表現を実証的に論じたもので、事実を丹念に積み上げて研究的にも優れている。そして同時に、何よりも本書は、タイトルにもあるように評論であり批評である。①について述べたように、優れた評論・批評には書き手の経験や実存が反映する。対象と自己が真摯に切り結んだ実感からしか出てこない創造的／想像的な魅力が、そこにはある。その意味で本書は、正真正銘の「評論家」宣言だ。

同じくアニメについて、⑥はその歴史を研究的に語った好著として挙げておきたい。日本では二〇世紀初頭、「凸坊」の名でアニメーションが移入された。アニメは戦時下には一般の映画同様プロパガンダに利用されたが、そうした政治利用は戦後占領期も続き、民主化やアメリカナイズにも貢献したという。一九五三年のテレビ放送開始前後からは商業的アニメの自律的な発展が加速する。東映動画や虫プロダクション、大塚康夫、巨大ロボットから『鬼滅の刃』まで。実現せずに可能性のまま途切れた発案も含め、日本アニメの多様な魅力が語られる。

映像関係の本が続くが、⑦は一九五四年の『透明人間』から八四年の『さよならジュピター』まで、三十年の間に作られた五十本の東宝空想特撮映画について、ストーリー、音楽、時代背景などを紹介。淡々と書かれているが読み応えがあり、手元に置いて繰り返し読みたい。

⑧はタルコフスキーが自らの映画観を語った本。映画監督は「だれかに気に入られようとする権利」を持たないと著者はいう。何ものにも迎合せず、能力の限界まで芸術性を追求することが創作者の責務だ。とはいえ、こうした芸術至上主義へのナイーヴな忠誠自体が、強か（したた）なブランド戦略であったりもする。

グローバル化、新型コロナ、民主主義の後退、そして戦争……と現実そのものがSF化しているような今日だが、⑨はそんな不安定化が進行する世界の〝未来〟の持続可能性を探っている。

⑩は「こんな旅の楽しみ方もあるのか」という企画の妙が冴えた一冊。超古代文明や古代宇宙人といった空想的観点から、真面目に書かれた世界の不思議旅行案内書で、あくまで真面目に作られているのが実に良い。

ながやま・やすお●62年生れ。評論家。近著に『萩尾望都がいる』（光文社新書）、編著に『嘆きの孔雀 牧野信一センチメンタル幻想傑作集』（小鳥遊書房）他。

ベスト10 & 総括

科学ノンフィクション

コロナ禍のいま読むべきルポ、祖先への思い込みを覆す最新研究、予測しつづける脳の働きに注目した一冊など

森山和道
Moriyama Kazumichi

● 『mRNAワクチンの衝撃』ジョー・ミラー、エズレム・テュレジ、ウール・シャヒン
● 『生命を守るしくみ　オートファジー』吉森保
● 『アファンタジア　イメージのない世界で生きる』アラン・ケンドル
● 『脳の地図を書き換える　経科学の冒険』デイヴィッド・イーグルマン
● 『ファーストスター　宇宙最初の星の光』エマ・チャップマン
● 『屈辱の数学史　A COMEDY OF MATHS ERRORS』マット・パーカー
● 『ネアンデルタール』レベッカ・ウラッグ・サイクス
● 『EXTRA LIFE　なぜ100年で寿命が54歳も延びたのか』スティーブン・ジョンソン
● 『人類冬眠計画　生死のはざまに踏み込む』砂川玄志郎
● 『脳は世界をどう見ているのか　知能の謎を解く「1000の脳」理論』ジェフ・ホーキンス

まだ新型コロナ禍が続いている。被害が抑えられている背景にはmRNAワクチンがある。**『mRNAワクチンの衝撃』**は、ファイザーのワクチンを開発したドイツ・ビオンテック社の共同創業者二人を主役としたドキュメンタリーだ。なぜ高速にワクチンを開発し上市できたのか？　抜群に面白く、いま読むべきルポである。もともとのターゲットであるがんワクチンの開発にも期待せざるを得ない。

続いて生物学関連の本からご紹介する。**『生命を守るしくみ』**は細胞内のオルガネラ間の物質輸送と、その一部である不要物質を分解する自食（オートファジー）の研究者による本で、この分野の研究の歴史を振り返る。大隅氏のノーベル賞受賞も記憶に新しいが、著者は共同受賞してもおかしくなかった人物だ。オートファジーは多くの疾患や寿命にも関わっていることが明らかになっている。注目分野の一つだ。

『アファンタジア』は、脳内で、心的イメージを描けない人たちの語りを編集した本だ。人によって幅があるが、アファンタジアの人は、特定の事物の記憶や認識可能な情報はあるものの、心のなかでそれらを視覚化して見ることはできない。声を聞くこともない。音楽や匂い、触感を再生できない人もいる。人口の二～三%がアファンタジアだと推定されている。盲目的な心眼とも呼ばれるこの症例について様々な証言を集めて整理している。脳のなかで視覚的記憶がどのように保持されているかとも関係があることは間違いない。不思議な知覚体験について教えてくれる。

脳はとても柔軟だ。**『脳の地図を書き換える』**は脳の機能地図がどのような仕組みで変化するのかを紹介する。それまで処理していた情報が得られなくなると脳内ではすぐさま再編成が始まり、近隣領域の機能地図に書き換わる。著者によれば、夢が視覚的である理由も、視覚を使わない夜間に隣接領域から乗っ取られないように視覚野を活動させているからではないかという。本質的に汎用の予測装置である脳が、世界と相互作用する仕組みが考察されている。

天文関係の本も一つ紹介しておきたい。ビッグバンから約二億年後に誕生した第一世代の星をファーストスター、初代星という。

森山和道氏が選んだ！

2022年度 おすすめ科学ノンフィクション作品

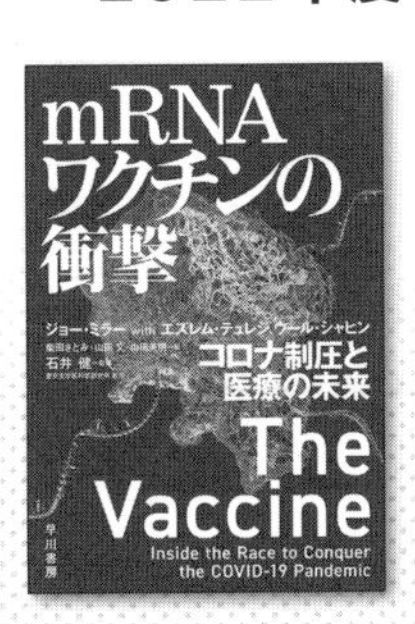

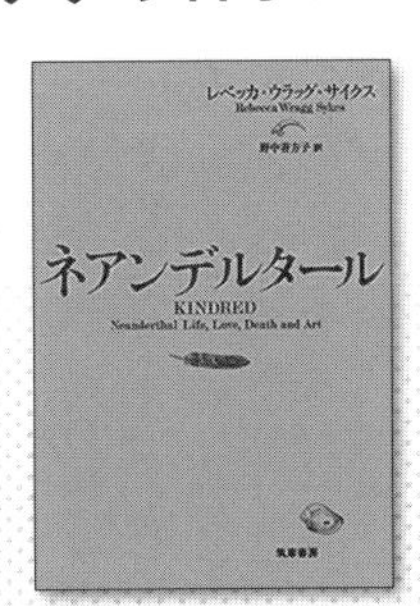

『**ファーストスター**』は水素とヘリウムだけだった宇宙に多様な元素をもたらし、宇宙を再電離させた。この星々がどのように誕生し、宇宙を構造化していったのか、初期宇宙の痕跡を残す「化石銀河」の研究について紹介する。

現代人の生活は数学に依存している。だが数学は表に出ることは滅多になく、失敗したときのみ、あらわになる。『**屈辱の数学史**』は建築・土木、コンピュータ取引など多岐にわたるトラブルを紹介する。人の直感と計算には大きなズレがあることは自覚しておきたい。広く知られる有名なトラブルも実際には意外と原因が違っていることもわかり面白い。

未来を知るためには過去を知る必要がある。『**ネアンデルタール**』は最新成果を元に、我々のもっとも近い「親戚」が、どんな存在であったのかを明らかにする。ネアンデルタール人には色々な思い込みがあるだろう。しかし、新たに得られている大量の情報に基づいて、多くが覆されていることを読者は知ることになる。ぜひ読んでほしい一冊だ。

数々のイノベーションによって人類の寿命は、ここ百年で二倍になっている。『**EXTRA LIFE**』は、人類の寿命延長に貢献した様々な技術や考え方を紹介する。低温殺菌牛乳、二重盲検法、シートベルトなど地味な技術や考え方、そしてアイデアを実際に世間に広めたネットワークの力が人類の寿命を大幅に伸ばしてきたことがよくわかる。

SFではお馴染みの冬眠。『**人類冬眠計画**』はマウスを「冬眠様状態」に誘導する視床下部の神経回路を発見した研究者による本だ。動物の動きを抑制し、体温の低下を誘導する神経回路があったのだ。これにより冬眠の研究が仮説・検証を繰り返す研究分野になった。本書では冬眠以前の睡眠研究での苦心や冬眠研究史の紹介、哺乳類の代謝と体温調整の仕組みの面白さが紹介されている。代謝は奥が深いのだ。著者は人類の冬眠も可能ではないかという。冬眠できるようになれば、さらに寿命は伸びるだろう。

寿命が伸びればあらゆることが変わる。気候変動への対応や次世代に対する考え方も変わるだろう。そして将来の「次世代」には人工知能も含まれるかもしれない。

『**脳は世界をどう見ているのか**』は人のように考える機械知能の実現を目指す著者による本の一つだ。大脳新皮質の機能は自らの動きに伴い経時変化する入力情報を活用し、座標系に配置された世界モデルを絶えず更新しながら、予測をし続けることだという。要するに感覚運動学習でモデルを作り、予測をする、それが脳の機能だというわけだ。そしてそのモデル活性化の連続過程が思考なのだという。似た仮説を唱えている研究者が増えている。後半のSFじみた話は逆に退屈だったが、一読の価値はある。

もりやま・かずみち●70年生れ。ライター。2023年もAIのニュースが続くのでしょうね。

& 総括

SFコミック

ジャンルの成熟を感じさせる
バラエティ豊かな作品世界

福井健太
Fukui Kenta

● 『われわれは地球人だ！』 高橋聖一
（①巻／双葉社アクションコミックス）

● 『ムムリン』 岩井勇気＋佐々木順一郎
（①②巻／講談社ヤンマガKC）

● 『2年1組うちのクラスの女子がヤバい』 衿沢世衣子
（①巻／リイド社トーチコミックス）

● 『星旅少年』 坂月さかな
（①②巻／パイ インターナショナル）

● 『スカライティ』 日々曜
（①巻／小学館ビッグコミックス）

● 『リバイアサン』 黒井白
（①巻／集英社ジャンプコミックス）

● 『擬態人A』 渡辺アカ
（①～③巻／秋田書店少年チャンピオンコミックス）

● 『星をつくる兵器と満天の星』 中村朝
（マッグガーデン Beats SERIES）

● 『時の闇の彼方に』 八木ナガハル
（駒草出版）

● 『ルナナナ』 小坂俊史
（①巻／双葉社アクションコミックス）

二〇二二年も多くのSFコミックが誕生した。着想や設定だけではなく、空気感のバリエーションが豊富なことは、ジャンルの成熟度の表れに違いない。間口の広さは読者層の拡大にも繋がるだろう。

レトロな青春SFを得意とする高橋聖一の**『われわれは地球人だ！』**は、三人の女子高生が巨大ショッピングモール（型宇宙船）で旅をするスペースオペラだ。社長令嬢の飛野火乃子が開業前夜のショッピングモール「パンゲア」に侵入し、奈々鉢弓と春畑末々美に出逢った直後、パンゲアは宇宙へ飛び立った。三人は物資やインフラの揃った船内で交流を深め、パンゲアに導かれて「ここにある物資を駆使し」「困っている宇宙人達を救っていく役目」を担う。藤子・F・不二雄の少年SFを彷彿させる、著者の持ち味が発揮された佳作と評したい。

アプローチの手法は異なるが、岩井勇気＋佐々木順一郎**『ムムリン』**も藤子Fテイストを踏まえた作品だ。宇宙船事故に遭ったポコムー星人のムムリンが地球に落ち、小学生コウタに泊めてもらおうとする――という冒頭はテンプレート的だが、コウタは「宇宙人ってだけで珍しがられて優しくしてもらえると思ってない？」と突き放す。ポコニャンやチンプイのような一頭身キャラクターに理屈っぽい正義漢の少年を絡ませ、異化効果と毒入りのギャグを演出した作りが面白い。ちなみに一月刊の三巻で完結している。

軽妙な日常SFとしては、衿沢世衣子**『2年1組うちのクラスの女子がヤバい』**も秀逸だった。他人を瞬間移動させる、苛立つと指が触手になる――といった思春期特有の超能力（無用力）を持つ女子たちが集うクラスの青春群像は、独特のユーモアと瑞々しさに溢れている。本作が気に入った人には、前日譚『うちのクラスの女子がヤバい』（全三巻）を一冊に纏めた『1年1組うちのクラスの女子がヤバい』も必読だろう。

終末を優しく見つめる作品の増加は、近年のSFコミック界の流行といえる。坂月さかな**『星旅少年』**もその一つだ。人間を眠らせて仲間にする「トビアスの木」が宇宙に広がり、住民のほとんどが眠る「まどろみの星」が増えた時代。旅行会社PTGの文化保存局福井健太氏が選んだ!

2022年度 おすすめSFコミック作品

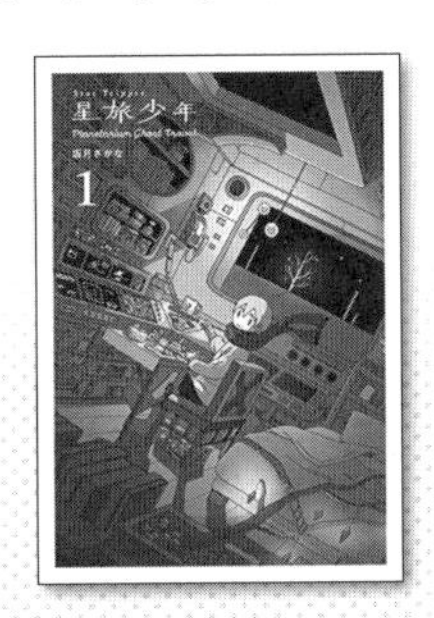

特別派遣員である少年「登録ナンバー303」は、消えゆく文化を記録する旅を続け、トビアスの木の赤い実を食べて彼らが人間だった頃の記憶に触れる。主人公の交流譚とファンタジックな語りが趣深い。姉妹篇『坂月さかな作品集　プラネタリウム・ゴースト・トラベル』もお薦めである。

日々曜『**スカライティ**』も終末を看取る者の物語。人類を滅ぼすために作られた少年型ロボットのアルスは、荒廃した世界を渡り歩き、不死になった人々の願いを成就（あるいは断念）させることで死をもたらす。未練を断つことで人類を成仏させる優しいロボットの静かな旅はすこぶる印象的だ。

もちろん殺伐とした話も少なくない。黒井白『**リバイアサン**』はその筆頭だろう。宇宙旅客船リバイアサンの残骸に侵入した盗掘者たちは、中学生イチノセの日誌を発見する。その記述によると、リバイアサンが爆発を起こし、修学旅行客が隔壁に閉じ込められたらしい。約五十時間後に酸素が切れるが、コールドスリープ装置が一基だけ存在する——と知ったイチノセが情報を漏らしたことで、激しい殺し合いが幕を開ける。バトルロワイアルと生存者捜しの推理劇を重ねたトリッキーなＳＦサスペンスである。

渡辺アカのデビュー作『**擬態人Ａ**』は、異星人の移民計画に端を発するＳＦアクション。人間に擬態した大佐と兵卒が日本に潜入し、一年後に到着する十万人の同胞のために地球人の調査を進めるが、息子役の兵卒が虐待児を救ったことで歯車が狂い出す。奇妙なプロットで読者を牽引する野心作だ。

連作集も見ておこう。中村朝『**星をつくる兵器と満天の星**』は、全八篇からなる生命兵器たちの年代記である。殺人鬼の息子にまつわる三篇で過去を辿った後、空域を監視する生命兵器の戦い、生命兵器と盲目の少女の恋などが綴られる。心を持つ兵器が生きる世界を多角的に描く構成が好ましい。

八木ナガハル『**時の闇の彼方に**』は『無限大の日々』『惑星の影さすとき』『物質たちの夢』に続く著者の第四作品集（全六篇）。ジャーナリストの鎹涼子を主役に据え、特異な国境線を持つ惑星や廃棄船の探査、廃墟で拾った女性をめぐる考察などを通じて、宇宙を塗り替える権利を独占する機関・無限工作社の素性に迫る思索が紡がれていく。

最後に四コマ漫画を取り上げたい。大胆なシチュエーションと巧みな設定を活かしたナンセンスギャグ、叙情的なモノローグ劇などで知られる小坂俊史の『**ルナナナ**』は、月面のオンボロ寮で相部屋になった三人のアルバイト女性を描くコメディだ。著者が「ＳＦを名乗らない」と述べている通り、科学的な突っ込みは野暮の極み。この状況下ゆえのアイデアとヒロインたちの野放図な生活ぶりが詰まった会心作である。

福井健太●72年生まれ。書評系ライター。〈ＳＦマガジン〉〈読楽〉で書評を連載中。著書に『本格ミステリ鑑賞術』『本格ミステリ漫画ゼミ』、編著に『ＳＦマンガ傑作選』がある。

&総括

ＳＦ映画

アップデートした世界を見せ、新しい物語を語ってくれた《マトリックス》シリーズ最新作

渡辺麻紀 *Watanabe Maki*

❶『**マトリックス　レザレクションズ**』　監督：ラナ・ウォシャウスキー
❷『**NOPE／ノープ**』　監督：ジョーダン・ピール
❸『**ドクター・ストレンジ／マルチバース・オブ・マッドネス**』　監督：サム・ライミ
❹『**THE BATMAN―ザ・バットマン―**』　監督：マット・リーヴス
❺『**RRR**』　監督：S・S・ラージャマウリ
❻『**マリグナント　狂暴な悪夢**』　監督：ジェームズ・ワン
❼『**LAMB／ラム**』　監督：バルディミール・ヨハンソン
❽『**ブラック・フォン**』　監督：スコット・デリクソン
❾『**シャドウ・イン・クラウド**』　監督：ロザリンヌ・リャン
❿『**スパイダーマン：ノー・ウェイ・ホーム**』　監督：ジョン・ワッツ

二〇二二年の洋画のナンバーワンヒットは、三十六年ぶりに登場した『トップガン』の続篇『トップガン　マーヴェリック』だった。正統派の続篇で、オリジナルの要素を数多く引き継いでいるにもかかわらず、驚くほど上手に整理されていて、基礎知識だけでも映画に没入できるようになっている。世界中で大ヒットした理由はそこにもあると思う。

もう一本、二一年の暮れに公開された久々の続篇といえば、《マトリックス》シリーズの四作目『**マトリックス　レザレクションズ**』。前作、三作目の『レボリューションズ』から十八年後に作られた人気ＳＦシリーズの最新版だ。ただし、こちらは『～マーヴェリック』とは大きく異なり、一見さんはお断りどころか、できるなら前三作を見直していたほうがいいくらい。それほどストーリーは密接に過去作と繋がっている。

その理由のひとつはメタ的構造になっているから。キアヌ・リーヴス扮するトーマス・アンダーソンは再びマトリックスの世界に囚らえられていて、ここでは「マトリックス」という大ヒットゲームのクリエーターという設定になっている。ティファーと名前を変えて登場するトリニティ（前三作と同じくキャリー＝アン・モスが演じている）の周囲でもメタ要素はたくさん用意され、コメディ要素の少ない本シリーズの笑えるポイントにもなっているが、あくまでそれはオリジナルを知った上のこと。そうじゃない人は混乱するかもしれない。もうひとつの混乱ポイントは、多くのキャラクターが前三作と被り、なかには役者が交代したキャラもいるからだ。そのつど、旧作の映像を交えた説明はあるものの、展開がスピーディすぎてついて行けないという難点もある。

早い話、問題はたくさんあるのだが、それでも一位に置いてみたのは、同じことを繰り返すことなく、アップデートした世界を見せ、新しい物語を語ってくれたからだ。そして、もっとも魅力的だったのは、監督＆脚本＆製作であるラリー改めラナ・ウォシャウスキーの「今」とちゃんと重なっていたからである。つまり彼女は十八年を経た今だからこそ作る必然があり、その必然がちゃんと伝わってきたからだった（選者はそういう映画に渡辺麻紀氏が選んだ！

2022年度 SF映画作品ベスト3

1

2

3

ヨワい）。マシンが悪で人間が善でもなければ、ネオだけが救世主ではないという多様性に富んだ新しい世界。『マトリックス』を自分自身で皮肉りつつも、それでもやっぱり愛や希望に傾倒するところも微笑ましかった。

二位にはジョーダン・ピールの『**NOPE／ノープ**』を置いてみた。ピールと言えば『ゲット・アウト』等のホラーを得意とする監督として知られているので、本作もそっちのほうかと思えば、その予想を裏切ってSFだった。お馴染みの侵略SFに入る作品なのだが、侵略者のアイデアが極めてユニークなのだ。ネタバレになるので書けないが、この発想はピールがSFに精通してないからこそ生まれたのではないだろうか。SF者だと既成概念に縛られて、この発想は生まれなかったのではないかと思う。舞台となっているのは牧歌的風景が広がる田舎で、政府や組織等は一切登場せず、個人の闘いが描かれている。この手の設定の侵略SFにはいい作品が多く、これもその一本に仲間入りしたことになる。

三位に置いた『**ドクター・ストレンジ／マルチバース・オブ・マッドネス**』は、実は一位に置きたいくらいの大のお気に入りなのだが、SFというジャンルで語るとなると、やはりこの辺がしっくりくる。

監督は七年ぶりにメガホンを取るサム・ライミ。そもそも『スパイダーマン』シリーズを手掛けた人なのでアメコミものの監督を任されることに不思議はないのだが、これが開けてびっくり。アメコミ要素は前半にかき集められ、後半は何とホラー。それもライミの名を知らしめた《死霊のはらわた》シリーズの二作目『死霊のはらわたⅡ』になっていた。これはもう、ライミ・ファンにとっては素晴らしいプレゼント。アメコミでありながら、パワフルなホラーワールドを楽しめる一本として選んでみた。

アメコミ系からはもう一本、DCの新生バットマンシリーズの最初の作品『**THE BATMAN－ザ・バットマン－**』。デヴィッド・フィンチャーの影響を強く感じる作品で、ノリとしては緩めの『セブン』的なハードボイルドになっている。緩めなのが気にはなるが、新米バットマンに扮したロバート・パティンソンがフレッシュで、ちゃんと彼の成長物語にもなっていたところは高ポイント。少なくとも、次を観たいという気持ちにさせてくれたのは嬉しい。

個人的に意外だったのは、不得手だったインド映画が面白かったこと。『バーフバリ』シリーズもダメだったのだが、なぜか『**RRR**』には大コーフン。英国植民地時代のインドで出会ったふたりの英雄の友情と活躍をケレン味たっぷりに描いた三時間。ひとつひとつの表現が大げさなせいでホラ話的な面白さが生まれている。選者は本作をホラ話ファンタジイとして大いに楽しんでしまった。

わたなべ・まき●55年生まれ。映画ライター。

& 総括

SFアニメ

作り込まれた世界観のジュブナイルSFから、歌で治療を行う音声医学テーマの物語まで

小林治 Kobayashi Osamu

❶『地球外少年少女』 監督：磯光雄
❷『エクセプション』 監督：サトウユーゾー
❸『サマータイムレンダ』 監督：渡辺歩
❹『ユーレイデコ』 監督：霜山朋久
❺『さんかく窓の外側は夜』 監督：安田好孝
❻『東京24区』 監督：津田尚克
❼『ONI：神々山のオナリ』 監督：堤大介
❽『サイバーパンク エッジランナーズ』 監督：今石洋之
❾『ヒーラー・ガール』 監督：入江泰浩
❿『月とライカと吸血姫（ノスフェラトゥ）』 監督：横山彰利

今回も選考対象は、規定期間（二二年十月末）までに最終回を迎えたテレビアニメ作品（配信も含む）とした。なお、続篇の制作が決定している作品については対象から除外しているのでご承知いただきたい。

①の『**地球外少年少女**』は二〇四五年が舞台。商業ステーション「あんしん」に訪れた子供たちが、月で生まれ宇宙で育ってきた少年と少女と共に、突如発生した災害に立ち向かう冒険物語だ。用意された災害が戦争ではなくあくまで宇宙ステーションならではであり、それらを子供たちの知識でクリアしていく形にワクワクさせられる。宇宙空間だからこその動きも楽しんで欲しいが、子供たちが自在に使うインターネットやプログラムのためのガジェットや設定などもかなり作り込まれているので、いろいろな部分に興味を持ち楽しんで欲しい作品だ。

②に選んだ『**エクセプション**』は、惑星探査とテラフォーミングを行うミッション中に発生した事故をめぐるミステリ。生体プリンター〈ウーム〉で生成された肉体へ記憶をコピーされ生まれるはずだった五人のクルーたち。だが、システムのバグにより異形の物が誕生してしまう。それは太陽フレアの影響なのか、それとも何者かによる作為的な行為なのか。キャラクターのセリフや展開にSF要素を上手く絡め、推理劇としても楽しませてくれる。

③の『**サマータイムレンダ**』は、幼馴染の少女の葬儀のために故郷の島へ戻った少年が、その死にまつわる謎をタイムリープにより解き明かしていく物語。浮かび上がる他殺の可能性。姿を消していく島民と、残された黒い人型の跡。結びついていく「〈影〉を見た者は死ぬ」という島の伝承とドッペルゲンガーの噂。ひとりで動いていた少年に協力者が生まれ、死んだはずの少女の〈影〉が現れる。全二十五話あるので、タイムリープの描写に必須なリピート部分も丁寧で、展開も複数ありたっぷり楽しめる作品だ。

④に選んだ『**ユーレイデコ**』は、視覚情報デバイス・デコのインプラントが義務化された情報都市が舞台。人々がVRやARの中でサービスを得るために使用していた〈らぶ〉が大量に奪われる事件が発生。犯人を捕まえ

小林 治氏が選んだ!

2022年度 SFアニメ作品ベスト3

1

2

3

ようと意気込み出かけた少女が、ゴーグル型のデコを使う少年と出会い、やがてデコによって作られた社会の裏やそれによって弾かれた人や物事を知っていく物語。デフォルメされたやわらかい絵柄のキャラクターや背景だが、扱ってるテーマは「今」をしっかり捉えているのも面白い。

⑤は、呪いにまつわる事件や事象を解決する心霊探偵を描く**『さんかく窓の外側は夜』**。主人公たちはバディを組み、事故物件、占い、悪夢、神隠しなどの事件や事象に対し調査や除霊を行うのだが、やがて彼らは「てのひら研究会」なる団体の存在を知り、その真実へ迫っていく。派手なアクションはなく、エピソードの積み重ねで深みにハマっていくタイプの作品。1クールという短さを感じさせないシリーズだった。

⑥の**『東京24区』**は、法令外特別地区に指定された通称24区で活躍する三人のヒーローの物語。ただ、彼らはトロッコ問題にも似た選択を迫られる事件ばかりに遭遇しており、やがて事件が24区に設置されたハザードキャストシステムが絡んでいたことが分かっていく。携帯電話や監視カメラから集めた情報を用い犯罪や事故を予測する警報システムと、三人に共通する幼馴染みの女性の死の真相。ヒーロー物として、監視社会をテーマとした作品としても楽しめる。

⑦は**『ＯＮＩ：神々山のオナリ』**。神々が暮らす山の学校で、親から受け継いだ力を開花させるため励む子供たち。だが、その中で一向に芽が出ない少女がいた。神々が古くから恐れているＯＮＩの脅威が迫る中、少女に告げられる真実。昔話に登場するキャラクターたちを３ＤＣＧでマペット風に仕上げているので子供向きと思われるかもしれないが、「今」ある問題にしっかり触れている作品だ。

⑧の**『サイバーパンク　エッジランナーズ』**は、スマホや運動能力の補助・強化向けのサイバーウェアを身体に移植するのが一般的になった未来が舞台。強大なパワー、ハッキング、仕込み武器などを身に付けた者たちのバトルや生き様も見どころだが、彼らが住む都市（背景美術）にも注目したい。また、第二話に登場するヴァーチャルでの月旅行も面白かった。

⑨の**『ヒーラー・ガール』**は、歌で病気や怪我を治療する音声医学の見習い師たちの物語。昨今、歌をメインにしたアニメ作品は溢れているが、それを医療と絡め、かなりちゃんとした設定を用意しているのが感じられるのも好感触だった。

⑩の**『月とライカと吸血姫（ノスフェラトウ）』**は、初となる有人宇宙飛行計画のための実験をヴァンパイアで行うと決めた部隊の物語。迫害された存在であるヴァンパイアと主人公の交流が物語の主軸だが、ロケット打ち上げに纏わるガジェットなどでも楽しませてもらった。

こばやし・おさむ●66年生れ。アニメ系フリーライター。今回、配信メインの作品が四本入った。『地球外少年少女』『エクセプション』『ＯＮＩ：神々山のオナリ』『サイバーパンク　エッジランナーズ』だ。映像表現やテーマ性だけでなくエピソードの数にも自由度が感じられ、制作側だけでなく視聴者にとって選択肢が広がっているのを感じる。

SFドラマ

配信ドラマシリーズが主流となり、個性的な物語が続々と登場

武井崇 Takei Takashi

❶『ペリフェラル　接続された未来』(Amazon Prime Video)
❷『イーヴィル　超常現象捜査ファイル』(Hulu)
❸『2034　今そこにある未来』(スターチャンネルEX)
❹『ザ・ペンタベレート　〜秘密の5人、世界を操る〜』(Netflix)
❺『ゴーストギャル』(Netflix)
❻『1899』(Netflix)
❼『ペラパレスの夜更け』(Netflix)
❽『天空の旅人』(Amazon Prime Video)
❾『アーカイブ81』(Netflix)
❿『特別じゃなくてトクベツな私』(Netflix)

近年のドラマは配信作品がメインとなってきており、今回挙げた二〇二二年SFドラマベストもほぼ配信作品。シリーズ全作一気に公開されることが多く、今まで主流だった週一回放映されるドラマとは、構成が大幅に違っている。10エピソード程度で一気に内容を描き込み、しかも長期シリーズではありがちなシリーズ途中での軌道修正がほとんどない。どちらかといえば七〇年代から八〇年代に流行ったミニシリーズのような雰囲気がある。これを見ごたえがあるとみるのか、物語が飛躍しないとみるのかは視聴者によって違うだろうけれども、私自身は個性的な物語がどんどん作られている現状に不満はない。

①に選んだ『**ペリフェラル　接続された未来**』は、配信作品の良さとシリーズの構成がうまく調和してとても見やすく面白かった。サイバーパンクの中心的作家ウィリアム・ギブスンを真正面から映像化したのも好感が持てる。アメリカの田舎町と未来のロンドンをVRでつなぐという、いかにもギブスンらしい仕掛けが、ドラマ上ではスピード感を増す効果をあげているのも見事。現在8エピソードのみだが、続篇が楽しみな一本。

②『**イーヴィル　超常現象捜査ファイル**』は、女性司法心理学者、神父見習い、便利屋の三人組が衝突しながらも超常現象の捜査をするという一話完結で見られる作品。配信作品ではあるがシリーズものの構成で、古くからのドラマファンにも安心できる作品だ。超常現象の正体を科学的に解明はするが、その裏には科学では説明のつかない存在が絡んでいるかもしれないことを匂わせる、ミステリとSFの境界線的なところを狙う展開が面白い。現在日本ではシーズン2まで配信されている。

③はディストピアSF『**2034　今そこにある未来**』。二〇一九年のイギリスEU離脱から巻き起こる社会の混乱、気候変動、難民問題、そして再選されたトランプ大統領の暴走など、かなり攻め込んで過激に社会情勢を描き上げただけでもドラマとしては驚異的なのだが、それをファミリー・ドラマに落とし込んでゆく構成にはうならされた。さすが『ドクター・フー』シリーズを復活させたラッセル・T・デイヴィスが脚本を手掛けただけある。イギリスドラマ界の底力を見せつけ

武井 崇氏が選んだ！

2022年度 SFドラマ作品ベスト3

られた。中国では放映禁止となったのがうなずける問題作。

④『**ザ・ペンタベレート　～秘密の５人、世界を操る～**』は映画『オースティン・パワーズ』（97）で知られるマイク・マイヤーズが製作、原作、脚本、主演を担当。ネットなどではびこる陰謀論をことごとくコケにしまくるのが痛快。人知れず続いてきた秘密組織が世の中を操ろうなどとはこれっぽっちも考えない「善人」たちで構成されているなど、人を食った設定が面白い。陰謀の総本家（？）フリーメイソンの建物でのロケにも驚かされた。もちろん〝おバカ〟な作風は健在。滅茶苦茶なコメディ作品ではあるが、描かれている内容はかなり深い。

⑤『**ゴーストギャル**』は、一言で言えば高校生版『ゴースト　ニューヨークの幻』（90）。ティーンの学生生活を描くコメディだと思い特に何も期待せずに見ていたのだが、最終エピソード付近での急展開には思わず感動。そのインパクトでここに挙げた。

⑥『**１８９９**』は巨大客船を舞台にした作品。全体に重苦しく、背景に登場する大海原や空は全てがモノトーンで、まとわりつくような黒い海の描写が印象的。最初は『ＬＯＳＴ』のような始まりだが、シリーズ後半から物語がまるで暴走と言ってもいいくらいに思いもよらない展開を見せ、謎が謎を呼ぶＳＦ的作品になってゆくのが見どころ。最初からは想像もつかないエンディングを迎える作品はミニシリーズの楽しみの一つでもあり、この作品は見事に視聴者を驚かせてくれた。

⑦『**ペラパレスの夜更け**』はトルコ製作のタイムトラベルＳＦドラマ。新聞記者のヒロインが一国の命運を担うという、タイムトラベル作品にはよくありそうなストーリーではあるが、時空を越えてすれ違うロマンスや、ディストピアになった未来も描くなどのサービス精神旺盛な展開が楽しい。このように、今まで滅多に日本に入ってこなかった色々な国のドラマを見られるのも配信ならでは。

⑧『**天空の旅人**』は、老夫婦の家の地下が、どこかの惑星に繋がっているという、ＳＦ的な不思議な設定。そこに、老夫婦の人間模様が絡まってゆくのがなんとも素敵な展開。古き良きＳＦの香り漂う作品である。

⑨『**アーカイブ81**』。ビデオの修復作業を通し、自らの過去のトラウマが解明されてゆくという、いわゆるファウンド・フッテージもの。無関係だと思っていた映像が、実は自分に深くかかわっていることがわかるシーンのショックが忘れられない作品だ。

⑩『**特別じゃなくてトクベツな私**』は、スペインの片田舎の綺麗な風景を背景にしたティーン向けドラマ。コメディとして作られており、ＳＦファンタジイが物語の核ではあるが、派手な描写になりすぎず節度ある展開で好感が持てた。

たけい・たかし●65年生れ。映像ライター。昔からＳＦドラマは好きで追いかけていましたが、配信がメインになり以前とはドラマの構成も変わってきています。今後、どうなってゆくのかが楽しみです。

& 総括

SFゲーム

「ゲームならではの根源的な快感」をストレートに表現した快作

宮 昌太朗
Miya Shotaro

❶『Vampire Survivors』（PC、Xbox、iOS、Android）
❷『Immortality』（PC、Xbox、iOS、Android）
❸『Cult of the Lamb』（PC、Nintendo Switch、PS4/5、Xbox）
❹『GOODBYE WORLD』（PC、Nintendo Switch）
❺『エルデンリング』（PC、PS4/5、Xbox）
❻『Stray』（PC、PS4/5）
❼『Backpack Hero』（PC）
❽『Card Shark』（PC、Nintendo Switch）
❾『ASTRONEER』（PC、Nintendo Switch、PS4、Xbox）
❿『Poinpy』（Netflix）

メジャータイトルが低調な印象だった一昨年とは打って変わって、人気シリーズの最新作『ゴッド・オブ・ウォー　ラグナロク』や『Horizon Forbidden West』、はたまた『ベヨネッタ3』『スプラトゥーン3』など、話題作が目白押しだった二〇二二年。並みいるAAA級タイトルの中でも、特に注目を集めたのが壮大なファンタジー世界を舞台にしたアクションRPG『**エルデンリング**』だろう。人気作『DARK SOUL』シリーズの制作陣が手掛けたその内容は、当然のごとく歯応え抜群。難易度自体は決して低くはないものの、オープンワールドならではの自由度の高さ、AAA級らしいスケール感&遊んでも遊んでも遊びつくせない物量で、多くのゲームファンを熱狂させた。ファンタジー小説の愛読者にとっては、世界観構築に《氷と炎の歌》のジョージ・R・R・マーティンが参加しているのもポイントのひとつといえる。

一方、そんな大作群に負けじとインディゲームからも続々とスマッシュヒットが生まれている。『**Cult of the Lamb**』は、怪しげな教団の教祖になった主人公の子羊が、信者たちを率いて自らの教えを広めるという癖の強い世界観、それとは裏腹のポップなビジュアルデザインが魅力の一作。いわゆるローグライクと呼ばれるジャンルの作品なのだが、プレイ感覚は経営シミュレーションに近い。信者たちを宥めすかして教団に取り込み、自分の教えが広まるほど、プレイヤー自身も強くなる。コミカルな絵柄に惹かれて遊び始めると、思いがけず歯応えのあるゲームシステムに惹き込まれ、つい時間を忘れてしまう。

ユニークなゲームシステムと意表をついた設定といえば『**Immortality**』は、去年最も刺激的だった一作かもしれない。本作は、伝説的な映画女優マリッサ・マルセルが出演した三本の未公開映画を通して、彼女が失踪することになった原因を探すという推理アドベンチャーゲーム。面白いのはその推理方法で、プレイヤーはまず一本の断片（フッテージ）を再生。気になった箇所をクリックすると、それに関連する別の断片へとジャンプできる（例えば、登場人物の顔をクリックするとその俳優が出演している別のシーンが再生される）。こうして少しずつ残されたフッテージを集め、繋

宮 昌太朗氏が選んだ！

2022年度 SFゲーム作品ベスト3

ぎ合わせていくうちに、おぼろげに映画の全体像が見え始め、さらにはマリッサが抱えていた秘密へと少しずつ近づいていく……。作者のサム・バーロウは以前、同様の手法を用いた『Her Story』が話題を呼んだクリエイターだが、より洗練された語り口で、これまでにない「ゲームならではの物語の語り方」を体感させてくれる。

『Immortality』もそうだが、二〇二二年は「物語」を主軸に据えたアドベンチャーゲームに印象的な作品が多かった。インディゲーム開発をモチーフに、モノづくりに苦悩する若いゲームクリエイターの青春を（少しヒネった角度から）描いた『GOODBYE WORLD』は、まるで上質な短篇小説を読んだような後味が印象に残る一作。志を持ってゲームクリエイターの道へと踏み出したものの、社会という現実の壁に打ち負かされそうになり、焦燥ばかりが募る日々。プレイヤーは、主人公たちが作っていると思しきチープなグラフィックのパズルゲームを遊びながら、そんな青春の一ページをめくっていく……。プレイ時間が約二〜三時間と短く、またインディゲームらしいスケールの小ささが決して弱点にならず、むしろアピールポイントとして機能しているところも素晴らしい。

ほかにも、プレイヤーが仲間とはぐれた猫となり、人間が滅んでしまった後の、いわゆるポストアポカリプス的世界を彷徨する『Stray』や、十八世紀のフランスを舞台に、トランプイカサマ師となって国全体を巻きこむ陰謀を探る『Card Shark』など、ゲームにはまだまだこんなにユニークな「物語の語り方」があったのだ、と思わされる良作といくつも出会えた年でもあった。

さて、そんな大豊作の二〇二二年から今回、第1位に選んだのは『Vampire Survivors』という作品。これも『Cult of the Lamb』と同様、繰り返しプレイを前提にしたローグライク・アクションゲームなのだが、まずもってビジュアルがすさまじい。画面いっぱいに埋め尽くさんばかりに押し寄せてくる大量の敵、敵、敵。昔からのゲームファンであれば（ちょっとチープな絵面もあって）、アタリ社の名作『ガントレット』あたりを連想するかもしれないのだが、とはいえ『ガントレット』よりももっとえげつなくて、ひと言で言うなら「下品」。しかしこの下品さが、なぜか癖になる。加えてゲーム中で手に入る武器を上手く強化・進化させていくと、大量の敵の山を一瞬のうちに焼き尽くし、殲滅させられる。テレビゲームの魅力（のひとつ）は、ゲームシステムと素手で格闘し、ねじ伏せていくような気持ちよさ、快感にあると思うのだが、そんな「ゲームならではの根源的な快感」をストレートに表現した快作に仕上がっている。遊んでいるうちに、脳汁がドバドバ出てくること間違いなし。

みや・しょうたろう●72年生れ。ライター。

このSFを読んでほしい！

小社・早川書房をはじめ各出版社の、
2023年2月以降のSF関連新刊情報を、
国内・海外とりまぜて、いちはやくご紹介します。

SF出版各社2023年の刊行予定

『怪獣(カイジュウ)保護協会』原書書影

- 早川書房
- アトリエサード
- KADOKAWA
- 河出書房新社
- 光文社
- 国書刊行会
- 集英社
- 小学館
- 新潮社
- 竹書房
- 中央公論新社
- 東京創元社
- 徳間書店
- 文藝春秋

早川書房

弊社の国内SFの予定は「2023年のわたし」をご覧ください。ほか単行本は、2月に陸秋槎『ガーンズバック変換』、SFコンテスト特別賞受賞の塩崎ツトム『ダイダロス』、3月に斜線堂有紀のSF作品集『回樹』、4月に結城充考のサイバーパンク長篇『アブソルート・コールド』、5月に榎本憲男の国際謀略SF『サイケデリック・マウンテン』。ほかに、村山早紀『さやかに星はきらめき』、川崎大助『素浪人刑事』。文庫JAでは、3月から3カ月連続でグイン・サーガ外伝『サリア遊郭の聖女』（円城寺忍）、4月に『工作艦明石の孤独4』（完結篇）、5月にシリーズ20周年を迎える『マルドゥック・アノニマス8』、日本SF作家クラブ編の書き下ろしアンソロジー第3弾『AIとSF』（22篇収録）。ほか、乙野四方字の新作2冊同時刊行、綾里けいしのホラーミステリ、『機龍警察 未亡旅団』文庫化も。そして、野尻抱介『素数の呼び声』！（4月刊以降の書名は仮題／文中敬称略）

まずはハヤカワ文庫SFからハリウッド映画化決定のエドワード・アシュトン『ミッキー7』を。中華風異世界×巨大変形メカのシーラン・ジェイ・ジャオ『アイアン・ウィドウ*』は春に。また、二〇二三年中に米公開予定の映画『DUNE／デューン 砂の惑星』のパート2にあわせ、『デューン』第二・三部新訳版も刊行します。あの作品の文庫化も予定！

FT文庫はTikTokで大バズの魔術サバイバル、オリヴィー・ブレイク『アトラス6』を春に。『シャーロック・ホームズとシャドウェルの影』待望の続篇も出ます。

単行本ではグレッグ・ベア追悼刊行『鏖戦／凍月*』、カート・ヴォネガットの幻の初訳（一部既訳）作品『キヴォーキアン先生、あなたに神のお恵みを*』、超新星爆発後の世界を描く劉慈欣衝撃のデビュー作『超新星紀元*』、ジョン・スコルジー『怪獣保護協会*』、キム・チョヨプ第二短篇集、韓国スチームパンクアンソロも予定しています！（*は仮題）

アトリエサード

二〇二三年は〈ナイトランド・クォータリー〉（NLQ）Vol.31「往方の王、永遠の王〜アーサー・ペンドラゴンとは何者だったのか」で開幕。昨年までに発表しながら刊行できていない宿題も多いのですが、今年のアトリエサードは「アーサー王伝説」で攻めます。

小宮真樹子編『アーサー王、多言語・古典作品を遍歴すること』&『円卓の騎士たち、エンタメ・ビジュアル作品に進軍すること』。アーサー伝説関連作品の翻訳・受容を扱う二冊を連続刊行予定。その他、関連企画も進行中。

また、NLQ27号から続く「ムアコック祭り」は今年も継続。32号から4号続けて、28号掲載「漆黒の花弁」の続篇「深紅の真珠 Red Pearls」の前後篇、ウィアード・テールズ366号に掲載されたばかりのさらなる続篇「キリンモワールへの道 The Road to Kirinmoir」、加えて詩的なエピローグ掌篇「悲運の王の夢 Dream of a Doomed Lord」を予定。

（文責・岩田恵）

KADOKAWA

二〇二三年刊行予定の単行本から、三作品をご紹介いたします。『星を墜とすボクに降る、ましろの雨』でデビューした藍内友紀の第二作目『芥子とミツバチ（仮）』は、トルコ、ミャンマー、南アメリカなどの紛争地帯で、恒久平和のためにドローン兵器を「歌」で操る少年少女の相克と矛盾を描いた長篇戦争SF。宮野優『トゥモロー・ネヴァー・ノウズ』は小説投稿サイト「カクヨム」発のループものSF。来る日も来る日も、同じ二十四時間を繰り返すようになった世界で生きる人々——殺人者、女子高生、ジャーナリスト、格闘家——の、奇妙な超日常を生き生きと綴ります。高殿円『忘らるる物語』は、一族すべてを理不尽に奪われた少女・環璃が、不思議な能力を持った女性・チユギと出会い、過酷な自身の運命に立ち向かうファンタジー。今年はKADOKAWAも、SFジャンルを盛り上げて参ります！　それぞれの作品、楽しみにお待ちいただけますと幸いです。

河出書房新社

日本SFアンソロジー、大森望責任編集『NOVA』（河出文庫）の最新刊が今春刊行。すべて読み切りの新作です。既刊の『NOVA』に発表された、飛浩隆「流下の日」、小川哲「七十人の翻訳者たち」、長谷敏司「バベル」、西島伝法「奏で手のヌフレツン」は、短篇集や長篇化を準備中。

季刊文芸誌〈文藝〉も、SFファン注目の作品が盛りだくさん。四月発売の夏季号には、佐藤究の直木賞受賞第一作の長篇を一挙掲載。連載完結した、桜庭一樹「波間のふたり」、皆川博子「風配図Windrose」が単行本化。

海外作品では、韓国SFの中心的作家キム・ボヨンの短篇集『どれほど似ているのか』。近未来を舞台に、テロと経済と政治の悲劇をアイロニカルに描く、ミシェル・ウエルベック『滅ぼす』。突然目が見えなくなる感染症の流行後、総選挙で大量の白票が……ノーベル文学賞受賞作家ジョゼ・サラマーゴ『見ること』。

以上、書名はすべて仮題です。

光文社

二〇二二年十二月に刊行した平山夢明の異次元に濃厚な連作集『俺が公園でペリカンにした話』。三月に巨大版が出ます。……巨大版!?　著者も驚いた異常な企画、特典もたっぷりつけて準備中です。ご注目ください。『ボリビアの猿』も、年内に出せると著者が言ってます。今度こそ。

続々と新顔が登場し、目が離せない《異形コレクション》。今年も二冊、刊行予定です。《異形》に発表した短篇をまとめた単著作品集も企画しております。

澤村伊智のスプラッタで幻想的な本格推理『斬首の森』は雑誌発表版から大幅な加筆を経て秋頃刊行予定。著者ならではの意地の悪さに翻弄されてください。

雪富千晶紀のサメ・パニック・スリラー『ホワイトデス』は三月。瀬戸内海を人喰い鮫が回遊します。

早坂吝の仕掛け満載の多重解決ミステリ、佐々木譲のタイムスリップ冒険小説、榊林銘の異世界本格ミステリも、年内にはきっとお楽しみいただけます！

国書刊行会

〈レム・コレクション〉二月の新刊として『火星からの来訪者』を刊行（沼野充義・芝田文乃・木原槙子訳）。幻のSFデビュー作「火星からの来訪者」を始めとして非SF現代小説、若き日に書いた抒情詩など、知られざる初期レムの姿を示す作品集です。日本オリジナル編集、すべて本邦初訳。

お待たせしております『伊藤典夫評論集成』を春にようやく刊行。十五歳時の初投稿からファンジン原稿、名コラム「SFスキャナー」他評論・書評・映画評をほぼ集成。伝説の「世界文学名作メチャクチャ翻訳」も収録、鏡明・高橋良平による解説対談、翻訳リスト・人名索引も完備した約一四〇〇頁！　豪華附録付・函入。

秋頃にジュリー・フィリップス／北川依子訳『男たちの知らない女　ジェイムズ・ティプトリー・ジュニア伝』を刊行予定。厖大な資料を元に綿密な取材で構成した国際批評家連盟賞、ヒューゴー賞、ローカス賞受賞も納得の傑作伝記です。

集英社

〈小説すばる〉連載作品、新川帆立『令和その他のレイワにおける健全な反逆に関する架空六法』が二〇二三年一月に刊行予定。六つの〝レイワ〟にて架空の法律が制定された世界を描く、リーガルSF短篇集です。〝命権〟保護活動が進んだ世界で行われるボノボの裁判を描いた「動物裁判」、女性が家庭でお酒を造ることが伝統となっている世界を描いた「自家醸造の女」などを収録。

〈小説すばる〉では、天沢時生、藍銅ツバメが連載予定。天沢時生『キックス』は、滋賀県を舞台に、スニーカーの贋作で成り上がるクライムノベル。藍銅ツバメ『首切り役人・山田暁右衛門』は江戸時代の首切り役人と怪異の物語。二〇二一年から掲載しております倉田タカシ『タフな狩り』四部作も、残すところあと一作となり、本年度には完結予定です。また、昨年のメタバース特集に続き、今年もSF特集を企画中。どうぞお楽しみに！

小学館

明けましておめでとうございます。毎年のことながら刊行予定の紹介をさせていただいておりますが、本年もよろしくお願いいたします。さて、本年のガガガ文庫の刊行予定ですが、まずは犬村小六氏の新作『リバース・アース・ファンタジア』や、昨年に劇場アニメも上映された『夏へのトンネル、さよならの出口』の八目迷氏の手がける《時と四季》シリーズの最新作などを筆頭に、今年もSFファンの皆様に幾つかの素敵な作品をお届けできるかと思います。また昨年の新人賞で『サマータイム・アイスバーグ』を刊行した新馬場新氏の新作『ソーラーストーム・スターフォール』や、石川博品氏が手がける『ふゆにそむく』など、ニューフェイスから往年の実力派作家の新作も予定されており、伊達康氏の『異世界忠臣蔵』などのコメディシリーズの新刊などもございます。また、本年の新人賞にもすでにSF者の皆様にどう評価していただけるか楽しみな作品がございますので、お楽しみに！

新潮社

二〇二三年はファンタジーノベル大賞出身者の活躍から目が離せない！

高丘哲次の受賞後第一作『心は刻まれた（仮）』が秋頃刊行。二十世紀初頭の世界を舞台に、少女とゴーレムのバディが織りなす錬金術×歴史改変ファンタジー大冒険譚。

そして、『残月記』で話題となった小田雅久仁の新作短篇集も年内には。こちらも超傑作揃いの一冊。乞うご期待！

新潮文庫nexからは、天国が舞台の斬新な特殊設定ミステリ『クローズドサスペンスヘブン』（五条紀夫著）が登場。惜しくも新潮ミステリー大賞は逃したものの選考委員の湊かなえ氏、道尾秀介氏に絶賛された注目作。

『世界でいちばん透きとおった物語』（杉井光著）はネタバレ厳禁の勝負作。小説でしか成しえない奇跡を目撃せよ！

そして西條奈加の大人気シリーズ『金春屋ゴメス』待望の最新作も。どうぞお楽しみに。

竹書房

まず去年刊行するはずだったものをすべて出します。それ以外では海外作品は中村融編『美食SFアンソロジー』、《竜のグリオール》シリーズ最終作であるシェパード『美しき血』、キム・イファンの韓国SF短篇集『おふとんの外は危険』、チョン・ボラ『呪われたウサギ』。あとはクラシックSF長篇をひとつ出せるやも。海外SF短篇をまとめた《USFシリーズ》もなんとか今年中にはじめたいところですが、どうなることやら。

国内作品で予定しているものは、相川英輔短篇集、SF作家クラブ編のお仕事SFアンソロジー『24時間働けますか?』、日下三蔵編《日本SF傑作シリーズ》、《異色短篇傑作シリーズ》、そして大森望編『ベストSF2023』を7月末に。企画を温めている奇妙な味の短篇集も幾つかありますが、どうなることやら。

（タイトルなどはすべて仮）

中央公論新社

昨年当欄で「森見登美彦『シャーロック・ホームズの凱旋』を刊行します。（中略）SFM愛読者にこそオススメしたい超弩級エンタメです！」と宣言しましたが、もうしばしお待ちを。大スランプのホームズとワトソンが怒濤の空転を繰り広げながら、いつしかみなさんを驚異の森見ワールドに連れ去ります。乞うご期待！

次に紹介するのは、垣谷美雨『代理母、はじめました』。二〇四〇年、地震は頻発、富士山は噴火、富裕層は長野に逃げ込み、首都移転も噂され……そんな世の中でも「化石ジーサン」が幅を利かせる男社会は変わらない。この生々しいディストピアで十六歳のド貧困女子が乗り出したのは「代理母ビジネス」を使った人生の大逆転！リアルとイフの塩梅が絶妙なこの傑作の文庫化に注目ください！

最後に中国SF情報も。『移動迷宮』『走る赤』と続けて短篇集を編んできましたが、久々に長篇翻訳SFを企画中です。スチームパンク、みなさんお好きでしょ？

東京創元社

国内は、笹本祐一の新シリーズ『星の航海者』、倉田タカシの初短篇集『あなたは月面に倒れている』、藤井太洋『まるで渡り鳥のように』、空木春宵『幻象ファンタスマゴリイ』、宮澤伊織『ときときチャンネル』、八島游舷『天駆せよ法勝寺』、高島雄哉『いであとぴこまむ』、そして創元SF短編賞受賞作も掲載されるSF特集号『紙魚の手帖 vol.12』などの刊行を予定しています。

海外は、ケン・リュウなど東アジアをルーツとする作家たちのアンソロジー『七月七日』、テーマアンソロジーの『AIロボット反乱SF傑作選』のほか、エディ・ロブソン『人類の知らない言葉』、カレン・オズボーン『記憶のアーキテクト』、ジェイムズ・ホワイト『生存の図式』、ジェフリー・フォード『最後の三角形』などをお届けいたします。

また、創元SF文庫六〇周年を記念し、『創元SF文庫総解説』がついに登場。ご期待ください。（タイトルはすべて仮題です）

徳間書店

この欄で予告し始めてから二度ほど年を越してしまった谷口裕貴氏の『アナベル・アノマリー』ですが、ようやく二二年の年末に刊行することができました。徳間文庫より。伴名練氏の熱烈解説とともに、超高密度のサイキックSFエンタメを、ご堪能ください。谷口氏はさっそく新作長篇の構想にも着手。と言っても二三年中の刊行は、難しいかも。

春頃には長く入手困難だった森岡浩之氏の『夢のまた夢　決戦！大坂の陣』を文庫化。また、夢枕獏氏の過去作の掘り起こしもぞくぞくお目見え予定。

月刊文芸PR誌〈読楽〉では夢枕獏氏『闇狩り師　摩多羅神』や武内涼氏『あらごと、わごと』などの伝奇SFが連載中。SF色は薄いけど、小路幸也氏や真藤順丈氏、吉田篤弘氏などの注目作も載ってます。〈読楽〉は電子書籍版もあってKindle Unlimitedで読めたりもするのでお気軽に楽しんでいただければ。以上、本年もよろしくお願いします。

文藝春秋

冲方丁さん『マイ・リトル・ヒーロー』は、eスポーツなど世界的な盛り上がりを見せるオンラインゲームを舞台にした物語。事業を興しては失敗し、妻に愛想をつかされた主人公のノブは、中2の息子が事故で意識不明の重体になってしまう。だがオンラインで息子からメッセージが届き、アバターとしてゲーム世界の中で意志疎通が可能となった二人は、チームを組んで世界トーナメント優勝を目指す、というもの。最新のゲームシーンも分かる一冊です。

THE ALFEEのリーダーとして活躍する高見澤俊彦さん三作目の小説『特撮家族』は、戦国武将を愛する歴女の銀行員・田川美咲が主人公。特撮怪獣好きだった父親が急逝し、兄妹で遺品争奪が勃発。なぜか美咲だけ父の幽霊と話ができ、さらに彼女の恋の行方もからんで――というファンタジイ風のファミリー小説です。

どちらも春頃の刊行予定。家族の絆がテーマと言える、心温まるドラマに仕上がっています。

人気大河シリーズの現在

あの物語はいまどうなっているの？

宇宙英雄ローダン
裏世界ピクニック
グイン・サーガ
マルドゥック・アノニマス

SFやファンタジイの醍醐味のひとつである、長大な大河シリーズの傑作たち。その巻数は、ときに100巻以上にもおよびます。「昔は読んでいたけど最近の展開がわからない！」「最新刊から読み始めたいけど、これまでのお話も知っておきたい！」というみなさまのため、シリーズのすべてを知りつくした書き手たちがあの物語の「今」を解説します。　（編集部）

宇宙英雄ローダン

編集部

《ローダン》シリーズは現在も毎月二冊の刊行を続けており、二〇二三年二月上旬刊で六百八十二巻になります。《クロノフォシル》サイクルの終盤で、銀河系にエスタルトゥの超越知性体を信奉するソトと呼ばれる使者と十二人の永遠の戦士らによって、ギャラクティカム諸種族は支配されてしまいます。ローダンらは、永遠の戦士とソト＝ティグ・イアンに対抗するための反体制組織〝ネットウォーカー〟の一員として活動を始めました。

六五〇巻後半から始まる《ネットウォーカー》サイクルでは、ローダンの娘エイレーネもネットウォーカーの一員となりました。

では、二〇二二年二月下旬以降に刊行した巻のあらすじを紹介していきます。

オルフェウス迷宮で救出されたダントンとテケナーは永遠の戦士イジャルコルから次回の「生命ゲーム」の運営を任され、表向きはその任務を引き受けた。そしてオファラー合唱団指揮者サラアム・シインと協力し永遠の戦士が支配する紋章の門を破壊する。意気消沈したイジャルコルは昔の記憶を取り戻し、ネットウォーカーに同調することとなる。

ソト＝ティグ・イアンは部下のハンター旅団指揮官であるクティシャをファジーによって倒され、激怒して超巨大ブラックホールで銀河系を壊滅させようとするが、前ソトのタル・ケルが決闘を挑み、ついに倒された。

〝不吉な前兆のカゲロウ〟が、カルタン人が植民地〝タルカニウム〟にためこんだパラ露を狙ってくることを知ったローダンは、カルタン人の庇護者ダオ・リンにその厄災をそらす約束をする。ローダンはイジャルコルと話し、永遠の戦士を味方につけた。

この一連の事件の間に、タルカン人たちの過去が少しずつ明らかになる——今から五万年前、エスタルトゥの超越知性体は、寿命が尽きようとしているタルカン宇宙の種族の救難に旅立ち、プテルス種族に留守を任せた。その後タルカン宇宙からカルタン人を乗せた巨大宇宙船が到着、彼らが第三の道の哲学をもたらすが、永遠の戦士を使って銀河を支配しようとしていたプテルス種族は、カルタン人を排斥した。異宇宙からきたカルタン人の真の目的は、寿命が尽きるタルカン宇宙にある故郷のハンガイ銀河を、こちらの宇宙に転移させることだった——そしてNGZ四四七年一月三十一日、カゲロウの襲来を阻止できず、彼らがタルカニウム宙域に出現してパラ露を爆燃させたために発生したハイパー次元振動によって、ハンガイ銀河の最初の四分の一がタルカン宇宙から転移してきた。

この先からは六七五巻後半から始まる《タルカン》サイクルとなります。

タルカン宇宙からのハンガイ銀河転移の衝撃は、こちら側の通常宇宙にも様々な影響を与えていた。ローダンは死にゆくタルカン宇宙に弾き飛ばされ、通常宇宙側ではプシオン・ネットの消滅によりネットウォーカーは解散することとなった。コスモクラートの禁令が解かれたアトランは故郷銀河に帰還し、ローダン救出のため、異銀河への遠征隊を組織する。一方、ローダンはタルカン宇宙で通常宇宙へ帰る方法を必死に模索するが……。

ドイツ語版は二月に三千二百七話（日本語版の千六百四十四巻相当）に到達しています。

アルント・エルマー、ペーター・グリーゼ、ほか／星谷馨、ほか訳／既刊：682巻／ハヤカワ文庫ＳＦ

あの物語はいまどうなっているの?──人気大河シリーズの現在

裏世界ピクニック

編集部

宮澤伊織／既刊：８巻／ハヤカワ文庫ＪＡ

二〇一七年二月に第一巻が刊行された百合SFホラー『裏世界ピクニック』、漫画化やアニメ化を経ながら今年一月ついに第八巻が刊行となりました。これまでは空魚と鳥子の主人公二人が描かれることの多かったカバーイラストは意味深な表情の鳥子ひとりだけ、サブタイトルは「共犯者の終り」。ハヤカワSFの読者ならファーストコンタクトSFの古典であるアーサー・C・クラーク『幼年期の終り』を連想するかもしれません。帯文も「私を好きなあの子が怖い。」と思わせぶり尽くしの最新巻。今からでも追いつけるようここまでの物語を振り返ってみます。

この現実と隣り合わせで謎だらけの異界、裏世界。「くねくね」「八尺様」などネットロアとよばれる怪異が出没して、常に発狂や死のリスクが付きまとう場所を、自分だけの遊び場だと考えていた女子大生・紙越空魚。そんな空魚が正体不明の金髪美人・仁科鳥子と出逢ったことで、裏世界の異物を買い取る小桜やそのバックにいるDS研とかかわりを持ち始めます。裏世界への危険な探検を繰り返し、時には向こう側にいる謎の存在からの干渉もありつつ、空魚と鳥子は互いに欠かせないバディとなっていきます。

鳥子が裏世界で探していたかつての「大切な人」、閏間冴月は怪異となって空魚たちの前に何度も立ちはだかりますが、第七巻ではついにキレた空魚が冴月を倒す──裏世界のルールで祓うための「葬式」を行なうことを決意。冴月に対する感情を振り切りたい鳥子と小桜に加えて、元カルト教祖で今はDS研に収監中の少女・潤巳るなの四人によって命からがら葬儀を終えたところから、最新八巻の物語は始まります。

もともと鳥子は空魚への好意を隠していませんでしたが、冴月の問題が解決したことで今巻ではそれがさらに加速。あらためて自身の想いを告げるとともに、空魚のほうは鳥子のことをどう思っているのか聞いてきます。空魚は鳥子の気持ちには気付いていながら、自分からの答えを鳥子に伝える準備ができていなかったこと、それどころか自分でもまだ自らの気持ちがわかっていないことに打ちのめされます。鳥子はそんな空魚の反応を予期していたように、一週間後にもう一度答えを聞きたい、それまでは会わないようにしよう……と提案。そうして鳥子抜きで自分の感情と向き合うことになった空魚が、周囲の人々とも対話を重ねながら覚悟を決めていくのが第八巻の物語です。

意外と肌に合っている大学のゼミ、裏世界探検を経済面や知識面などからサポートしてくれてビジネス的に対等の関係を築けているDS研、裏世界の秘密を共有してなお自分になついてくれている後輩とその友達。空魚と鳥子のことをずっと見守ってきた小桜。積み重ねてきた物語の重さが、交わされる対話の熱量に変わっていくのが読みどころ。

空魚は鳥子の「知ってる? 共犯者って、この世でもっとも親密な関係なんだって」という言葉を受け、自分たち2人を「共犯者」とみなしてきました。その関係性が終わりを迎える第八巻。空魚が再会した鳥子にどんな答えを告げるのか、ぜひ読者の皆さんの目で見届けてください。

グイン・サーガ

八巻大樹

二〇二〇年七月以降、しばらく動きを止めていたグイン・サーガの物語世界だったが、昨年十一月についに続篇が刊行され、その時が再び流れはじめた。キタイに蹂躙され壊滅状態にあるパロの、あるいは盤石と見えた体制のほころびが拡大するケイロニアの、あるいは足下で反乱の火の手があがったゴーラの行く末やいかに、と気を揉んでいた読者も安堵されたのではないだろうか。それでは昨年刊行された第百四十八巻『トーラスの炎』のストーリーを振りかえってみよう。

ゴーラの占領下にあるモンゴールで反乱が起こり、首都トーラスが陥落した。しかも反乱軍は、ゴーラ王イシュトヴァーンの幼い息子ドリアンを誘拐し、モンゴールの新大公として擁立しているという。滞在先のパロでその知らせを受けたイシュトヴァーンは激怒し、ただちにゴーラの首都イシュタールに帰還すると、三万の兵を率いてモンゴールに向けて遠征した。ゴーラの殺人王出陣の知らせに、反乱軍と市民に動揺が走る。イシュトヴァーンは自ら軍の先頭に立ち、ただちに国境を突破すると旗本隊五千のみを率いて先行し、トーラスに向けて怒濤のごとく進軍した。

それに対しモンゴール反乱軍は、将軍アリオン率いる二万の大軍を派遣し、イシュトヴァーンを迎え撃った。しかし、巧みに陽動するイシュトヴァーンの奔放な戦いぶりに、反乱軍は翻弄されてゆく。アリオンは軍を必死に鼓舞し、イシュトヴァーンの首を狙うが、遅れてきた本隊と合流したゴーラ軍の勢いは凄まじく、反乱軍はトーラスでの籠城を余儀なくされた。

トーラスに迫ったイシュトヴァーンは郊外の街に火をかけた。それはモンゴールを壊滅させ、消滅させるという意思表示に他ならなかった。もはや勝ち目なしとみた反乱の首謀者のひとりホン・ウェンは、王子ドリアンを僭称させていた幼児を連れ、トーラスを密かに脱出した。

首都を襲う炎とともに、ゴーラ軍はトーラスに突入した。偽のドリアンという切り札を失った反乱軍はまたたく間に崩壊した。イシュトヴァーンはアリオンをはじめとする反乱の首謀者たちを捉えると、モンゴールの象徴たる金蠍宮を容赦なく焼き払い、わずかな兵を守備に残してイシュタールに帰還した。

一方、沿海州では各国の思惑が交錯するなか、パロへの軍隊派遣の準備が進められていた。またケイロニアにも、猖獗を極めた黒死病や選帝侯ディモスの造反、王妃シルヴィアの失踪が暗い影を落としていた。そしてサイロンに滞在中のパロの王子マリウスと聖騎士伯リギアも、因縁浅からぬトーラスの悲劇や死去したはずのアルド・ナリス復活の報に動揺を隠せずにいたのであった。

かくして風雲急を告げる物語の次巻として、『ドライドンの曙』の刊行が既に予告されている。また三月からは外伝『サリア遊廓の聖女』（全三巻）が三ヵ月連続で刊行される。この外伝では、かつて祖国パロを捨てたマリウスが、快楽の都タイスの遊廓で出会った少女の謎めいた失踪事件に巻き込まれ、その救出と真相の解明に挑むとともに、自らの出生の秘密にも迫る冒険が描かれる。ぜひ正篇と合わせ、お楽しみいただきたい。

栗本薫、五代ゆう、宵野ゆめ、ほか／既刊：正篇148巻、外伝26巻／ハヤカワ文庫ＪＡ

あの物語はいまどうなっているの？――人気大河シリーズの現在

マルドゥック・アノニマス

編集部

万能機械存在（ユニバーサルアイテム）のネズミであるウフコックが、委任事件担当官として出会った少女娼婦バロットを救済する物語『マルドゥック・スクランブル』。ハヤカワ文庫ＪＡのレーベル内レーベル「次世代型作家のリアル・フィクション」の第一弾として、２００３年５月から３カ月連続刊行、日本ＳＦ大賞を史上最年少で受賞しました。

続く第２作『マルドゥック・ヴェロシティ』は、『スクランブル』の前日譚として、ウフコックと委任事件担当官の相棒ボイルドとの訣別の物語。２００６年11月に全３巻が週刊で刊行されて話題を呼びました。

『スクランブル』は、大今良時氏（『聲の形』『不滅のあなたへ』）によるコミカライズを経て、２０１０年にはバロット役に林原めぐみを迎えて劇場アニメ化、原作も文庫３巻の「完全版」と単行本の「改訂新版」という、内容が異なる２つの新バージョンが刊行されました。

そしてついに、『スクランブル』後のバロットとウフコックの物語にして、３部作完結篇『マルドゥック・アノニマス』が、ＳＦマガジン２０１５年２月号より連載開始。文庫版も２０１６年からほぼ年１冊のペースで刊行、予告されたウフコックの死を極点に、マルドゥック市（シティ）の政治／経済／社会／文化／犯罪……あらゆる様相を描く長大なシリーズとして現在も継続中です（既刊７巻）。

新たな相棒のロックとともにオクトーバー社の内部告発の調査にあたるウフコックですが、謎の男ハンターが率いる〈クインテット〉の襲撃により、ロックが惨殺されてしまいます。〈名無し（アノニマス）〉として孤独な潜入捜査を続けるウフコックでしたが、ついに〈クインテット〉に囚われの身となってしまいます。以上が、第１部ともいえる３巻まで。

バロットが穏やかな学園生活を送り、法曹の道をめざして成長する過去パートと、〈クインテット〉のエンハンサーたちを退けつつ、ガス室で死を待つウフコックを救出するまでの現在パートが交互に描かれるのが、第２部ともいえる６巻まで。

そして最新７巻では、実は〈シザース〉と判明したハンターが、そのゆらぎを司るナタリア・ボイルドと邂逅、その父である〝眠れない男〟の影までがちらつきます。〈イースターズ・オフィス〉に復帰したウフコックは仲間を救うため再び潜入捜査へ、バロットは恩師のクローバー教授とともにオクトーバー社を相手取った集団薬害訴訟に臨みます。〈イースターズ・オフィス〉と〈クインテット〉の対立に、〈シザース〉〈円卓〉〈楽園〉の思惑まで絡み、長大なサーガは法廷篇ともいえる完結の第３部へ――

というところで、２０２３年５月に刊行予定の第８巻は、ある意味、まったく意外な展開を迎えます。そこには、マルドゥック市という都市のすべてを射程に収め、小説の限界に挑戦しようとする著者・冲方丁の覚悟が表れています。シリーズ誕生からちょうど20年を画し、『アノニマス』はまた新たなフェイズに入ります。ご期待ください。

冲方丁／既刊：７巻　８巻・５月刊行予定／ハヤカワ文庫ＪＡ

マーダーボットちゃん
いいキャラしてる
名前が無い
のがいい
無いんじゃ
なくて
明かして
ないんじゃ
なかった？
メンサーとか
周りの人間が
名前つけたりしない
ところも良いよ
名付けることは
支配することと
同じだから

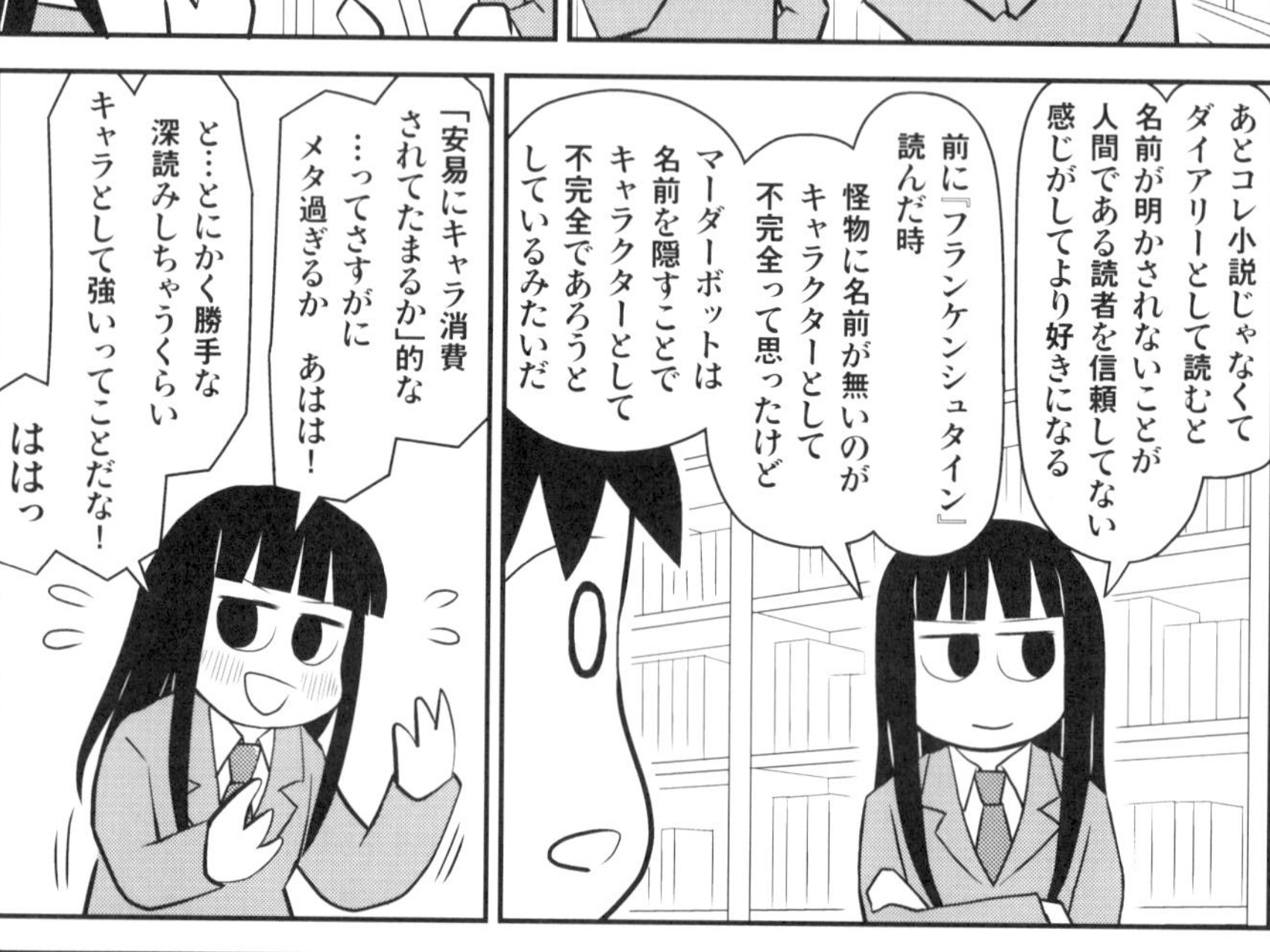
あとコレ小説じゃなくて
ダイアリーとして読むと
名前が明かされないことが
人間である読者を信頼してない
感じがしてより好きになる
前に『フランケンシュタイン』
読んだ時
怪物に名前が無いのが
キャラクターとして
不完全って思ったけど
マーダーボットは
名前を隠すことで
キャラクターとして
不完全であろうと
しているみたいだ
「安易にキャラ消費
されてたまるか」的な
…ってさすがに
メタ過ぎるか　あはは！
と…とにかく勝手な
深読みしちゃうくらい
キャラとして強いってことだな！
ははっ

神林も
負けてないよ

へ？

特別企画

2023年のわたし

いよいよ2023年がはじまりました。今年、気になるあの人はどんな仕事が控えているのでしょうか？

2010年以降の「ベストSF〔国内篇〕」の10位以内に入った作家・評論家、「ハヤカワSFコンテスト」受賞作家のみなさまに、2023年の活動予定から所信表明、近況にいたるまで、「2023年のわたし」がなにをするのかを教えてもらいました。（編集部）

安野貴博
石川宗生
柞刈湯葉
上田早夕里
空木春宵
円城 塔
大森 望
小川一水
小川 哲
小川楽喜
岡和田晃
オキシタケヒコ
小田雅久仁
笠井 潔
片瀬二郎
神林長平
北野勇作
九岡 望
日下三蔵
草野原々
倉田タカシ
黒石迩守
五代ゆう
塩崎ツトム
柴田勝家
十三不塔
菅 浩江
高島雄哉
高野史緒
高山羽根子
竹田人造
巽 孝之
津久井五月
飛 浩隆
酉島伝法
長山靖生
仁木 稔
人間六度
野﨑まど
法月綸太郎
長谷敏司
葉月十夏
林 譲治
春暮康一
樋口恭介
久永実木彦
藤井太洋
牧野 修
宮内悠介
宮澤伊織

安野貴博

二二年を振り返ると、デビュー作『サーキット・スイッチャー』を刊行することができ、短篇についてもアンソロジー『2084年のSF』に「フリーフォール」を、SFマガジン「AIとの距離感」特集に「純粋人間芸術」をそれぞれ掲載いただきました。技術面では Stable Diffusion などの画像生成AIをよく触っておりました。私自身は絵が全く描けないのですが、おかげさまで、画像生成AI一本足打法でイギリスの美術大学で準修士を取得することができました。

二三年は執筆の時間がもっと増えるはずなので、二作目の長篇に取り組みたいと思っています。詳細は未定ですが、現時点で短篇もいくつか出させていただく予定です。もしかしたら文字媒体以外にも何か出せるかもしれません。技術面では画像生成AIの産業応用、大規模言語モデルのオープン化や、小説執筆への応用あたりにブレークスルーの予感があるので、ウォッチしていきたいと思います。今年もよろしくお願いします！

石川宗生

二〇二三年は投資企画を行うかもしれないので楽しみにしております。冗談半分の提案でも言ってみるものだなあと。ドル円は一三〇円割ってから一五〇円弱あたりまで修正波で上昇、そして時間を掛けながら一一〇円を目指していくというのが理想のシナリオですが、どうでしょうか。

柞刈湯葉

昨年は河出書房新社より短篇集『まず牛を球とします。』、産業編集センターより『SF作家の地球旅行記』を上梓した。SFに続いて旅行記を出せるとは椎名誠フォロワーとして光栄の至りである。順当に行けば次は育児エッセイで一気に難易度が上がる。

新潮社yomyomで連載中の「幽霊を信じない理系大学生、霊媒師のバイトをする」は夏頃完結の予定。週刊連載なので担当さんに毎週頭を下げて背筋が鍛えられる。その次の連載企画も順調。大抵の連載は開始までは順調に見える。

これを書いている時点で三十四歳。もうすぐ厚労省の定義する中年に突入する。言われてみると中性脂肪とか親の介護とかiDeCoとかいったものが気になり始めている。姪も産まれたので「お年玉　何歳から」とか検索している。次世代に伝えられることは多くないが、せいぜい「令和初期の人々はこんな未来を考えていました」というサンプルを残していきたい。

上田早夕里

二〇二三年は作家デビュー二十周年にあたります。これまで様々な形で支えて下さった皆様には、この場を借りて御礼申し上げます。この先どれぐらいの歳月が自分に残されているのかわかりませんが、なるべく長く仕事を続けられるように努めます。

今年もSFと歴史の両方で仕事をします。十年ぐらい取り組んできた戦時上海シリーズが、ようやく最後の作品『上海灯蛾』（双葉社）まで辿り着きました。発売は三月二十二日。日本を含むアジアの近代史はとても面白いので、今後も機会があるたびに作品に反映させるつもりです。『播磨国妖綺譚』の第二巻（文藝春秋）は予定通りに進行すれば年内に刊行予定。オーシャンクロニクル・シリーズは、人類滅亡後の世界をルーシィたちが生き抜く「ルーシィ篇」を執筆中。『夢みる葦笛』に続く四冊目となる個人短篇集も準備中です。その他、短篇、長篇、まだ公開できない情報などもあります。最も早い新情報は夏頃に出るかも。

空木春宵

様々なアンソロジーや企画に参加させていただいた昨年の勢いそのままに！……と思っていた矢先、新年早々、新型コロナウィルスに感染してしまい、現在、自宅療養中（軽症）です。

とまぁ、思いきり出鼻を挫かれましたが、皆さまに応援していただいた甲斐もあり、ありがたいことにお仕事の依頼は引き続き各方面からいただいておりますので、何とか立て直します。

直近では一月下旬〜二月初旬頃メドで新作短篇を発表するほか、五月刊行予定のテーマアンソロジーへの寄稿も決まっています。もしかすると、その間にもう一本、別の企画にも参加させていただけるかもしれませんが、はたして。

また、夏には『幻象ファンタスマゴリイ』と題した第二作品集が東京創元社から刊行される予定です。更に、刊行時期は未定ですが、第一長篇にも取り掛かることとなりそうです。

今年も全力で駆け続けますので、見守っていただけますと幸いです！

円城 塔

〈文學界〉での「機械仏教史」の連載は十二回まで続く予定です。機械が The Zen of Python に辿り着いたり、メカ親鸞が起動したりする予定です。

いつの間にか〈新潮〉で「去年、本能寺で」の不定期連載がはじまりました。特にＡＩモノではなく偽史モノで、「去年マリエンバートで」みたいになります。ならないかもしれません。全十回程度の見込みです。

論文調でなにか書く計画は、ある程度正しいことを書かなければいけないので、なかなか進んでいません。

機械に何か書かせる計画は、まずデータがないとどうにもできなくないかということで、https://github.com/EnJoeToh/stories_2000 をはじめました。

アニメーション業界の人と話をしていると、とにかく原作がない、とのことで、企画段階からなにかそういう組み立てを狙った作成方法ってあるんじゃないの、と考えたりする日々です。

大森 望

春ごろには『NOVA 2023年夏号』を河出文庫から刊行予定。すでに原稿は揃ってて、けっこう分厚くなりそうです。いままでにない趣向の一冊ですが、どんな趣向かはまだひみつ。夏には竹書房文庫から『ベストSF2023』を出せるといいなあ。

二〇二三年はヴォネガット生誕百周年記念イヤーということで、架空インタビュー集 *God Bless You, Dr. Kevorkian* と本物のインタビュー本 *Like Shaking Hands with God* を合体させた一冊が五月ごろ出る予定。前者は浅倉久志氏の部分訳があるので（yomyom1号）、それを含めた共訳になります。

中国SFでは、三月に『円 劉慈欣短篇集』が文庫化。夏には劉慈欣の第一長篇『超新星紀元』が刊行予定（光吉さくら、ワン・チャイ両氏と共訳）。さらに、もしかしたら年内にコニー・ウィリスの最新長篇 *The Road to Roswell* が出るかも。出ないかも。ドタバタUFO珍道中ラブコメです。乞うご期待。

小川一水

二〇二三年の春に『ツインスター・サイクロン・ランナウェイ』の三巻を出します。これについては多分さらに続きの展開があると思います。また別の出版社さんと戦争ものの構想を進めていますが、これの発表は再来年以降になるでしょう。昨年までにここで話した「無限についての話」はまだ形になりません。また、以前から巨大歩行都市ものの構想を一本抱えており、これもどこかで出したいところです。

疫病と戦争と不景気に加えて、AIによる創作への挑戦まで始まりました。これらの困難と戦って書くか、あるいは我関せず焉と空想を開陳し続けるか。両方考えますが、俺どっちでもねえやなという気持ちになっています。双方を混ぜていくでしょう。いずれにせよ書き続けます。また一年頑張りましょう。

小川 哲

2023年の小川哲は、この年で六十二歳である。

「なあに、もうすぐ定年だよ」と哲平が言った。

「そうか……それにしても、よく頑張ったね」

「おまえも、まだ若いのによくやったよ。偉いぞ」哲平は笑った。

「何言ってるんだ。あんただって、あと一年じゃないか」

「まあな……」二人は笑い合った。

「それじゃあ、またな」

「うん、元気でやれよ」

「お互いにな」

哲平は、手を上げてタクシーに乗った。

運転手が、車を発進させた。哲平の姿が小さくなって行く。

「さようなら、哲ちゃん！」美千代の声がした。

（「AIのべりすと」を使用して書いています）

小川楽喜

一月に拙作『標本作家』が刊行されました。過去に上梓した経験があるため、厳密な意味でのデビュー作とは云えないのかもしれませんが、私にとってはこの作品こそが精神的なデビュー作であり、これからの作家生活のスタート地点にもなると思っています。

この地点から、どこに向かって、どのように進んでいくのか――それは、難しい問題です。私は遅筆です。コンスタントに作品を発表する事はできないかもしれません。しかし、どんなに時間がかかろうと、常にそのときの自分にとってのオールアウト、全身全霊をささげた作品を、発表したいと思っています。

スリップストリーム文学という言葉があります。人により定義は様々でしょうが、私は、ジャンルに縛られない小説の事だと認識しています。私はSFが好きです。そして、純文学も好きです。叶うなら、両者の境界を破壊するような小説を書きたい――。私が向かう先は、そこになるのかもしれません。

岡和田晃

昨年は『ウォーハンマーRPG』のシナリオが長短五冊に『T&Tビギナーズバンドル』、鳩沢佐美夫の項目を担当した『アイヌ文化史辞典』が出、『エクリプス・フェイズ』基本ルールブックは増刷改訂。山野浩一の小説『いかに終わるか』に新版『花と機械とゲシタルト』も出せました。朗読イベントに五本呼ばれ、『日本現代詩選2022』に拙詩。ゲームデザインは英語原稿デビュー。

編集長をつとめる〈ナイトランド・クォータリー〉では引き続き、ムアコックエサードのM・W・ウェルマン『ジョン・サンストーン』(仮、二分冊)に翻訳雑誌掲載版権を取得。今年は他にアトリ参加、私の評論集も出版予定。〈唯物論研究〉の山野浩一論は完結、山野『レヴォリューション』を小鳥遊書房から復刊。他の連載は継続。〈図書新聞〉でディッシュ書評、ホビージャパンでは『ウォーハンマーRPG』関連新作。〈FT新聞〉でも新連載を開始。RPG『モンセギュール1244』全訳完了。

オキシタケヒコ

内藤泰弘先生の超名作『トライガン』をリブート構築した新作アニメ『TRIGUN STAMPEDE』が絶賛放映中です。地上波放送なのにどう考えても映画館クオリティなのでオレンジさん頭がおかしい(良い意味で)。拙者はプリプロダクション段階でお手伝いさせていただきましたが、その際にストーリー原案として書き起こした物語がけっこうな分量ありまして、小説の形にリライトしてどうにかお届けできないかと水面下で調整中です。

あと暗礁に乗り上げたまま出す出す詐欺が続いてる『ノームの学園』や、某料理SFに《通商網》シリーズの続き、もう二年もお待たせしている『筐底(はこぞこ)のエルピス』八巻などなども書かねばならないのですが、なにぶん体はひとつなのでどうかお待ちいただければと。

というかですね、生活費を稼がないと即座に干涸らびる自転車操業状態だし体も順調に壊れてきてますんで、来年もちゃんと生きてたら誰か褒めてください。わりとマジで。

小田雅久仁

今年は、夏ごろに新潮社から肉体の一部をテーマとした怪奇小説集を出す予定です。SF要素は希薄ですが、かつて年刊日本SF傑作選（東京創元社）にも収録していただいた作品も含まれておりますので、SFファンの方々にも楽しんでいただけるかもしれません。それ以外の予定と言えば、これまで同様、雑誌やアンソロジーに幻想怪奇系の中短篇を寄稿させていただくことになろうかと思います。長篇にも挑戦したいと思ってはおりますが、いつになるか皆目わかりません。近況はと言うと、近ごろはよく小説における〝あざとさ〟について考えます。娯楽小説は多かれ少なかれ〝あざとい〟要素の寄せ集めでできており、その〝あざとさ〟を排除していった先に純文学があるのかな、と。巷では純文学はオワコンだなんて言われているけれど、〝あざとさ〟が許されない執筆は、手足を縛られて泳ぐようなもので、それを貫く方々に敬意を表します。

笠井 潔

昨年九月に刊行した『煉獄の時』の背景には、『容疑者Xの献身』をめぐる二十年ほど昔の探偵小説論争がある。たとえば本作にはセーヌ河岸をねぐらとするホームレスが登場する。書評家が気づかないようなので書いてしまうが、こうした設定はもちろん『容疑者X』を意識したものだ。ホロコーストの犠牲者を典型とする、ホームレスにも通じるところの名前と人格、職業と尊厳を剥奪された人々の運命を、本作では描いている。論争当時のことだが、二十世紀探偵小説の観点から『容疑者X』礼讃派を批判したところ、「探偵小説に政治や倫理を持ちこむな」という類の反論が戻ってきた。そうした平板な探偵小説観への実作による応答として、『煉獄の時』は書かれた。本作では登場人物から事件の背景まで、あるいは密室や消失をめぐるトリックまで「政治」と無縁のものは存在しない。あえて「政治や倫理を持ちこんだ」作品こそ、『誰の死体？』にはじまる本来の二十世紀探偵小説だから。

片瀬二郎

さて、去年は新作の発表もなくさっぱりでしたが、今年はどうなることやら。ここ数年で書き溜めた主にホラー小説などを、ネットで発表してみることにしました。小説投稿サイト「カクヨム」で、短篇「ひらたい森の怪物（モンスター）」を公開してます。謎の怪物がひそむひらたい森（フラット・ウッズ）に迷いこんでしまった国家公務員はぶじに逃げ切れるのか？　かわいそうに。

無料で読めます。「カクヨム」HPからユーザ「片瀬二郎」を検索するか、左記URLからどうぞ。

https://kakuyomu.jp/users/kts2r

このあとも続々待機中！　といいたいところですが、まあいい感じのペースでつづけていけたらと思ってるので、お愉しみいただけると幸いです。

神林長平

　昨年の秋にかわいがっていた老猫が亡くなり、メンタル面で打撃を受けた。連載原稿も思うように書けなくなり一時は休載も覚悟したが、少ない枚数でも繋げられれば励みになると自分に言い聞かせて、なんとか書けたのは良かった。

　年が明けても完全復帰とまではいかないのだが、縁あって保護猫を迎えることになり、また猫の世話をする日常がかえってきたことで、あたらしくやって来た猫から元気をもらっている。人間、世話をする対象がなくなると心身ともに不調になる。自分の場合は猫だ。それを思い知った。

　そんなに猫が（生きていく上で）重要なら猫小説を書くといい。そのように二十年来の友人である同業者に勧められて、なるほど、と思ったことだ。

　今年は遅れぎみの連載のペースを取り戻すのが先決だが、いずれそれに挑戦しよう。そういえば、『敵は海賊』は猫が身近にいればこそ書けた作品なので、あれは猫小説だ。

北野勇作

　この何年間かがずっとそうであったように、たぶん今年も変わらずツイッターで【ほぼ百字小説】を書き続けると思います。今年はなんとか五〇〇〇篇の手前くらいまで行けるかな。そして、そこから切り出して配列したいくつかの塊を作品として提示する予定です。その方法がようやくわかってきたところ。これは、自分にとってかなり重要な発見でした。本の形でそれができたら『１００文字ＳＦ』は、このための助走だったのだということがわかっていただけるはず。はたして出せるかどうかは、まだわかりませんが。あと、子供向けのホラーというか怪談というか奇妙な話というか、そういうのが福音館書店から出ます。あ、それと劇団「突劇金魚」の公演『罪と罰』に出演します。大阪近辺の人は観に来てね。

　詳しくはこちら（https://twitter.com/kitanoyu100）に。

九岡 望

　ギリギリ生きてます。二〇二二年はスマホゲーム『テクノロイドユニゾンハート』でアンドロイドのお話を、小説＆ＭＶ等の複合企画『プラントピア』で文明崩壊後の世界を書いたりなどしていました。それらは今年もどんどん続いていくと思いますが、なんかそろそろ火薬や荒廃や血糊が恋しくなってきた気もします。何かしら温めているものも幾つかあるので、その辺りもしっかり詰めていきたいなと思っています。猫の話か犬の話が書きたいです。

日下三蔵

昨年は、竹書房文庫《日本SF傑作シリーズ》から、草上仁『大人になる時』、横田順彌『日露戦争秘話　西郷隆盛を救出せよ』、眉村卓『仕事ください』の三冊を刊行しました。詳細は未定ですが、このシリーズは今年も続けて出して行けそうです。

また、竹書房文庫では姉妹篇の《異色短篇傑作シリーズ》も続刊を予定していますので、ご期待ください。

筒井康隆さん新編集企画では、積み残しになっている早川書房のエッセイ集成二巻、盛林堂の深井国さん画「東京の黄昏」を、今年こそは何とか形にしたい。

某社で十三年前から塩漬けになっている古典SFアンソロジー企画は、昨年、私の預かり知らないところで近刊予告がいくつか出ていましたが、予告を出す前にゲラを出して欲しいところです……。

それはともかく、今年も頑張りますので、引き続き応援よろしくお願いいたします。

草野原々

悪いニュースから始めましょう。二〇二二年のうちにガガガ文庫さんからシリーズ開始予定であった『コズミック・アルケミスト』ですが、担当編集者さんが急な異動となり、企画が空中に浮いたまま停止してしまっている状況です。空中分解すると悲しすぎて、おそらくわたしが泣いてしまうと思うので、なんとか刊行していただきたいところでございます。アリストテレス的四元素論とプトレマイオス的天動説が成立する世界で、黄金時代SFを彷彿とさせるスペースオペラが描かれます。よだれが出るほど面白そうですね。自分の作品を評価してくれる編集者さまは、すさまじく貴重な存在だということを、今回の件で実感しました。編集者さまを信仰対象とする信念システムを創りたいくらいです。また、詳細は明かせませんが、共作小説の企画が早川書房さんで進行中です。うまく進めば年内には発表できるでしょう（うまく進んでほしいぃ！）。最近は改変歴史と無性・両性具有キャラに興味があります。

倉田タカシ

「ごめんください、AIが生成したお米です」

「お米なのに歩く……」

「お米のクオリアがたっぷりですよ。澱粉は含まれませんので、ご家庭でご調整ください」

「思い起こせば数年前、スーパーに並ぶ野菜のパッケージに印刷された、『わたしが育てました』と笑いかける生産者の顔写真が既にことごとくAI生成物だったのである。それらのパッケージに収められた野菜もすべて3Dプリントされたレジンの塊であった。あの場所は本当にスーパーマーケットだったのだろうか」

「西荻窪にそういう店がありましたよね」

「最後に米を食べたのがいつだったか、もはや思い出せなくなっていた。疲れを知らぬ子犬のように、文明がわたしを追い越していく」

「無洗米ですから、洗わないようにご注意ください。洗うと破壊不能の泡になります」

「おいくらですか」

黒石迩守

昨年に引き続き、いまだに本業の会社が受けたサイバー攻撃の復旧作業に追われています。みなさんも上層部によるグランドデザインの詰めが甘いプロジェクトには気をつけてください。

作家業としては、とてもありがたいことに『新しい世界を生きるための14のSF』に、「くすんだ言語」を採録していただきました。

現在は、書き下ろしの短篇作品の準備を進めています。哲学的ゾンビを題材にしたものをぼんやりと考えているところです。

半ば執筆のリハビリのような感じになっていますが、今年中に発表できるよう、頑張って参ります。

五代ゆう

今年もグインの続きを頑張りたいと思います。最近進む速度が落ちてるので頑張ってもっと早く進めたいなと。

できれば年に三冊は出したいところなんですがどうでしょうか。昨年は一冊だったので、今年はせめて二冊を目指して頑張りたいと思います。

懸案のオリジナルもすきまがあれば進めたいのですが、とりあえずは目の前のことからこつこつと進めていきたいと思います。今年もよろしくお願いいたします。

近況としては非常勤で勤務している大学のお仕事で生徒さんの卒業制作を受け持つことになりました。生徒さんの一生に一度の作品制作にかかわらせていただけるということで光栄であるとともに、責任も感じています。生徒さんともどもよき作品制作になるよう、こちらも力を尽くしていきたいです。

塩崎ツトム

塩崎ツトムと申します。早川書房の塩澤さんに「『ダイダロス』の宣伝を是非」と言っていただいたので、お言葉に甘えてこの場をお借りしてお知らせします。本作は五年前に半分書いたところで中断した作品を書き直したものです。デビュー作に化けるならさっさと書き終えておければよかった。

本作はSFコンテスト受賞時のあらすじ紹介で「マジックリアリズム」と紹介いただきましたが、最も敬愛するノーベル賞作家・バルガス＝リョサに少しでも近づきたいという思いで書いたので、マジックリアリズムとはジャンルが若干違います。選考委員の方々からは「SFの賞の趣旨に合致するのか（大意）」という講評を多くいただいたので、つまるところわたしは何を書いたのでしょうか。面白い小説だということは保証いたします。

そういうわけで『ダイダロス』は二月二十一日発売です。よろしくね。

柴田勝家

まず昨年の振り返りをしようと思うも、今年の目標は「退かぬ媚びぬ省みぬの精神で生きる」なので何も振り返りません。それはそれとして、昨年の十一月に第二短篇集の『走馬灯のセトリは考えておいて』が出ました。宜しくお願いします。

さて、今年についてのことは本当に何一つ決まっていません。例のごとく「早川書房で長篇を書く予定で……」と言いたいのですが、これを言い切るには自信がない。なので早々に退く覚悟をしておきます。

以上を踏まえ、今年は仕事をいくつか予定しているものの、今の段階で世に出せるものもなきところ。よってご入用とあらば、いくらでも手伝いたきところにて。へへぇ、皆々様には宜しく頼みたい次第です。

よし、今年も年始から退いたし媚びたし省みることができたな。

十三不塔

昨年はいくつかのアンソロジーに参加しました。また福島のＦ－ｃｏｎでは独特の熱気を味わうことができました。忙しくも楽しい一年でした。で、あけて二〇二三年の本年、ぼちぼち長い作品を書きたいと思ってたところ、なぜかフラッシュフィクションのご依頼を頂きました。

〈小説すばる〉2月号の千字一話の「編集攻記」なる掌篇でSF警察を爆殺しております。これで安心してふざけたSFを書けるはず。〈ＣＡＬＬ　Ｍａｇａｚｉｎｅ〉というフラッシュフィクション専門誌には「玄武」というホラーを載せております。新年だからと気張る歳でもないので勤勉かつマイペースにやっていきたいです。どうにか〈ＳＦマガジン〉にも作品を発表したいものです。ピロリ菌検査と健康診断も忘れてはならないでしょう。さらに体力作りの一環として日本中の低山を片っ端から制覇しようと思っています。

菅 浩江

シラスで「菅浩江のネコ乱入！」の配信を始めて一年経ちました。ｎｏｔｅとあわせて、私なりのノウハウを次世代に伝えていきたいと思います。無料部分もありますので、ぜひご覧ください。

今年からはSF大会に悩まされることもないので、きちんと仕事中心の生活を組めます。準備半ばの懸案事項も二件あり、独立短篇のご注文もあり、各種選考委員にもお誘いいただいて、たいへんありがたい状況です。もう十年ぐらい言っている長篇も形にしたいですね。

国語の教科書審議会は十年の任期を満了しました。就任中は公共での発言ができませんでしたが、学んだことを整理してみなさんにも発信していこうと思います。

CG関係や「ネコ乱」メンバーのアンソロジーなど、周辺のことごとも勉強しつつ進めますので、今年もぜひともご贔屓に。最新の情報はＴｗｉｔｔｅｒでお知らせしています。@Hiroe_Suga

高島雄哉

『機動戦士ガンダム 水星の魔女』にSF考証として参加、ノベライズを月刊ガンダムエースで連載しています（こちら、単行本オリジナルの外伝小説を合わせて、紙＋電子で同時発売予定）。アニメ本篇は絶賛配信中、今年四月からはシーズン2がTV放送スタート！

他の参加作品やイベントも春から発表。ツイッター（@7u7a_TAKASHIMA）等でお知らせいたします。

第1回〈AIのべりすと文学賞〉にて最優秀賞をいただいた『798ゴーストオークション（仮）』が出版予定です。

AI協働執筆オンライン連載『失われた青を求めて』は年内に完結、〈環境としてのAI〉についての新書やノンフィクションなど書籍化企画が進行中。

――という日々のなかで書き進めています、SF考証お仕事小説『いであとぴこまむ』を今年中にはきっと。ふたりの新人SF考証いであとぴこまむがアニメーション制作の果てにたどりつく、SFと世界の深層とは――お楽しみに！

高野史緒

去年はSF大賞を取り損ね、期待して下さった皆様ごめんなさいでございました。懲りずに頑張ります。気を取り直して、今年はまず、スコットランドのLuna Press Publishing から中篇「白鳥の騎士」の英語版 "Swan Knight" が、Sharni Wilson さんの翻訳で単著として出ます。同作は短篇集『ヴェネツィアの恋人』（河出書房新社）に収録されているものですが、英語版用にちょっと改訂しているので別ヴァージョンです。このヴァージョンも国内のどこかで発表できといいですねえ。次は、去年予告して出せなかった「グラーフ・ツェッペリン 夏の飛行」の長篇版は基本的に書き終わりましたので今年こそ出します。新作は、本を作る現場に関する連作短篇と、帝政ロシアのミステリを準備中。執筆自体は例によって低速です～。気長にお待ちいただければ幸いです。

高山羽根子

いまの状態で決まっているものから。一月に『パレードのシステム』という本が講談社から出ています。またおそらく文庫が現状とりあえず原稿のやりとりがあるものがふたつあり、短篇はアンソロジーのいくつかに原稿を書いているので、なんかよっぽどあれなことがなければ出るんじゃないかと思います。電子書籍先行で新しい中篇が出ます。そうしてウェブ媒体に短篇小説とエッセイを。これらはもうある程度手を離れた原稿たちなので、確実に世に出ると思います。引き続き東京新聞に美術評と北日本新聞にエッセイを連載しています。あと進めているのはマーダーミステリーという推理ゲーム。二月ぐらいにはMXの番組とネットフリックスの番宣的な映像でなんか話しています。今書いているものは今年中に何らかの形で出せればと思います。まずは健康です。まあすごい健康でなくてもいいですが、生きていきます。

竹田人造

お世話になっております。竹田人造と申します。昨年は『AI法廷のハッカー弁護士』という法廷SFの本を出せました。初めての単行本だったので気色悪いほど触りまくったのですが、やっぱり質量と手触りっていいですね。情報生命体への進化を少し待ってやってもいいかと思いました。あと短篇も書けたので、まずまずといった感じです。

二〇二三年は活動の幅的なものがふわっと広がる気配を感じています。作品出す→仕事貰えるのサイクルがじんわり回り始めた気がして嬉しいですね。少なくとも今年の後半以降にはなるのですが、それなりの頻度で何かしらをアレできるといいなぁと思います。

あまり内容に言及出来なくて申し訳ないですが、とにかく周りの方々の優しさに支えられて何とかやっていけそうです。もし私の名前のついた作品をどこかで見かけましたら、お手にとっていただけますと幸いです。何にせよ性格悪い奴が活躍するSFのはずです。

巽 孝之

昨年のいまごろは講師を務めたNHK ETV「100分de名著」のエドガー・アラン・ポーの回が三月に四週間分放映されるため、教科書を書いたりスタジオ収録したりと多忙を極めた。しかし並行して、スペイン・ポー学会の重鎮ホセ・イバネスとサンティアゴ・ロドリゲスの共編になる論集『レトロスペクティヴ・ポー』*Retrospective Poe*（パルグレイヴ・マクミラン社、二〇二三年一月刊行）への寄稿を要請されたため、「群衆の人々――ポー、乱歩、坂手洋二」なる英文論考を書き下ろし、その校閲にも余念がなかった。

そうこうしていたら、なんとあの番組でも扱ったポー唯一の長篇小説『アーサー・ゴードン・ピムの冒険』（一八三八年）のネタ本、ジョン・クリーヴズ・シムズの長篇小説『シムゾニア』（一八二〇年、アダム・シーボーン名義）を本邦初訳しないかという依頼が舞い込む。空洞地球SFの起源の起源をいかに料理できるか、今からワクワクしている。

津久井五月

デビューから丸五年。その間ちまちまと続けてきた制作と考え事を昨年末に一旦まとめて区切りをつけ、今年から再スタートという気持ちです。

今年は春から、ある建築系ウェブメディアで数千字の短篇を毎月連載する予定。まだ構想中ですが、共通のSF設定の上で古今東西の建築家の思想とスタイルを取り上げる連作を考えています。

ほか、上半期には建築の専門誌と都市開発がらみの媒体にも一作ずつ短篇を寄稿します。偶然ですが建築・都市を題材にした制作が重なり、良いシナジーが生じそうで楽しみです。下半期には建築ネタの過去作も改稿して発表できるかもしれません。

上半期にはほかに、商業アンソロジーに短篇を一作と、同人誌に掌篇を二作、寄稿します。より大きなSF作品（連作か長篇）の企画・執筆にも取り組みたいところ。下半期と来年を見据えてじっくりやっていきます。

飛浩隆

毎度ご贔屓にありがとうございます。今年も引き続きSFマガジンで「空の園丁」の連載を続けます。四年目に突入しましたが、隔月刊ということもありまだ折り返し点。完結まであと二年は掛かるんじゃないかな。書籍化のあかつきには分量を半分ちかく刈り込むと思うので、書き終えた分もこれから書く分も七割くらいは消えるでしょう。それがわかっていて書くのか、いやわかっているから書けるんだ、なあんてホラを吹いている暇があったら、四月号の原稿を進めましょうね、自分。きょねんは『零號琴』前日譚となる中篇「サーペント」をなんとか書き上げようと二度目の挑戦をしたんですが、三百数十枚を反古にして頓挫。心の傷が癒えたら再起動しますね。いろいろね、むずかしいのです。あとは『自生の夢』を出したあとに書いてきた中短篇が、本にすると一冊半くらいはたまっているはずなので、そろそろまとめられたらなとも思いますね。準備体操するかな。

酉島伝法

二〇二二年が終わったあとで、人口増加で格差が極端に広がった世界を描く映画『ソイレント・グリーン』が、二〇二二年の話だったことを思い出しました（ついでにドラマ『ミレニアム』でランス・ヘンリクセンがパソコンを立ち上げる度に「ソイレント・グリーンは人間だ」というパスワードを入力していたこと も）。それに劣らぬ酷い社会状況となった現実の二〇二二年、わたしはただただ太陽が歩く世界の物語『奏で手のヌフレツン』長篇版に集中していましたが、予定の倍ほどの枚数に膨らんでしまうという前回の長篇と同じ轍を踏みながら今年に持ち越しました。終盤に近づいてきたのが気のせいでなければいいなと思います。他は、海外から出るアンソロジーに、アブラムシ系のSF短篇を挿絵つきで書いたので、年内のどこかで刊行されるはずです。〈SFマガジン〉の連載「幻視百景」はまだ続きます。

長山靖生

〈SFマガジン〉連載中の「SFのある文学誌」は「SF少女漫画篇」として山田ミネコ、大島弓子らのSFファンタジー作品を紹介した後、「昭和冒険探偵篇」へ回帰する予定。大下宇陀児や夢久作、海野十三など。自分が仕事をできる年数的限界が意識されてきて、さてどこまでやれるのでしょうか。

昨年『萩尾望都がいる』（光文社新書）を出しましたが、半分くらいSFの話。SF少女漫画全体についても、改めて単行本にまとめたいなあ（チラッ）。

小鳥遊書房より編纂中の作家別日本幻想文学アンソロジーは昨年『霓博士の廃頽　坂口安吾諧謔自在傑作集』『嘆きの孔雀　牧野信一センチメンタル幻想傑作集』を刊行し、今年は森鷗外そのほかを考えています。中公文庫でもアンソロジーを考えていますが、とりあえずは水野広徳『此一戦　日本海海戦記』の解説を書きました。水野は架空戦記や未来戦記も書いており、いずれ「SFのある文学誌」でも紹介したい人物です。

仁木稔

一昨年の〈現代思想〉五月号特集「陰謀論の時代」に続き、昨年は同誌九月号特集「メタバース」にも寄稿いたしました。メタバースを枕にミハイル・ヴェレルの「パリに行きたい」をはじめ、ＳＦをたくさん紹介できて大層楽しかったです。が、それ以外の昨年の記憶はというと、六月以降十一月半ばまで、どうにも曖昧です。何故か何度も発熱しては寝込んでいたからですが、コロナではなかった、ということ以外、なんの病気だったのかも判りません。三十九℃を超えた時だけ病院へ行ったのですが、発熱外来は毎回、戦場のようで、まともに診察してもらえなかったのでした。幼少期はともかく、もう三十余年、三十八℃以上を出したことがなかったので、本当に何故だったのか、我ながら困惑しております。

十一月頭を最後に今のところ発熱していないので、いっそうガタの来た自律神経を宥めつつ、仕切り直しです。まずは短篇三本。

人間六度

作家になってわかったのは、仕事は全部ＤＭで来るってこと。どうも。いまだにコンタクトレンズが怖い人間六度です。

二〇二三年は後輩作家や売れ出す同期等、精神をかき乱す存在が登場してくる頃だと思うので、闘争心を保ちつつ己を見失わないように生きていきたいです。

個人的に楽しみなのが花譜のノベライズ。やった〜。生きるモチベ〜。

また、五月の文フリで人生初の同人誌を売る予定です。今作家友達にむり言って書いてもらっています。テーマは「ねこ」。執筆陣とイラストが神なので興味持っていただけたら幸せです。

早川二作目も進行中。想定の三倍遅れてます。ＳＦ特有のこの緊張感。数学の青チャート思い出しますよね。

あとは四月から大学再開するんですが、卒業後に口を開けて待ってる孤独がもう怖いっす。忙しくない組織への帰属とか都合よくどっかに落ちてないかな……。

そんな感じです。

じゃあ今年もよろしくお願いします！

法月綸太郎

二〇二二年は解説と旧作の文庫化（新装版）作業に時間を取られたうえ、十月には五十肩を再発・こじらせてしまい、一時はどうなることやらという感じでしたが、講談社「メフィストリーダーズクラブ」（ＭＲＣ）の短篇競作［問題編］をひとまずクリアしたので、ほっと一息ついています。

光文社〈ジャーロ〉に連載中の新保博久氏との往復書簡「死体置場で待ち合わせ」は二〇二三年一月発売の86号で第四回（第十〜十二信）を迎えました。ＳＦ関連の話題だと「特殊設定ミステリ＋倒叙」の古典として、アルフレッド・ベスター『破壊された男』を俎上に載せたり（第三回）しています。

最近読んだものの中では、マーク・フィッシャーのクリストファー・プリースト論（『奇妙なものとぞっとするもの』所収）と、野崎六助『快楽の仏蘭西探偵小説』が印象に残りました。後者はジョルジュ・ペレックへの言及があれば、もっとよかったのですが。

長谷敏司

昨年は『プロトコル・オブ・ヒューマニティ』に全力を注いで、他の仕事が進まない年でした。今年は、不確定なことが多いのですが、おそらく短篇集が出るのではないかと思います。

　ライトノベルのお仕事では、小学館ガガガ文庫さんで刊行中の『ストライクフォール』シリーズの続刊を出したいのですが、戦間期の世界で、スポーツで戦争を制するような内容のお話だったので、ロシアによるウクライナ侵攻によって、「スポーツで戦争に勝つおとぎ話」が、あまりにも苦しくなり、プロットを練り直し中です。あと、ＫＡＤＯＫＡＷＡのスニーカー文庫さんから、ひさしぶりに本を出させていただくお話があります。

　あとは、準備のメモ書きはたまったので、『怠惰の大罪』二章以降を、そろそろ動かし始めたいですね。

　どこまで実現できるかはわかりませんが、がんばります。今年もよろしくお願いします。

葉月十夏

　四三七個、十九キロ。この膨大な量のすだちを前に呆然としていた昨年の秋。冷蔵庫の野菜室を占拠する緑の小玉は焼き魚やフライのお供に重宝するも、それではまったく数が減らない。しかも徐々に黄味を帯びていく……。

　そこで生の果実から保存食、つまりポン酢、ジャム、シロップへの変換を実行しました。果実を切り、種を取り、絞る。昆布と鰹節と醤油と仕込む。砂糖と煮る。氷砂糖と詰める。寝かせる、待つ。容器の煮沸消毒、脱気。もはや趣味の手仕事ではなく、家内制手工業。何度週末を潰したことか。そして仕上がったポン酢、ジャム、シロップ。人様に押しつけ、いえ差し上げてもまだ在庫が……。

　そんなこんなとありましたが、今年中の刊行を目標に長篇を書き上げました。次は短篇も挑戦したい。

　どうぞよろしくお願いします。

野﨑まど

©photolibrary

林 譲治

二〇二三年の仕事としては、まず『工作艦明石の孤独』の四巻目が、古今東西の時間ＳＦに喧嘩を売って完結します。どんな風に喧嘩を売ってるかは読んでいただければわかりますが。

そのあとは「神戸で猫が暴れる話」となる予定ですが、昨今の国際情勢なども考慮すると違ったものになるかもしれません。あるいはシリーズものではなく、単独作品の可能性も（塩澤さんと要相談ながら）なくはない。

一つは明石の三巻で登場したある宇宙船と乗員たちの話について。多くの方が予想しているのとは違った形で構想しています。もう一つはナノマシンが暴走したその後の話で、設定が凄惨な割にはほのぼのとした内容です（当社比）。

この他では光文社から広義のミステリーが出る予定です。内容的には嫌ミスでしょうか。

この他、アンソロジー企画とかＳＦプロトタイピング関係など色々と行なっていきたいと思ってます。

春暮康一

二〇二二年も結局コロナの流行が収まらず、三年間一度も日本に帰れない事態に。とはいえ三度目の正直ということで、今年こそは一時帰国できるでしょう。自分で書いたこの文章を、はじめて紙面上で読むことができそうです。

中国の都市封鎖に巻き込まれるわ、飲料水を節約していたら尿管結石になるわ、コロナには感染するわで肉体的にはわりと散々な一年でしたが、ここに書く文字数をおよそ百文字分稼げたので元は取れたと思います。もちろん、もうすっかり健康体に戻りました。

二〇二三年も去年と大きくは変わらない年になりそうですが、いまは長篇執筆に取り組んでいます。私がこれまでに書いた中でいちばん長いのは「オーラリメイカー」で、これは長篇とは見なされないので、今回が初長篇ということになります。「法治の獣」等とはまた異なる宇宙を舞台とし、異星生物もたくさん登場するスケールの大きな話になる予定なので、ご期待ください。

樋口恭介

昨年、このコーナーで「今から長篇小説を書きます」的なことを宣言していたかと記憶しているのですが、その後いろいろありながらもちゃんと書き、現時点で六〇〇枚くらいあります。このままいったら一〇〇〇枚くらい（あるいはもっと）いってしまいそうな雰囲気ですが、そのことはまだ編集者には打ち明けられておらず、この文章で初めて打ち明けることになっています。本年もよろしくお願いします！

久永実木彦

おつかれやまです。昨年は読者のみなさまのおかげで「わたしたちの怪獣」を日本SF大賞の最終候補に選んでいただくことができました。短篇が単体で最終候補になるのは史上初なんだそうです。この文章を書いている時点で大賞は決まっておらず、素晴らしい最終候補作のなかでどのような評価がくだされるのか、ゲロを吐くぐらい怖がっております。しかし結果はどうあれ、いつだって最高傑作は次回作というこころざしでやっていきたいものです。今年、驚異の進捗を見せる実木彦・ゴー・ビヨンドにご期待ください。（越えて行く）

というわけで、今後の予定です。ただいま、魔法使いがクラシックなアメリカ車に乗って、日本を縦断するファンタジー長篇を書いております。今年じゅうにはなんとかしたいところです。また、近いうちに「わたしたちの怪獣」関連で発表があるような気がします。冬には『七十四秒の旋律と孤独』の文庫版も出るみたいなのでよろしくお願いいたします。

藤井太洋

なんということでしょう。

星雲賞の受賞作を仕上げることになってしまいました。

『マン・カインド』の改稿は、ストーリー面でのブラッシュアップに加え、ロシアによるウクライナ侵略戦争とツイッター社の大きな変化、そしてとんでもない速度で進化し続けるAIという二〇二二年の出来事のおかげで、設定もいくらか見直す必要が出てきています。第二内戦を彷彿とさせるアメリカの状況だけはそのまま使えそうではあります。現実の世界ではなんとかもう少し互いに話のできる状況になってほしいものですが……。

ともあれ二〇二三年は、幾つもの作品をお目にかけることができるかと思います。国内未発表の作品をいくつか含む第二短篇集の編纂と、『第二開国』に続いて自分のルーツを描く青春小説『オーギュメンテッド・スカイ』の刊行などを控えています。

どうぞよろしくお願いします。

牧野 修

足元からほろほろと崩れるように昨年が消え、二〇二三年がやってきましたよ。今考えると退屈って感じるのはとても贅沢なことだったのですね。

というようなこととはあまり関係なく、今年は何年も引っ張っている警察小説をようやく本にできるのではないかと思っております。思っているだけにとどまらぬように日々精進努力いたします。

つい今しがた「舌下の貧者」というタイトルの短篇を仕上げたところなので、日の目を見ることができるよう祈っている最中です。

言うだけならなんとでもなるので、厭なディストピアSF短篇集とか魔女たちのいる未来社会の長篇SFとか、いろいろとやってみたいです。やらせて下さる方ご連絡くださいまし。なんなら個人的に耳元で企画内容を囁いてもいいです。

というように相変わらずの駄目人間ではありますが、何卒今年もよろしくお願いいたしますです。

宮内悠介

去年は『かくして彼女は宴で語る』という連作短篇集を出したほか、あと『遠い他国でひょんと死ぬるや』っていう長篇、読み返してみたらいまいちだったので大幅修正して文庫版としました。

今年は朝日新聞出版さんより長篇刊行の予定。8ビットコンピュータとソ連と革命みたいなそんな感じのやつを構想しています。ほか、講談社さんより短篇集を出させてもらえるのではないかと思います。どちらも題は未定。

ところで左利き用のエレキベースを買いました。いまんとこ、フレットが押さえられなくて弦がぶるぶる言ったり、薬指や小指が攣りそうになったり。何事も三日坊主なので、せめて一ヵ月くらいはつづけたいところ。

それでふと思ったのですが、毎回作風が違う私はなんていうか三日坊主をくりかえしていまに至るのかもしれません。永遠のワナビっていうかそんな感じの。もうちょっと落ち着きたいですね。本年もどうぞよろしくお願いいたします。

宮澤伊織

年一～二冊のペースで出せていた『裏世界ピクニック』ですが、昨年内には間に合わず年をまたいでしまいました。お待たせした八巻が出たばかりですが九巻もやっていきたいと思います。人間関係で大きな山場を二つ超えたところで、ここからどうなるか予想がつきませんね。『ウは宇宙ヤバいのウ！』のリブートも引き続き目論んでおります。

東京創元社からは配信者百合ＳＦシリーズ『ときときチャンネル』を一冊にまとめる予定です。現状あるのは短めの短篇が三本だけなので書き下ろしの分量がそれなりに必要ですね。昨年は『神々の歩法』が第五回細谷正充賞をいただきました。ありがとうございました。

他社からは今年は、まだ言える段階ではないのですが小説以外の何かをやる可能性があります。

バーチャルワオキツネザル（わたしの上位存在）も動画を出したいと言ってました。あとはＢｌｅｎｄｅｒも触りたいです。よろしくお願いします。

プロトコル・オブ・ヒューマニティ

ベストSF2022
国内篇第2位

長谷敏司

SF史上もっとも卑近で、もっとも痛切なファーストコンタクト

『あなたのための物語』「allo, toi, toi」『BEATLESS』を超える、10年ぶりの最高傑作

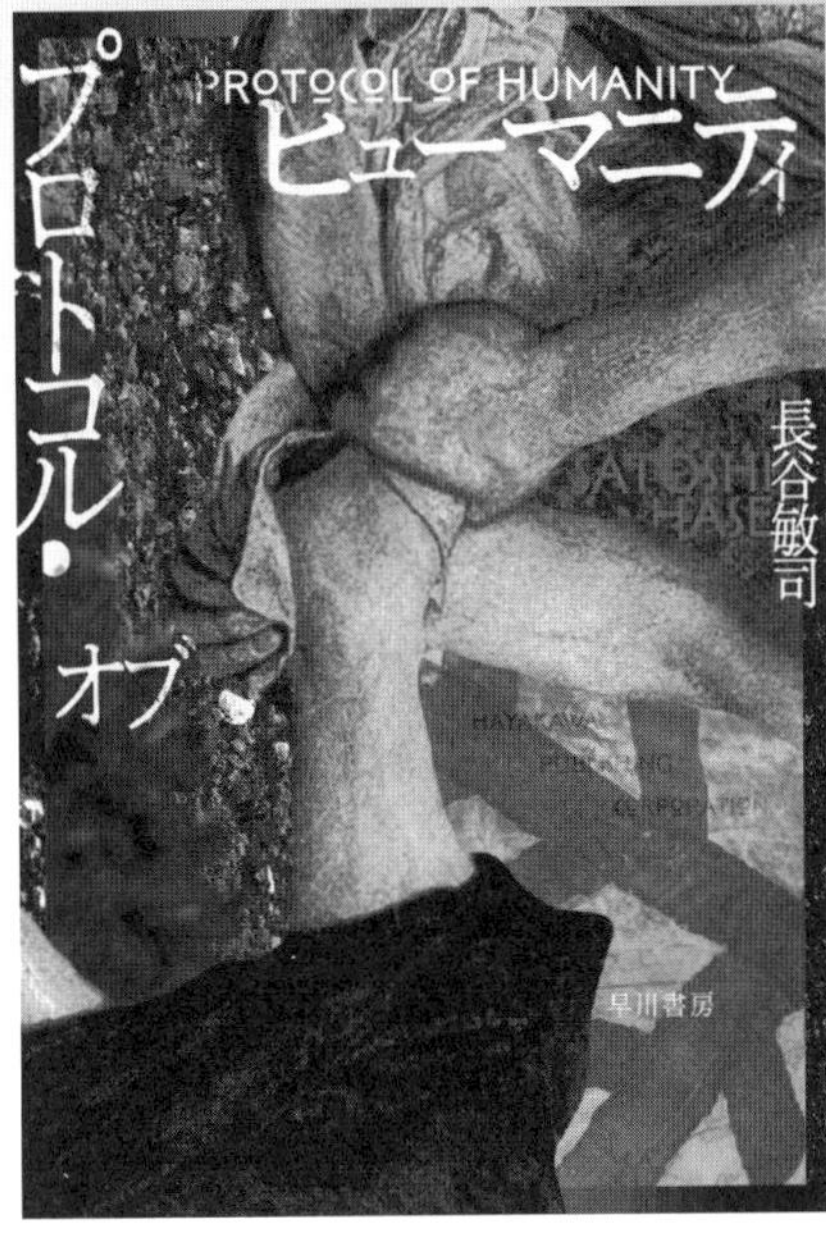

四六判上製　定価二〇九〇円（税込）
装幀＝山本浩貴＋h

伝説の舞踏家である父の存在を追って、身体表現の最前線を志向するコンテンポラリーダンサーの護堂恒明は、不慮の事故によって右足を失い、AI制御の義足を身につけることになる。絶望のなか、義足を通して自らの肉体を掘り下げる恒明は、やがて友人の谷口が主宰するダンスカンパニーに参加、人のダンスとロボットのダンスを分ける人間性の手続き（プロトコル）を表現しようとするが、待ち受けていたのは新たな地獄だった——。

早川書房

2022年度／SF関連DVD目録　タイトル名索引

ホリック xxxHOLiC ★

■2022年日本
■監督蜷川実花
■脚本吉田恵里香
■出演神木隆之介、柴咲コウ
■4/29公開
■10/5RD
■Happinet D ¥3,900 BD ¥4,800

CLAMPによる漫画作品の映画化。人の心の闇が見えてしまうため孤独な生活を送る男子高校生ワタヌキは、人の願いを叶える「ミセ」の女主人侑子と出会い「ミセ」を手伝うことになる。彼はさまざまな人と出会って心の平衡を得るが、その力を狙うものが現れるのだった。極彩色の美術はいかにも蜷川実花監督らしいが、筋が唐突。

Titane

TITANE/チタン ★★

■2021年フランス・ベルギー
■監督・脚本ジュリア・デュクルノー
■出演ヴァンサン・ランドン
■4/1公開
■10/5RD
■ギャガ　D ¥3,800 BD ¥4,800

事故が原因で頭にチタンプレートを埋め込まれた女性アレクシア。モーターショーのショーガールとして働く彼女は、襲ってきたファンを殺害したため逃亡生活を送り、消防士ヴァンサンの行方不明の息子を騙って彼との同居生活を始める。体の変容という古典的テーマに対物性愛やエンパワメントを絡めた結果、不思議な味わいになった。

Possessor

ポゼッサー ★★

■2020年カナダ・イギリス
■監督ブランドン・クローネンバーグ
■脚本ブランドン・クローネンバーグ
■出演アンドレア・ライズボロー
■3/4公開
■10/5RD
■キングレコード　D ¥3,800 BD ¥4,800

『アンチヴァイラル』（12年）に続く、デヴィッド・クローネンバーグの息子ブランドンの監督第二作。他人の精神を乗っ取る技術を背景に完全犯罪の暗殺業を営むターシャは、乗っ取り先である標的の恋人コリンに体の主導権を奪い返され任務を失敗。2つの精神が反目しあうコリンを視点に、奇妙で悍ましい世界が描写されている。

WarHunt

ウォーハント 魔界戦線 ★

■2022年アメリカ
■監督・脚本マウロ・ボレッリ
■脚本レジー・ケヨハラ3世、スコット・スバトス
■出演ミッキー・ローク
■5/27公開
■10/5RD
■ニューセレクト　D ¥3,800

第二次世界大戦時のヨーロッパ。機密情報を運んでいた米軍の輸送機がドイツの森林地帯で墜落したため、特務兵ジョンソンは回収任務を命じられる。しかしその森林には魔女が棲んでおり、両陣営に牙をむくのであった。WW2とオカルトホラーといえば近年は『オーヴァーロード』（18年）が印象的だが、ドイツの魔女は盲点だった。

Hatching

ハッチング―孵化― ★★

■2021年フィンランド
■監督ハンナ・ベルイホルム
■脚本イリヤ・ラウチ
■出演シーリ・ソラリンナ
■4/15公開
■10/12RD
■ギャガ　D ¥3,800

完璧な家族を演じ母親を喜ばせるために我慢の毎日を送る少女ティンヤは、ある日森で見つけた不思議な卵を秘密裏に温めはじめる。やがて卵が孵るのと同時に、家族の虚像が明らかになる。北欧のミステリ小説といえば家族のトラブルがつきものだが、本作においても卵になぞらえられた家族の抱える問題がどこか美しく描かれる。

Thor: Love and Thunder

ソー:ラブ&サンダー ★★

■2022年アメリカ
■監督・脚本タイカ・ワイティティ
■出演クリス・ヘムズワース、クリスチャン・ベール
■7/8公開
■10/26D
■ウォルト・ディズニー・ジャパン BD+D ¥4,500

MCU29作目。強敵サノスとの戦いの後、スターロードたちとともに旅に出た雷神ソーは、各地の神を殺して回る神殺しゴアの存在を知って再び戦いの日々に戻っていく。《ソー》シリーズは支配関係や略奪描写が他のMCU作品と比して多く、ソーの明るい性格に悲惨さが隠されている側面があるが、本作も同様である。

Spiritwalker
スピリットウォーカー ★★

■2021年韓国
■監督・脚本ユン・ジェグン
■出演ユン・ゲサン、イム・ジヨン
■4/1公開
■9/2RD
■クロックワークス　BD+D￥5,200

事故現場で目覚めた記憶喪失の男は、自分の顔に違和感を覚えたまま身分証の示す自宅へ向かうが、しばらくすると今度はカフェにいる男性に「憑依」してしまう。やがて、彼の意識は半日で別人の体へ転移することが判明し、男はその現象と自分の正体という謎に迫っていく。サスペンスとアクションが巧みに両立された作品。

Trick
ヘルウィン ★

■2019年アメリカ
■監督パトリック・ルシエ
■脚本トッド・ファーマー
■出演オマー・エップス、エレン・アデア
■劇場未公開
■9/2RD
■アメイジングD.C.　D￥4,000

ハロウィンの夜に、高校生男子がパーティで突如豹変し友人たちを刺殺し逃走する事件が発生。その後、毎年ハロウィンになるとマスクの男による殺人が続発し、最初の事件を担当していた刑事デンバーの周辺にも危険が迫りはじめる。超自然要素をにおわせつつ主軸はスラッシャーサスペンスで、先行作品から脱し切れていない。

カルマカルト ★

■2022年日本
■監督・脚本松本了
■出演五十嵐啓輔、堀越せな、舞川みやこ
■4/1公開
■9/2RD
■ラミアクリエイト　D￥3,800

ホラーサスペンスシリーズ『現代怪奇百物語』の第四弾として公開された作品。若い女性が集まるカルト集団「カルマの娘」を巡り、彼女たちに妹を殺されたと疑う元刑事や、儀式に使われていた薬物、リーダーの誘拐事件が絡み合っていく。女優陣の演技力は高いが複雑な人間関係が描き切られておらず、散漫になってしまった。

Babysitter Must Die
Ms.ベビーシッター ★★

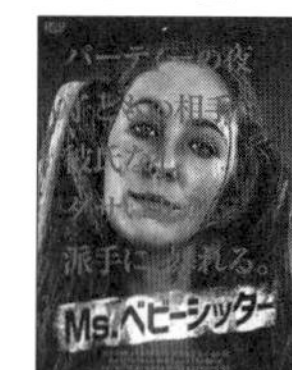

■2020年アメリカ
■監督コール・グラス
■脚本ケビン・タボラロ、ジュリー・アウエルバッハ
■出演ライリー・スコット
■劇場未公開
■7/13R9/2D
■アメイジングD.C.　D￥4,000

豪邸でベビーシッターとして働くジョジー。家主が帰宅し勤務が終わったところに三人組のカルト集団が突如現れ、家主一家は拘束されてしまうが、偶然難を逃れたジョジーは持ち前の運動能力でカルト集団に対抗していく。カルト集団の設定の超自然的要素はいまひとつ話に絡んでこないが、アクションとしては及第点か。

Sharkula
シャーキュラ 吸血鮫 ★

■2022年アメリカ
■監督・脚本マーク・ポロニア
■出演ジェフ・カーケンドール、カイル・ラパポート
■劇場未公開
■9/7R9/8D
■コンマビジョン　D￥3,800

海辺の田舎町に住み込みのアルバイトとして雇われたアーサーとジョンは、排他的な雰囲気に違和感を感じるなか、深夜に奇妙な儀式が行われているのを目撃してしまう。なんとこの町は、サメと契約して命を長らえた吸血鬼ドラキュラに支配されていたのだった。違和感のあるBGMにやる気のないCGとある意味極北なサメ映画。

鹿の王 ユナと約束の旅 ★★★

■2022年日本
■監督安藤雅司、宮地昌幸
■脚本岸本卓
■声の出演堤真一、竹内涼真
■2/4公開
■9/28RD
■KADOKAWA D￥4,800 BD￥5,800

上橋菜穂子のファンタジー小説『鹿の王』を原作とするアニメ映画。ツオル帝国の鉱山で突如謎の病気が発生するものの、元戦士の奴隷ヴァンは生き延びる。彼は少女ユナと逃亡を開始するが、ヴァンが病気の抗体を持っていると予想した帝国の医術師ホッサルは2人を追跡していく。医療ファンタジーかつ追跡劇と多面的に楽しめる。

アイの歌声を聴かせて ★★★

■2021年日本
■監督・脚本吉浦康裕
■出演土屋太鳳、福原遥
■10/29公開
■7/27RD
■バンダイナムコアーツ　D￥4,800 BD￥5,800

AI技術者の母をもつ女子高生サトミは、母の開発したアンドロイドのシオンが人間に擬装され自分の高校に「転校」してくることを知る。現れたシオンの奇抜な振る舞いに戸惑うサトミは、シオンがアンドロイドとバレないようサポートすることを決意する。ドタバタスクールコメディから二転三転する筋書きが魅力的な作品。

Morbius

モービウス ★

■2022年アメリカ
■監督ダニエル・エスピノーサ
■脚本マット・サザマ、バーク・シャープレス
■出演ジャレッド・レト
■4/1公開
■7/27RD
■ソニー・ピクチャーズエンタテインメント　BD+D￥6,800

吸血鬼ダークヒーローでスパイダーマンのヴィランとしても知られるモービウスを主人公とした作品。血液の難病に苦しむ天才医師マイケルは、コウモリの血清を注射したことがきっかけで超人的な力を得るが、それは同じ病気に罹患していた親友との戦いの始まりでもあった。アクションが見づらく、爽快感に欠ける。

Doctor Strange in the Multiverse of Madness

ドクター・ストレンジ/マルチバース・オブ・マッドネス ★★★

■2022年アメリカ
■監督サム・ライミ
■脚本マイケル・ウォルドロン
■出演ベネディクト・カンバーバッチ
■5/4公開
■8/5D
■ウォルト・ディズニー・ジャパン　BD+D￥4,500

MCU28作目。パラレルワールドを渡る能力をもつ少女と出会ったドクター・ストレンジは、少女を狙う謎の敵から襲撃される。ストレンジはパラレルワールドへの扉を開き、さまざまな有力者とともに敵に対抗していく。FOX時代のマーベル映画やif要素は楽しいが、ドラマ『ワンダヴィジョン』の視聴前提なつくりは不親切。

心霊マスターテープ ★★★

■2020年日本
■監督・脚本寺内康太郎
■脚本佐上佳嗣
■出演涼本奈緒、寺内康太郎
■CSドラマ
■8/5RD
■アムモ98 D￥3,800

テレビ名古屋のCSチャンネルで放映されたモキュメンタリー仕立てのホラードラマ。幻のビデオテープである日本初の心霊ドキュメンタリー「知られざる心霊世界」をめぐり、名だたる心霊ビデオ監督たちが調査を行うが、彼らのもとに謎の幻影が現れはじめる。さまざまなホラー業界人が実名で登場し、リアリティを増している。

Shadow in the Cloud

シャドウ・イン・クラウド ★★★

■2021年ニュージーランド・アメリカ
■監督・脚本ロザンヌ・リャン
■脚本マックス・ランディス
■出演クロエ・グレース・モレッツ
■4/1公開
■8/19RD
■Happinet D￥3,900 BD￥4,800

第二次世界大戦中の太平洋。爆撃機に乗り込んだ女性兵士モード・ギャレットは、飛行中に空飛ぶ怪物グレムリンと遭遇する。『クロニクル』（12年）に『エージェント・ウルトラ』（15年）とケレン味に定評のあるマックス・ランディスの脚本と、クロエ・モレッツ演ずる主人公のキャラクターがよくマッチしている。

Infinite

インフィニット 無限の記憶 ★★

■2021年アメリカ
■監督アントワーン・フークア
■脚本イアン・ショア
■出演マーク・ウォールバーグ
■劇場未公開
■8/24RD
■パラマウント　D￥1,429 BD￥1,886 BD+D￥3,900

体験したことのない記憶に苦しめられてきた男エヴァンは、自分が前世の記憶を保持する者「インフィニット」だと知らされる。同時に彼は、自らの能力を肯定する「ビリーバー」と否定する「ニヒリスト」という2陣営の長年の戦いに巻き込まれていくのだった。アクションは出来が良いが、東洋式スピリチュアル要素は余計か。

Mercy Black
マーシー・ブラック　★★

■2019年アメリカ
■監督・脚本オーウェン・エガートン
■出演ダニエラ・ピネダ
■1/21公開
■7/6[R][D]
■アメイジングD.C.　D￥4,000

願いをかなえる怪異マーシー・ブラックを呼ぶため、子ども時代に友人を刺した女性マリーナ。精神病院を退院した彼女は妹のもとに身を寄せるが、マーシー・ブラックの声が聞こえるという甥を助けるため、自分の過去と向き合っていく。ヒットメーカーのブラムハウス製作らしく、観客を引き込む仕掛けが凝らされている。

Princess Lost in Time
プリンセス:ルーパー　★★

■2020年チェコ
■監督・脚本ペトル・キュービック
■脚本ルーカス・パリク、ビクトール・クリストフ
■出演ナタリア・ゲルマニ
■劇場未公開
■7/6[R][D]
■アルバトロス　D￥4,800

生まれてすぐに魔女から「20歳の誕生日を越えられない呪い」をかけられた王女エレノは、その誕生日パーティの席上で不吉な雲が国を覆うのを目撃し眠りに落ちるが、目覚めたのは20歳の誕生日当日であった。ループものとファンタジーを融合しようという試みの成功例として記憶されるべき作品といえよう。

Bullets of Justice
プラネット・オブ・ピッグ / 豚の惑星　★★

■2021年カザフスタン・ブルガリア
■監督バレリー・ミレフ
■脚本バレリー・ミレフ
■出演ティムール・トゥリスベコフ、ダニー・トレホ
■2/16公開
■4/6[R]7/6[D]
■竹書房　D￥4,000

第三次世界大戦後、地球は豚と人間を融合させた生物兵器「マズル」に支配され、人類は彼らの被食対象に落ちぶれていた。人類最後の希望である賞金稼ぎの戦士ロブは、マズルの巣窟と化したニューヨークに潜入し、そのリーダーに挑んでいく。B級感満載の設定に大量の血糊とダニー・トレホで好事家大満足の一品。

Voyagers
ヴォイジャー　★

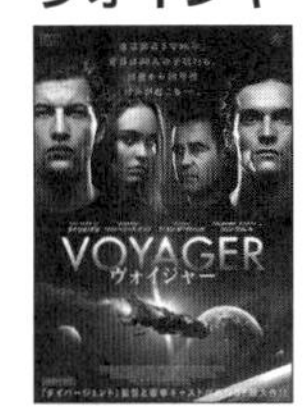

■2022年アメリカ・チェコ・ルーマニア・イギリス
■監督・脚本ニール・バーガー
■出演タイ・シェリダン
■3/25公開
■7/6[R][D]
■アルバトロス　D￥3,800

止まらない地球の環境悪化により、居住可能惑星への有人探査船の派遣が決定される。長い旅程を考慮した結果、大人1人と子ども30人が探査船に乗り込むが、途中で大人は事故死し、成長した子どもたちのあいだで争いが巻き起こる。世代宇宙船ものと『蠅の王』を組み合わせた塩梅の作品で、出来も悪くはない。

大怪獣のあとしまつ　★

■2022年日本
■監督・脚本三木聡
■出演山田涼介、土屋太鳳
■2/4公開
■7/13[R][D]
■TOEI COMPANY D￥3,800 BD￥6,800

関東に現れた大怪獣は謎の光球により死亡。その死体処理を行うのは、当初対怪獣部隊と目されていた首相直下の特務隊であった。メインは政治家たちの足の引っ張り合いで、乱発される突っ込み不在のボケ台詞がそれに花を添えている。ちまたで言われるほどの駄作ではないが、さりとて無条件におすすめができるわけでもない。

Come Play
Come Play　★

■2020年アメリカ
■監督ジェイコブ・チェイス
■脚本アンドリュー・ローナ、アレックス・ハインマン
■出演アジー・ロバートソン
■劇場未公開
■7/13[R]7/22[D]
■インターフィルム　D￥4,000

言葉を発することができない自閉症の少年オリヴァーは、コミュニケーション用のタブレットにいつの間にか現れたラリーという怪物の物語を読む。その日から彼の周りでは奇妙な出来事が起こりはじめていくのだった。よくある謎アプリホラーと思いきや、少年同士の友情や家族の絆といった脇道も丁寧に描写されている。

Shelley
マザーズ ★

■2016年デンマーク・スウェーデン
■監督・脚本アリ・アッバシ
■脚本マレン・ルイーズ・ケーヌ
■出演エレン・ドリト・ピーターセン
■1/21公開
■5/20[R]6/3[D]
■アメイジングD.C.　D￥4,000

『ボーダー　二つの世界』（18年）が高く評価されたアリ・アッバシ監督による作品。ルーマニアからスウェーデンへ出稼ぎにやってきたエレナは、湖畔の屋敷に住む夫婦に家政婦として雇われて温かい関係を築くが、女主人から持ち掛けられた代理出産がきっかけで次第に精神の平衡を欠いていく。雰囲気重視の斬新構成なホラー。

Demonic
デモニック ★★

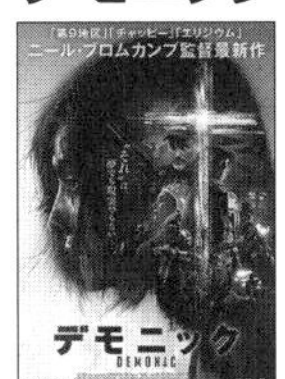

■2021年カナダ
■監督・脚本ニール・ブロムカンプ
■出演カーリー・ポープ
■2/4公開
■6/3[R][D]
■アルバトロス　D￥2,500 BD￥3,500

絶縁した母が昏睡状態だと知った女性カーリーは、担当医から母と仮想空間で再会できることを知らされ、そこへのダイブを実行する。しかしそれは母がかつて起こした大量殺人事件に近づくことでもあった。ドロドロした描写は健在ながら、バーチャルSFものと思わせつつ他ジャンルに寄せるハンドルの切りぶりがぎこちない。

Turning Red
私ときどきレッサーパンダ ★★

■2022年アメリカ
■監督・脚本ドミー・シー
■脚本ジュリア・チョー
■声の出演ロザリー・シアン
■Disney+配信作品
■6/10[D]
■ウォルト・ディズニー・ジャパン　BD+D￥4,500

チャイナタウンの伝統を重んじる家族と暮らす少女メイは、家の中では家族に合わせ、友人との間では都会的なものを好んでいた。しかしある日から彼女は、心の動揺がきっかけでレッサーパンダに変身するようになってしまう。ペルソナの使い分けや思春期の家族への反発といったテーマが巧みに処理されている。

The Bobot
シールド・オブ・プラネット 異星人と予言の書 ★

■2018年ウクライナ
■監督マックス・クションダ
■脚本イワン・ティムシン
■出演ヴォロディミル・ラシュチュク
■劇場未公開
■6/22[R][D]
■インターフィルム　D￥4,000

サマーキャンプに参加した少年ヴラドは、深夜森に迷い込み、謎の老人と電撃を操るロボットと遭遇する。老人いわく、現在「回収者」とよばれる脅威が地球に迫っており、地球を救えるのは予言の子であるヴラドだけだという。VFXは冴えているが、ロボットたちとの関係描写は薄く、ジュブナイルとしては不満が残る。

牛首村 ★★

■2022年日本
■監督・脚本清水崇
■脚本保坂大輔
■出演Kōki、萩原利久、高橋文哉
■2/11公開
■6/22[R][D]
■TOEI COMPANY D￥3,800

『犬鳴村』（19年）『樹海村』（21年）に続く、村ホラー三部作の最終作。心霊スポットで撮影された動画に自分と同じ顔の少女を見つけた女子高生奏音は、友人とともに撮影地に向かう。そこで彼女は、自分のルーツと怪談「牛の首」にまつわる奇怪な因習を知るのだった。若い俳優陣の演技がハマり、三部作のなかでも珠玉。

A predator's Obsession / Stalker's Prey2
サメストーカー ★★★

■2020年アメリカ
■監督コリン・ゼイズ
■脚本ジョン・ドゥーラン
■出演ヒューストン・スティーブンソン
■劇場未公開
■7/6[R][D]
■TCエンタテインメント　D￥3,800

海岸の町シルバーサンズに住むアリソンは、沖合で弟のケビンがサメに襲われそうになっているところを目撃する。間一髪でケビンはボートの乗組員ダニエルに助けられ、アリソンは彼と親交を深めていくが、彼は次第にアリソンへの奇妙な執着心をあらわにしていくのだった。ストーカーものとサメ映画を組み合わせる発想が光る。

Last Night In Soho

ラストナイト・イン・ソーホー ★★

■2021年イギリス
■監督・脚本エドガー・ライト
■脚本クリスティ・ウィルソン＝ケアンズ
■出演トーマシン・マッケンジー
■12/10公開
■4/27[R][D]
■NBCユニバーサル・エンターテイメントジャパン　D￥1,429 BD￥1,886

服飾を学ぶため田舎からロンドンにやってきたエロイーズは、夜ごとの夢の中で、1960年代の当地を女性歌手サンディとして体験する。憧れていたその時代を当初こそ満喫していたエロイーズは、次第に明らかになる当時の実態と起床中の幻覚に悩まされていく。エンパワメント要素が幽霊譚に巧みに落とし込まれている。

Antebellum

アンテベラム ★

■2020年アメリカ
■監督・脚本ジェラルド・ブッシュ、クリストファー・レンツ
■出演ジャネール・モネイ
■11/5公開
■4/27[R][D]
■Happinet　BD￥4,800

綿花畑で奴隷労働をさせられている黒人女性エデンの物語と、黒人の権利を向上させるための著述活動で活躍中の社会学者ヴェロニカの物語が交互に描かれる。二つの話にどんな関連があるのかという謎は中盤以降にはやくも薄れ、ネタ自体はこじんまりとしたものに落ち着いてしまったが、終盤の爽快感は見どころであろう。

DIVA

ディーバ 殺意の水底 ★

■2020年韓国
■監督チョ・スレ
■脚本
■出演シン・ミナ、イ・ユヨン
■劇場未公開
■5/4[R]4/29[D]
■マクザム　D￥3,800

飛込競技選手イヨンは、成績の悪化に苦しむ友人スジンを気遣い、シンクロナイズドダイビングの相手に抜擢する。２人は着々と成果を積み重ねるが、ある夜彼らは乗っていた自動車が海に落下する事故に遭い、回復したイヨンは次第に幻覚に悩まされていくのだった。カットバックを多用してアスリートの重圧が描写されている。

Secreto Matusita

怨霊屋敷/シークレット・マツシタ ★

■2014年ペルー
■監督・脚本ドリアン・フェルナンデス・モリス
■脚本パコ・バルダレス、ウルスラ・ビルカ
■出演ブルーノ・エスペホ
■1/21公開
■5/4[R]5/2[D]
■アルバトロス　D￥3,800

かつて日系人一家が凄惨な無理心中事件を起こし、その後も怪死事故が多発するマツシタ邸へドキュメンタリーを撮りにきた大学生たちを主役とするホラー。ペルーに実在する幽霊屋敷を舞台とし、ジャンプ・スケアや映り込みといったツボが押さえられてはいるが、突然出現する漢字という「和」テイストに気が抜けてしまう。

Max Reload and the Nether Blasters

ダンジョン・クエスト ★★

■2020年アメリカ
■監督・脚本スコット・コンディット
■脚本ジェレミー・トレンプ
■出演トム・プラムリー
■劇場未公開
■5/4[R]5/2[D]
■アルバトロス　D￥4,800

ゲームショップの店員であるマックスは、ある日返品されたゲームの山の中から幻のゲーム『ネザー・ダンジョン』を発掘する。喜び勇んでプレイを始めたマックスだったが、クリア後に街がゲームさながらの風景に変わってしまう。登場人物たちのいかにもなゲームオタクぶりが楽しく、隠れた名作といえよう。

Ghostbusters: Afterlife

ゴーストバスターズ/アフターライフ ★★

■2021年アメリカ
■監督・脚本ジェイソン・ライトマン
■脚本ギル・キーナン
■出演マッケナ・グレイス
■2/4公開
■5/25[R][D]
■ソニー・ピクチャーズエンタテインメント　BD+D￥4,800

《ゴーストバスターズ》シリーズの正統続篇という惹句に、女性キャラによるリブート『ゴーストバスターズ』（16年）が好きな向きは複雑な気分に陥ったという本作。オリジナル版の孫世代を中心に新生ゴーストバスターズが結成され、世界の危機に立ち向かっていく。毒や下品さは控えめに、ファミリー向けに仕上がっている。

Venom: Let There Be Carnage

ヴェノム:レット・ゼア・ビー・カーネイジ ★★

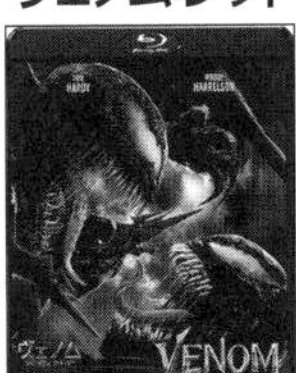

■2021年アメリカ
■監督アンディ・サーキス
■脚本ケリー・マーセル
■出演トム・ハーディ
■12/3公開
■4/8RD
■ソニー・ピクチャーズエンタテインメント　BD+D￥4,800

宇宙生物シンビオートに寄生され共生体ヴェノムという一面をもつ記者エディは、死刑囚クレタスとの取材中にトラブルを起こし、クレタスをシンビオートに感染させてしまう。残虐な共生体カーネイジと化して刑務所を脱走したクレタスを倒すため、ヴェノムは戦いに赴く。前作からパワーアップしたアクションやギャグが見どころ。

龍とそばかすの姫 ★★

■2021年日本
■監督・脚本細田守
■声の出演中村佳穂、成田凌
■7/16公開
■4/13R4/20D
■バップ　D￥3,800 BD￥4,800

歌好きながらも人前が苦手な女子高生すずは、仮想世界「U」で歌姫ベルとして人気を博すが、巨大な竜にコンサートを邪魔されてしまう。過激なファンらによる竜の正体探しが始まる一方で、すずは竜に興味を抱く。監督お得意の仮想世界ものであるが、描かれる世界の描写はオン・オフともに好き嫌いが分かれよう。

The Beach House

ザ・ビーチ ★★

■2020年アメリカ
■監督・脚本ジェフ・ブラウン
■出演リアナ・リベラト
■1/14公開
■4/22RD
■アメイジングD.C.　D￥4,000

美しいビーチで休暇を楽しんでいたエミリーたちは、突然の霧に周りを囲まれ、奇怪な生き物や肉体が変容した人間と遭遇する。終始一般人視点で描かれていることもあって前半の怪現象と登場人物の狂奔ぶりにはなかなかの怖気があるものの、この種の映画でよくあるように後半になるにつれていささか興が醒めていく。

サマーフィルムにのって ★★★

■2021年日本
■監督・脚本松本壮史
■脚本三浦直之
■出演伊藤万理華、金子大地
■8/6公開
■4/27RD
■SMR D￥4,263 BD￥6,709

映画研究部の女子高生ハダシは、ある日執筆中の脚本の主人公のイメージにそっくりな青年凛太郎と出会う。ハダシは映画に出演するよう凛太郎に懇願し、固辞する彼を口説き落として友人たちと映画制作に挑んでいく。凛太郎の背景には早い段階で見当がつくが、映画という媒体の魅力とともに青春のまぶしさが光る作品。

Die Schule der magischen Tiere

イーダと動物たちの魔法学園 ★

■2021年ドイツ
■監督グレゴール・シュニッツラー
■脚本ジョン・チェンバース
■出演エミリア・マイヤー、レオナルド・コンラッズ
■劇場未公開
■4/27RD
■インターフィルム　D￥4,000

マルギット・アウアーによる児童書『コーンフィールド先生とふしぎな動物の学校』（学研プラス）の映画化。クラスになじめない転校生の少女イーダは、新任の先生から言葉を話せる魔法のキツネを受け取り、学校で起きた泥棒事件に挑んでいく。イーダの成長が本筋なものの、クラスメイトとの関係向上描写はやや唐突。

Spider-Man: No Way Home

スパイダーマン:ノー・ウェイ・ホーム ★★★

■2021年アメリカ
■監督ジョン・ワッツ
■脚本クリス・マッケンナ、エリック・ソマーズ
■出演トム・ホランド
■1/7公開
■5/3R4/27D
■ソニー・ピクチャーズエンタテインメント　BD+D￥4,800

前作のラストでヴィランの策略により正体をバラされたスパイダーマン。人々の記憶を失わせるドクター・ストレンジの呪文も自分のせいで失敗に終わり、意気消沈する彼に襲い掛かったのは、別世界のスパイダーマンと戦ったヴィランたちであった。20年前から脈々と続いてきたスパイダーマン映画の集大成的な作品。

Dune

DUNE/デューン 砂の惑星 ★★

■2021年アメリカ
■監督・脚本ドゥニ・ヴィルヌーヴ
■脚本ジョン・スパイツ、エリック・ロス
■出演ティモシー・シャラメ
■10/15公開
■3/2RD
■ワーナー・ブラザース・ホームエンターテイメント D￥1,429 BD￥2,380

ご存じフランク・ハーバードの超大作シリーズの映画化。皇帝から惑星デューンの管理を命じられたアトレイデス家の後継者ポールは、皇帝とデューンの前統治者ハルコンネン家が巡らした陰謀に立ち向かっていく。監督が『メッセージ』（16年）で見せたセンスは健在で、原作のエッセンスが巧みに抽出されている。

CUBE 一度入ったら、最後 ★

■2021年日本
■監督清水康彦
■脚本徳尾浩司
■出演菅田将暉、杏
■10/22公開
■3/2RD
■松竹 D￥3,800 BD￥4,700 BD+D￥6,700

『CUBE』（97年）の日本版リメイク。オリジナル版では無駄を削ぎ落したシンプルさがサスペンスフルな展開をサポートしていたが、本リメイクは登場人物の背景など無駄な肉付けが随所に凝らされており、結果としてサスペンス色のないものになってしまった。いわゆる邦画の悪いところを煮詰めたような作品。

Eternals

エターナルズ ★★

■2021年アメリカ
■監督・脚本クロエ・ジャオ
■脚本パトリック・バーリーほか
■出演ジェンマ・チャン
■11/5公開
■3/4D
■ウォルト・ディズニー・ジャパン BD+D￥4,500

MCU第26作。星のエネルギーを食らう邪悪なデイヴィアンツに対抗するために生み出された、10人の不老の宇宙種族エターナルズ。人類の発展をときに支えときに見守ってきた彼らのもとに、滅ぼしたはずのデイヴィアンツの復活とメンバーの死が告げられ、新たな戦いの幕が開かれる。アクションは今ひとつ冴えがなく、残念。

Chaos Walking

カオス・ウォーキング ★

■2021年アメリカ
■監督ダグ・リーマン
■脚本パトリック・ネス、クリストファー・フォード
■出演トム・ホランド、デイジー・リドリー
■11/12公開
■2/16R3/25D
■KADOKAWA BD￥4,700

パトリック・ネスによる《混沌の叫び》シリーズ第一作『心のナイフ』（東京創元社）を原作とするヤングアダルトSF。人の感情が筒抜けになる「ノイズ」現象が起こる植民惑星ニューワールドに住むトッドは、ある日宇宙船の墜落を目撃し、第二次植民船のメンバーである少女ヴァイオラと出会う。中盤以降が尻すぼみで興醒め。

サマーゴースト ★★

■2021年日本
■監督loundraw
■脚本安達寛高（乙一）
■声の出演小林千晃、島崎信長
■11/12公開
■3/25RD
■エイベックス・ピクチャーズ BD￥3,000

ネットで知り合った友介、あおい、涼の高校生三人組は三者三様に生きづらさを抱えていた。そこで花火をすると女性の幽霊が出るという噂を頼りに元飛行場へやってきた彼らは、噂通りに現れた絢音と名乗る幽霊と交流を深めていく。40分の小品ながら、脚本を担当した乙一らしさが感じられる泣かせありツイストありの佳作だ。

Meander TUBE

チューブ 死の脱出 ★

■2020年フランス
■監督・脚本マチュー・テュリ
■出演ガイア・ワイス
■1/21公開
■4/6RD
■アメイジングD.C. D￥3,800

ウェイトレスのリサは、ヒッチハイク中の車で起きた事故から目覚めると自分が謎の暗い部屋にいることに気付く。部屋にはチューブ状の通路があり、這って行った先にはさまざまなトラップや奇妙な怪物が存在していた。いかにもな謎施設ホラーサスペンスで、投げっぱなしなオチも既視感が満点。

Arc アーク ★★

■2021年日本
■監督石川慶
■脚本澤井香織
■出演芳根京子、寺島しのぶ
■6/25公開
■2/25RD
■バンダイナムコアーツ　D￥3,800 BD￥5,800

『もののあはれ』（早川書房）に所収されたケン・リュウの短篇「アーク」の映画化。生きた肉体を永遠に若く保ち、人間を不老不死とする技術が開発された未来を舞台に、人類史上初めて不老不死の存在となった女性リナの人生が描かれる。作品全体が静謐な雰囲気に貫かれており、筋書きやテーマとマッチしている。

African Kung-Fu Nazis

アフリカン・カンフー・ナチス ★★

■2020年ガーナ、ドイツ、日本
■監督・脚本セバスチャン・スタイン
■監督ニンジャマン
■出演エリーシャ・オキエレ
■6/12公開
■3/2RD
■トランスフォーマー　D￥4,200 BD￥5,200

死を偽装しガーナに潜伏したヒトラーと東条英機は、ヒトラーのオカルトパワーと東条の空手でガーナを着実に勢力下に収めつつあった。カンフー道場に通う青年アデーは、道場が東条に壊滅させられたため、ヒトラーらが主催する武道トーナメントで復讐を果たそうとする。カンフー映画の文法に則って作られた怪作。

Dawn of the Beast

ドーン・オブ・ザ・ビースト 魔獣の森 ★

■2020年アメリカ
■監督ブルース・ウェンプル
■脚本アンナ・シールズ
■出演エイドリアン・バーク
■11/12公開
■3/2RD
■アルバトロス　D￥4,800

ビッグフット伝説のある森へ調査のため訪れた大学生たち。折しも当地は毎年行方不明者が続発する魔のシーズンで、彼らは一人また一人ビッグフットに襲われるが、その陰で第3のUMAが蠢動するのだった。展開はなかなかスリリングなものの、肝心のクリーチャーデザインに迫力がなく、突如始まる異種UMAバトルも腰砕け。

Malignant

マリグナント 狂暴な悪夢 ★★★

■2021年アメリカ
■監督ジェームズ・ワン
■脚本アケラ・クーパー
■出演アナベル・ウォーリス
■11/12公開
■3/2RD
■ワーナー・ブラザース・ホームエンターテイメント　D￥1,429 BD￥2,380

DV夫とともに暮らすマディソンは、ある夜暴漢に夫を殺され、自分も重傷を負わされる。その日からマディソンは自分を襲った暴漢による殺人現場を幻視するようになるが、それは彼女の過去と結びついていた。数々の名作ホラーへの目くばせが楽しく、迫力あるビジュアルに奇抜なアクションが目を引くおもちゃ箱のような作品。

Megalodon Rising

ザ・メガロドン 怪獣大逆襲 ★

■2021年アメリカ
■監督ブライアン・ノワック
■脚本コイチ・ペゼトスキー
■出演トム・サイズモア
■劇場未公開
■3/2RD
■アルバトロス　D￥4,800

太平洋沖で極秘の通信傍受実験をしていた中国海軍の軍艦が沈没し、米中は軍事衝突の危機に陥る。アメリカ海軍のリンチ船長は、中国海軍の軍艦とにらみ合いを続ける中、突如巨大鮫メガロドンの攻撃を受けるのだった。軍事サスペンスに鮫を組み合わせる蛮勇はともかく、登場する軍隊にスケール感がなく鮫も大して出てこない。

Candyman

キャンディマン ★

■2021年アメリカ
■監督ニア・ダコスタ
■脚本ジョーダン・ピール
■出演ヤーヤ・アブドゥル=マティーン2世
■10/15公開
■3/2RD
■NBCユニバーサル・エンターテイメントジャパン　D￥1,429 BD￥1,886

同名の映画（92年）のリメイク兼続篇。黒人現代アート作家アンソニーは、黒人の多く住む団地でまことしやかに語られる都市伝説「キャンディマン」のことを知り新作のモチーフとする。作品は反響を呼ぶが、アンソニーは次第に精神の平衡を欠いていくのだった。アイコニックなホラーキャラを作ろうという試み自体は買える。

Game of Death

ゲーム・オブ・デス ★

■2017年フランス・カナダ・アメリカ
■監督・脚本セバスチャン・ランドリー
■脚本ローレンス・モライス・ラガースほか
■出演サム・アール
■劇場未公開
■12/8[R]1/7[D]
■アメイジングD.C.　D￥4,000

パーティの最中に若者たちが見つけたボードゲーム。そのルールは、制限時間内に決められた数の人間を殺せというものだった。当初こそ真面目に取り合わなかった彼らだったが、ランダムに選ばれた一人が突然爆死し、真剣に「ゲーム」と向き合わざるを得なくなる。ゴア表現は執拗ながら、BGMなど随所がゆるく可笑しさがある。

The Lighthouse

ライトハウス ★★

■2019年アメリカ・ブラジル
■監督・脚本ロバート・エガース
■脚本マックス・エガース
■出演ウィレム・デフォー、ロバート・パティンソン
■7/9公開
■1/14[R][D]
■トランスフォーマー　D￥4,400 BD￥5,200

19世紀の孤島の灯台が舞台の全篇モノクロ作品。ベテラン灯台守の相棒が死んだため、陰気な新人が新たにやってくる。ベテランに酷使される新人は次第に幻覚を見始め、嵐の中ついに２人は対決するのだった。孤島の灯台にある閉塞感を主演２人の高い演技力が裏打ちし、質の高いホラー・サスペンス作品となった。

JUNK HEAD ★★★

■2021年日本
■監督・脚本堀貴秀
■声の出演堀貴秀、三宅敦子、杉山雄治
■3/26公開
■1/26[D]
■やみけん　BD+D￥4,500

謎のウイルスにより人類が急激にその数を減らした未来。状況を打開するため、かつて人類に反旗を翻した人工生命体マリガンが住まう地下エリアに調査部隊を送ることが決定される。背景やパーツの隅々までにこだわりが感じられるストップモーションアニメで、キャラクターたちのユーモラスな動きにも注目したい。

Old

オールド ★★

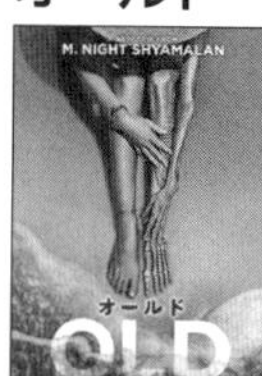

■2021年アメリカ・カナダ
■監督・脚本M・ナイト・シャマラン
■出演ガエル・ガルシア・ベルナル
■8/27公開
■2/2[R][D]
■NBCユニバーサル・エンターテイメントジャパン　D￥1,429 BD￥1,886

バカンスでリゾート地を訪れたカッパ家の４人は、招待された先のプライベートビーチで他の招待客と交流する。やがてビーチからの脱出が不可能で滞在者の老化・成長速度が異常に早くなることが判明し、招待客たちは混乱に陥ってしまう。魅力的な謎は見どころだが、若干腰砕けな展開はいかにもシャマラン監督らしい。

Snake Eyes: G.I. Joe Origins

G.I.ジョー 漆黒のスネークアイズ ★

■2021年アメリカ・カナダ
■監督ロベルト・シュヴェンケ
■脚本エバン・スピリオトポウロスほか
■出演ヘンリー・ゴールディング、アンドリュー・小路
■10/22公開
■2/2[R][D]
■パラマウント　D￥1,429 BD￥1,886

《G.I.ジョー》シリーズの人気キャラクター、スネークアイズの誕生を描いた作品。かつて何者かに父を殺された青年スネークアイズは、助けた男に見込まれ忍者組織「嵐影」に勧誘される。彼が忍者となるための試練を続ける一方、抜け忍らによる陰謀が進行していくのだった。日本描写はともかく、試練が長くテンポが悪い。

Beauty Water

整形水 ★★★

■2020年韓国
■監督チョ・ギョンフン
■脚本イ・ハンビン
■出演ムン・ナムスク、チャン・ミンヒョク
■9/23公開
■2/23[R][D]
■TOEI COMPANY D￥4,700

タレントのメイクとして働くイェジは、仕事をなじられ辛い生活を送るなか、どんな容姿も思うがままという「整形水」を偶然手に入れる。その水により彼女は絶世の美貌を手に入れるが、整形水には恐るべき裏が存在していた。ルッキズムはホラーの題材によく採用されるが、本作は現代的なアップデートが巧み。

東京リベンジャーズ ★★

■2021年日本
■監督英勉
■脚本高橋泉
■出演北村匠海、山田裕貴、吉沢亮
■7/9公開
■12/22[R][D]
■TCエンタテインメント　D ¥3,800 BD ¥4,800

和久井健による大人気コミックの映画化。中学時代の恋人日向の死を知ったフリーター武道は、未来の記憶を持ったまま中学時代にタイムリープし、日向の死を引き起こす半グレ組織の成立を防ぐため奮闘する。不良ものと時間SFを組み合わせた設定の妙やラブコメ要素が見どころで、一作できれいにオチがついている点もよい。

THE MITCHELLS VS. THE MACHINES
ミッチェル家とマシンの反乱 ★★★

■2021年アメリカ
■監督・脚本マイク・リアンダ
■脚本ジェフ・ロウ
■声の出演アビ・ジェイコブソン
■Netflix配信作品
■12/22[R][D]
■ソニー・ピクチャーズエンタテインメント　BD ¥4,800

父親とうまくいっていないケイティは大学に合格し家から出る大義名分を得たものの、関係を修復したい父親の企みにより家族旅行に参加させられる。ちょうどそのころ、暴走した新型ロボットが人類を拉致しはじめ、間一髪で助かった一家はロボットたちに立ち向かう羽目になる。直球なメッセージに爽快なアクションが楽しい。

SATANIC PANIC
サタニック・パニック ★★

■2019年アメリカ
■監督チェルシー・スターダスト
■脚本テッド・ゲオガーガン、グレディ・ヘンドリックス
■出演レベッカ・ローミン、ヘイリー・グリフィス
■3/12公開
■1/7[R][D]
■アムモ98 D ¥3,800

ピザの配達員であるサムは、配達先の豪邸でチップをもらえず、バイクもガス欠を起こしてしまったため、住人にチップをくれるよう掛け合いに行く。しかし住人たちは実は悪魔崇拝者で、サムは折悪しく悪魔召喚の儀式にはち合わせてしまう。逆襲ものとしての爽快感はやや欠けるが、ゴア表現や儀式描写はなかなか凝っている。

FATMAN
クリスマス・ウォーズ ★

■2020年イギリス、カナダ、アメリカ
■監督・脚本イアン・ネルムズ、エショム・ネルムズ
■出演メル・ギブソン
■10/1公開
■12/22[R]1/7[D]
■Happinet　BD ¥5,200

少年犯罪の増加に伴い、サンタのクリスがプレゼントを贈るのに値しない子どもの数は増える一方であった。プレゼントを渡されなかった悪ガキが彼のもとへ腕利きの殺し屋を送り込み、サンタと殺し屋の死闘の幕が雪山での開かれる。設定には突っ込みどころが多いが、自らもサンタに執着心を抱く殺し屋の造形が光る。

PLANET DUNE
プラネット・デューン 砂漠の惑星 ★

■2021年アメリカ
■監督グレン・キャンベル、タミー・クレイン
■脚本ローレン・プリチャード、ジョー・ローシュ
■出演ショーン・ヤング
■劇場未公開
■12/22[R]1/7[D]
■アルバトロス　D ¥4,800

宇宙軍救助部隊のアストリッドは、命令違反の結果懲罰部隊の一員として砂の惑星に送り込まれ、行方を絶った輸送船乗組員を救助する任務に就く。しかし、砂の惑星に潜む巨大な人食いサンドワームが姿を現し、隊員たちは窮地に追い込まれる。粗を探せばきりがないが、巨大生物を倒すために知恵を絞るさまはエキサイティング。

Seance
降霊会 ー血塗られた女子寮ー ★★

■2020年アメリカ
■監督サイモン・バレット
■脚本サイモン・バレット
■出演スキ・ウォーターハウス
■12/13公開
■1/7[R][D]
■Happinet D ¥3,900

全寮制の高校に転校してきたカミールは、校内のリーダー的生徒に誘われ、死んだ生徒の霊を呼び出す降霊会に参加する。しかし、降霊会に参加していたメンバーがその後次々と命を落としていき、女子高生たちは恐怖にさいなまれるのだった。概ね展開に予想はつくが、閉鎖環境という設定がうまくはまっている。

Seobok

SEOBOK/ソボク ★★★

■2021年韓国
■監督・脚本イ・ヨンジュ
■脚本ヨム・ギュフン、イ・ジェミン、チョ・ミンソク
■出演コン・ユ、パク・ボゴム
■7/16公開
■11/24RD
■TCエンタテインメント　D ¥3,800 BD ¥6,800

余命わずかな元エージェントであるギホンに、極秘に生み出されたクローン人間ソボクの護衛任務が依頼される。彼はさまざまな勢力から狙われるソボクを襲撃から守るうち、人生の意味を見つめなおしていく。対照的な二人の関係性の変化やキレのいいアクションなど、さまざまな側面から鑑賞できる作品だ。

返校／Detention

返校 言葉が消えた日 ★★★

■2019年台湾
■監督・脚本ジョン・スー
■出演ツォン・ジンファ、フー・モンボー
■7/30公開
■12/3RD
■ツイン　D ¥3,980

2017年の台湾産ゲームが原作のホラー。市民による相互監視や密告が日常的に行われていた国民党独裁政権時代の台湾。なぜか脱出できない夜の校舎に取り残された高校生ファンとウェイは、その現象が学校で起きた密告事件に関係していることに気付く。恋愛要素を絡ませつつ、原作ゲームの雰囲気がうまく再現されている。

夏への扉ーキミのいる未来へー ★★

■2021年日本
■監督三木孝浩
■脚本菅野友恵
■出演山﨑賢人、清原果耶
■6/25公開
■12/3RD
■Happinet D ¥3,900 BD ¥4,800

ご存じハインラインの名作SF小説がなぜか日本での映画化である。時間ものラブストーリー邦画はかねてよりコンスタントに作られており、『夏への扉』が題材になるのは時間の問題だったのかもしれない。現代日本への舞台の移し替えは慎重な手つきでなされており、原作と見比べてみても面白いだろう。

Stalled

便座・オブ・ザ・デッド ★★★

■2013年イギリス
■監督クリスチャン・ジェームズ
■脚本ダン・パルマー
■出演ダン・パルマー、アントニア・バーナス
■劇場未公開
■11/10R12/3D
■アメイジングD.C.　D ¥4,000

ほぼ全篇がトイレ内で進行する異色のゾンビ映画。社内パーティが行われているクリスマスの夜、ひょんなことから女子トイレの個室に入り込んだ修理工の男は、トイレに入ってきた社員たちが次々とゾンビになってしまうのを目撃する。ワンアイデアで撮られたゾンビ映画だが、ゴアシーンあり泣かせありと満足できよう。

The Suicide Squad

ザ・スーサイド・スクワッド "極"悪党、集結 ★★

■2021年アメリカ
■監督・脚本ジェームズ・ガン
■出演マーゴット・ロビー、ジョン・シナ
■8/13公開
■12/8RD
■ワーナー・ブラザース・ホームエンターテイメント　D ¥1,429 BD ¥2,380 BD+D ¥4,527

特赦を餌に結成された、政府ひも付きのDCコミックスヴィラン集団「スーサイド・スクワッド」。彼らの次なる任務は南米の島国に存在する秘密研究所の破壊だったが、裏切りに次ぐ裏切りに事態はまたもや混迷に陥っていくのだった。2016年の第一作と比較すると完成度は段違いに高く、監督の力量が伺える。

Shang-Chi And the Legend of the 10 Rings

シャン・チー/テン・リングスの伝説 ★★

■2021年アメリカ
■監督・脚本デスティン・ダニエル・クレットン
■脚本デイブ・キャラハムほか
■出演シム・リウ
■9/3公開
■12/10D
■ウォルト・ディズニー・ジャパン　BD+D ¥4,500

MCU第25作。暗殺者として父に訓練された過去を持ちながら現在はホテルマンとして働く青年シャン・チーは、父の組織に襲撃を受けたことがきっかけで、自分の家族に隠された因縁を探っていく。父がヴィランとして立ちはだかる展開はMCUでもかなり見慣れた展開だが、主人公のキャラクターが新たな切り口で楽しめる。

Volition

タイムリーパー 未来の記憶　★★

■2019年カナダ
■監督・脚本トニー・ディーン・スミス
■脚本ライアン・W・スミス
■出演エイドリアン・グリン・マクモラン
■劇場未公開
■9/3[R]11/3[D]
■アメイジングD.C.　D￥4,000

予知能力を持つジェームズは過去の出来事が原因でギャングに使われるすさんだ毎日を送っていたが、アンジェラという魅力的な女性と出会う。次の仕事で自分とアンジェラが死ぬことを予知したジェームズは、未来に立ち向かうことを決意するのだった。時間ものの要素をあわせ持ち、伏線のテンポよい回収が心地よい。

Aporia

ゾンビ・オア・ダイ　★

■2019年アゼルバイジャン
■監督・脚本レック・リバン
■出演エイゼル・ユスボバ
■劇場未公開
■8/4[R]11/3[D]
■アメイジングD.C.　D￥4,000

武装集団に拉致された人々は、トラックで連れていかれた先の平原で大量虐殺に遭う。運よく地面にあいた割れ目に逃げ込んだ夫婦は機を見て逃走することを計画するが、ゾンビ化した死者たちや急激に悪化する天候が彼らを阻むのだった。隣国との間に紛争を抱えるお国柄が伺えるが、設定の説明は一切なされない。

Godzilla vs. Kong

ゴジラvsコング　★★

■2021年アメリカ
■監督アダム・ヴィンガード
■脚本エリック・ピアソン、マックス・ボレンスタイン
■出演アレクサンダー・スカルスガルド
■7/2公開
■11/3[R][D]
■東宝　D￥3,800 BD￥4,800

《モンスター・ヴァース》シリーズ４作目。ゴジラとコングの間に古くからの因縁があることが発覚し、コングを輸送する計画が立てられる。しかしコングの存在を感知したゴジラにより二大巨獣バトルが始まるなか、秘密裏に開発された対ゴジラ兵器の存在が明かされる。人類側描写はお粗末だが、都市破壊シーンは迫力がある。

FLASHBURN

フラッシュバーン　★

■2018年アメリカ
■監督・脚本ジョルジオ・セラフィーニ
■脚本ギャリー・チャールズ
■出演ショーン・パトリック・フラナリー
■劇場未公開
■11/3[R][D]
■アメイジングD.C.　D￥4,000

記憶をなくし研究所で目覚めた男は、謎の声に自分の正体を知らされる。どうやら自分はウェスという名前のワクチン学者で、パンデミックが起きたためワクチンを開発していたという。ウェスは次第に自分の記憶を取り戻していくが、それは悲劇の始まりでもあった。SF的な大オチはともかく、筋運びが散漫で緊迫感に欠ける。

G-Loc

惑星戦記 G-LOCジー・ロック　★★

■2020年イギリス
■監督・脚本トム・ペイトン
■出演スティーブン・モイヤー
■劇場未公開
■11/3[R][D]
■AMGエンタテインメント　D￥4,000

地球軌道上に惑星リアへとつながるワームホールが現れ、植民が盛んになった近未来。リアでは初期の入植者と難民と化した地球人との間で衝突が起き、地球人たちは難民ステーションに押し込められていた。難民ブランは密航のためリアの輸送船に入り込むが、そこでトラブルに見舞われてしまう。展開が目まぐるしく飽きさせない。

Hall

ロックダウン・ホテル 死・霊・感・染　★

■2020年カナダ
■監督・脚本ファンチェスコ・ジャンニーニ
■脚本デリック・アダムスほか
■出演カロライナ・バルトチャク、釈由美子
■7/2公開
■11/3[R][D]
■アルバトロス　D￥3,800

疫病が蔓延するなかドライブ旅行に出かけたヴァルとブランデンの夫妻と娘のケリーは、到着先のホテルで日本人妊婦のナオミと出会う。束の間彼らはお互いに親交を深めるが、ホテル内の人々は次第に凶暴化していく。パンデミックにゾンビ、陰謀論にＪホラーとさまざまな要素が詰め込まれているが、今一つかみ合っていない。

2022年度
SF関連DVD目録

◆2021年11月1日～2022年10月31日までに日本国内で発売されたSF、ファンタジイ、ホラー関連のDVD（Blu-Ray）のなかから78作品を選んで紹介します。SFマガジン「MEDIA SHOWCASE DVD」掲載文に加筆・修正のうえ、劇場公開後、上記期間内にソフトが発売された作品を追加しました。

◆記載データは以下のとおり。

◆原題／作品名／製作年・製作国／監督・製作・脚本・原作・出演、他データ／発売日（R＝レンタル／D＝DVD他ソフト）／発売元（本体価格〔BD＝Blu-ray・D＝DVD〕）／解説

◆作品名の末尾に付した★は、SFファンへの推薦度を表します。

★★★ 必見!
★★ おすすめ
★ お好み次第

リスト構成・執筆／片桐翔造

ハ

マ

ラ

ワ

サ

タ

ナ

書名索引

2022年度／SF関連書籍目録

ア

カ

ナ

ハ

マ

ヤ

ラ

ワ

著者名索引

2022年度／SF関連書籍目録

藤津亮太／文庫／2022・07・07／1210円／ちくま文庫／アニメ評論　(22・10)

映像のポエジア　刻印された時間

アンドレイ・タルコフスキー（Sculpting in Time, 1987）鴻英良＝訳／文庫／2022・07・11／1540円／ちくま学芸文庫／映画研究

東宝空想特撮映画 轟く　1954－1984

小林淳／2022・08・18／4180円／アルファベータブックス／映画研究

未来救済宣言

イアン・ゴールディング（Rescue：From Global Crisis to a Better, 2021）矢野修一＝訳／2022・08・27／3080円／白水社／社会評論　(22・12)

キリンのひづめ、ヒトの指　比べてわかる生き物の進化

郡司芽久／2022・09・28／1650円／NHK出版／生物学解説書　(22・12)

ネアンデルタール

レベッカ・ウラッグ・サイクス（Kindred：Neanderthal Life, Love, Death and Art, 2022）野中香方子＝訳／2022・10・11／3960円／筑摩書房／人類史

地球をハックして気候危機を解決しよう　人類が生き残るためのイノベーション

トーマス・コスティゲン（Hacking Planet Earth：How Geoengineering Can Help Us Reimagine the Future, 2020）穴水由紀子＝訳／2022・10・20／2530円／インターシフト／気候問題　(23・02)

新海誠論

藤田直哉／2022・10・31／2200円／作品社／アニメ評論　(23・02)

アホウドリの迷信　現代英語圏異色短篇コレクション
岸本佐知子，柴田元幸＝編訳（日本オリジナル編集）／2022・09・30／2640円／スイッチ・パブリッシング／異色短篇集　(23・02)

NONFICTION

2022年度／SF関連書籍目録

性差事変（ジェンダー）　平成のポップ・カルチャーとフェミニズム
小谷真理／2021・11・19／2860円／青土社／ジェンダー評論集

星間空間の時代　ボイジャー太陽圏離脱への40年と科学・技術・人間の物語
ジム・ベル（The Interstellar Age：Inside the Forty-Year Voyager Mission, 2015）古田治＝訳／2021・11・20／3080円／恒星社厚生閣／宇宙科学　(22・04)

SFする思考　荒巻義雄評論集成
荒巻義雄／2021・11・25／5940円／小鳥遊書房／SF評論　(22・04)

mRNAワクチンの衝撃　コロナ制圧と医療の未来
ジョー・ミラー，エズレム・テュレジ，ウール・シャヒン（The Vaccine：Inside the Race to Conquer the COVID-19 Pandemic, 2022）柴田さとみ，山田文，山田美明＝訳／石井健＝監修／2021・12・25／2530円／早川書房／コロナ関連書

アファンタジア　イメージのない世界で生きる
アラン・ケンドル（Aphantasia：Experiences, Perceptions, and Insights, 2017）髙橋純一，行場次朗＝訳／2021・12・27／3520円／北大路書房／臨床心理学

生命を守るしくみ　オートファジー　老化、寿命、病気を左右する精巧なメカニズム
吉森保／新書／2022・01・20／1100円／講談社ブルーバックス／生命科学

終わりなきタルコフスキー
忍澤勉／2022・01・22／2860円／寿郎社／映画評論

死の医学
駒ヶ嶺朋子／新書／2022・02・07／968円／集英社インターナショナル新書／医療エッセイ　(22・06)

地球の歩き方　ムー　異世界の歩き方
地球の歩き方編集室＝編／2022・02・10／2420円／地球の歩き方／ガイドブック

ハヤカワ文庫JA総解説1500
早川書房編集部＝編／2022・02・10／1760円／早川書房／SFガイド　(22・06)

EXTRA LIFE　なぜ100年で寿命が54歳も延びたのか
スティーブン・ジョンソン（Extra Life：A Short History of Living Longer, 2021）大田直子＝訳／2022・02・18／2970円／朝日新聞出版／生命科学

屈辱の数学史　A COMEDY OF MATHS ERRORS
マット・パーカー（Humble Pi：A Comedy of Maths Errors, 2020）夏目大＝訳／2022・03・16／3190円／山と溪谷社／数学関連書

ファーストスター　宇宙最初の星の光
エマ・チャップマン（First Light：Switching on Stars at the Dawn of Time, 2021）熊谷玲美＝訳／2022・03・25／2695円／河出書房新社／宇宙科学

オウムアムアは地球人を見たか？　異星文明との遭遇
アヴィ・ローブ（Extraterrestrial：The First Sign of Intelligent Life Beyond Earth, 2021）松井信彦＝訳／2022・04・05／2750円／早川書房／宇宙科学　(22・08)

翻訳を産む文学、文学を産む翻訳　藤本和子、村上春樹、SF小説家と複数の訳者たち
邵丹／2022・04・08／4180円／松柏社／翻訳研究

人類冬眠計画　生死のはざまに踏み込む
砂川玄志郎／2022・04・18／1320円／岩波科学ライブラリー／生命科学

日本アニメ史　手塚治虫、宮崎駿、庵野秀明、新海誠らの100年
津堅信之／新書／2022・04・19／1034円／中公新書／アニメ評論　(22・08)

脳は世界をどう見ているのか　知能の謎を解く「1000の脳」理論
ジェフ・ホーキンス（A Thousand Brains：A New Theory of Intelligence. 2021）大田直子＝訳／2022・04・20／2860円／早川書房／脳科学

脳の地図を書き換える　神経科学の冒険
デイヴィッド・イーグルマン（Livewired：The Inside Story of the Ever-Changing Brain, 2020）梶山あゆみ＝訳／2022・05・24／3190円／早川書房／脳科学　(22・10)

増補改訂版「アニメ評論家」宣言

アンソニー・ホロヴィッツ（Horowitz Horror, 2013）田中奈津子＝訳／2022・10・06／1430円／講談社／ホラー短篇集 （23・02）

兎の島

エルビ・ナバロ（Rabbit Island, 2021）宮﨑真紀＝訳／2022・10・10／3520円／国書刊行会／スパニッシュ・ホラー （23・02）

青頭巾ちゃん

睦月影郎／文庫／2022・10・13／869円／祥伝社文庫／官能ホラー

夜行堂奇譚　弐

嗣人／2022・10・13／2200円／産業編集センター／怪異ミステリ

異形探偵メイとリズ

荒川悠衛門／文庫／2022・10・24／748円／角川ホラー文庫／ミステリホラー

めぐみの家には小人がいる。

滝川さり／2022・10・26／1760円／幻冬舎／オカルトホラー （23・02）

ゾンビ3.0

石川智健／2022・10・19／1650円／講談社／ゾンビホラー （23・02）

MYSTERY

2022年度／SF関連書籍目録

名探偵に甘美なる死を

方丈貴恵／2022・01・07／2200円／東京創元社／特殊設定ミステリ （22・04）

繭の季節が始まる

福田和代／2022・02・24／1870円／光文社／ポスト・コロナミステリ （22・06）

AI法廷のハッカー弁護士

竹田人造／2022・05・24／2310円／早川書房／法廷SF （22・08）

5A73

詠坂雄二／2022・07・21／2200円／光文社／奇想ミステリ （22・10）

九段下駅　或いはナインス・ステップ・ステーション

マルカ・オールダー，フラン・ワイルド，ジャクリーン・コヤナギ，カーティス・C・チェン（Ninth Step Station, 2019）吉本かな他＝訳／文庫／2022・09・16／1540円／竹書房文庫／SFミステリ （22・12）

LITERATURE

2022年度／SF関連書籍目録

夜の声

スティーヴン・ミルハウザー（Voices in the Night, 2015）柴田元幸＝訳／2021・10・29／2750円／白水社／アメリカ文学 （22・02）

蛇口　オカンポ短篇選

シルビナ・オカンポ（日本オリジナル編集）松本健二＝訳／2021・12・17／2530円／東宣出版／アルゼンチン文学 （22・04）

動物奇譚集

ディーノ・ブッツァーティ（Bestiario, 1991）長野徹＝訳／2022・03・26／2750円／東宣出版／イタリア文学 （22・06）

テュルリュパン　ある運命の話

レオ・ペルッツ（Turlupin, 1924）垂野創一郎＝訳／文庫／2022・04・11／990円／ちくま文庫／伝奇歴史小説

鑑識レコード倶楽部

マグナス・ミルズ（The Forensic Record Society, 2017）柴田元幸＝訳／2022・04・15／1870円／アルテスパブリッシング／イギリス文学 （22・08）

雌犬

ピラール・キンタナ（La perra, 2017）村岡直子＝訳／2022・04・25／2640円／国書刊行会／ラテンアメリカ文学

メアリ・ヴェントゥーラと第九王国　シルヴィア・プラス短篇集

シルヴィア・プラス（Mary Ventura and the Ninth Kingdom, 2019）柴田元幸＝訳／2022・05・26／2310円／集英社／アメリカ文学

呑み込まれた男

エドワード・ケアリー（The Swallowed Man, 2020）古屋美登里＝訳／2022・07・15／2310円／東京創元社／イギリス文学 （22・10）

愚か者同盟

ジョン・ケネディ・トゥール（A Confederacy of Dunces, 1980）木原善彦＝訳／2022・07・25／4180円／国書刊行会／ブラックコメディ （22・12）

／ホラーミステリ　(22・04)

隠温羅　よろず建物因縁帳

内藤了／文庫／2021・12・15／847円／講談社タイガ／物件ホラー　(22・04)

前夜祭

針谷卓史／文庫／2021・12・20／880円／二見ホラー×ミステリ文庫／学園ホラー　(22・04)

忌木のマジナイ　作家・那々木悠志郎、最初の事件

阿泉来堂／文庫／2021・12・21／792円／角川ホラー文庫／怪異ホラー　(22・04)

デジタルリセット

秋津朗／文庫／2021・12・21／792円／角川ホラー文庫／ミステリホラー　(22・04)

フィッシャーマン　漁り人の伝説

ジョン・ランガン（The Fisherman, 2016）植草昌実＝訳／2021・12・23／2200円／新紀元社／怪異ホラー　(22・04)

桜底　警視庁異能処理班ミカヅチ

内藤了／文庫／2022・01・14／748円／講談社タイガ／ホラーミステリ　(22・04)

塩の湿地に消えゆく前に

ケイトリン・マレン（Please See Us, 2020）国弘喜美代＝訳／ハヤカワ・ポケット・ミステリ／2022・01・15／2090円／ハヤカワ・ミステリ／ホラーサスペンス　(22・04)

グラーキの黙示（1・2）

ラムジー・キャンベル（日本オリジナル編集）森瀬繚＝訳／2022・02・17／各2420円／サウザンブックス／クトゥルー神話短篇集　(22・06)

手招く美女　怪奇小説集

オリヴァー・オニオンズ（日本オリジナル編集）南條竹則，高沢治，館野浩美＝訳／2022・02・25／3960円／国書刊行会／怪奇小説　(22・06)

月の王

馳星周／2022・04・04／1980円／KADOKAWA／異能アクション　(22・08)

メキシカン・ゴシック

シルヴィア・モレノ=ガルシア（Mexican Gothic, 2020）青木純子＝訳／2022・04・05／3300円／早川書房／ゴシックホラー　(22・06)

吸血鬼ハンターたちの読書会

グレイディ・ヘンドリクス（The Southern Book Club's Guide to Slaying Vampires, 2020）原島文世＝訳／2022・04・20／3190円／早川書房／吸血鬼ホラー　(22・08)

夢伝い

宇佐美まこと／2022・05・02／1800円／集英社／怪奇短篇集　(22・08)

贋物霊媒師　櫛備十三のうろんな除霊譚

阿泉来堂／文庫／2022・05・09／968円／PHP文芸文庫／ホラーミステリ　(22・08)

空を切り裂いた

飴村行／2022・05・18／1980円／新潮社／伝奇ホラー　(22・08)

化物園

恒川光太郎／2022・05・23／1760円／中央公論新社／ホラー短篇集　(22・08)

エイリアン邪神戦線

菊地秀行／2022・05・30／1100円／創土社／アクションホラー　(22・08)

吸血鬼ラスヴァン　英米古典吸血鬼小説傑作集

G・G・バイロン，J・W・ポリドリ他（日本オリジナル編集）夏来健次，平戸懐古＝編訳／2022・05・31／3300円／東京創元社／吸血鬼ホラー　(22・08)

怪談小説という名の小説怪談

澤村伊智／2022・06・30／1760円／新潮社／ホラー短篇集　(22・10)

あさとほ

新名智／2022・07・01／1760円／KADOKAWA／ホラーミステリ　(22・10)

新編怪奇幻想の文学1　怪物

紀田順一郎，荒俣宏＝監修／牧原勝志＝編（日本オリジナル編集）／2022・07・01／2750円／新紀元社／怪物アンソロジー　(22・10)

【閲覧注意】ネットの怖い話　クリーピーパスタ

ミスター・クリーピーパスタ＝編（The Creepypasta Collection：Modern Urban Legends You Can't Unread, 2016）倉田真木，岡田ウェンディ＝訳／文庫／2022・07・20／946円／ハヤカワ文庫NV／怪談アンソロジー　(22・10)

とらすの子

芦花公園／2022・07・29／1760円／東京創元社／カルトホラー　(22・10)

アナベル・リイ

小池真理子／2022・07・29／1980円／KADOKAWA／幻想怪奇小説　(22・10)

かわいそ笑

梨／2022・08・09／1650円／イースト・プレス／ネット怪談　(22・12)

シャーロック・ホームズとシャドウェルの影

ジェイムズ・ラヴグローヴ（Sherlock Holmes and the Shadwell Shadows, 2016）日暮雅通＝訳／文庫／2022・08・17／1496円／ハヤカワ文庫FT／クトゥルー神話　(22・12)

赤虫村の怪談

大島清昭／2022・08・31／1980円／東京創元社／怪奇ミステリ　(22・12)

邪宗館の惨劇

阿泉来堂／文庫／2022・09・21／880円／角川ホラー文庫／SFホラー

濱地健三郎の呪える事件簿

有栖川有栖／2022・09・30／1950円／KADOKAWA／ホラーミステリ　(22・12)

ホロヴィッツ・ホラー

幾度めかの命
暖あやこ／2022・02・18／2420円／新潮社／現代寓話 (22・06)

世界が青くなったら
武田綾乃／2022・03・07／1760円／文藝春秋／恋愛ファンタジイ (22・06)

彼岸の花嫁
ヤンシィー・チュウ（The Ghost Bride, 2013）圷香織＝訳／文庫／2022・03・18／1540円／創元SF文庫／ゴシックファンタジイ (22・06)

香君（上・下）
上橋菜穂子／2022・03・24／各1870円／文藝春秋／農業ファンタジイ (22・08)

夜の都
山吹静吽／2022・03・29／1870円／KADOKAWA／魔法ファンタジイ (22・06)

ピラネージ
スザンナ・クラーク（Piranesi, 2020）原島文世＝訳／2022・04・08／2640円／東京創元社／幻想文学 (22・08)

隷王戦記3　エルジャムカの神判
森山光太郎／文庫／2022・04・20／1364円／ハヤカワ文庫JA／大河ファンタジイ (22・08)

ヴェネツィアの陰の末裔
上田朔也／文庫／2022・04・22／1100円／創元推理文庫／映画ノベライズ (22・08)

チベット幻想奇譚
星泉・三浦順子・海老原志穂＝編訳（日本オリジナル編集）／2022・04・27／2640円／春陽堂書店／幻想文学 (22・08)

皇女アルスルと角の王
鈴森琴／文庫／2022・06・10／1034円／創元推理文庫／異世界ファンタジイ (22・10)

鯉姫婚姻譚
藍銅ツバメ／2022・06・30／1760円／新潮社／異類婚姻譚 (22・10)

箱庭の巡礼者たち
恒川光太郎／2022・07・04／1870円／KADOKAWA／多元世界ファンタジイ (22・10)

凍る草原に鐘は鳴る
天城光琴／2022・07・05／1650円／文藝春秋／芸術ファンタジイ (22・10)

ギデオンー第九王家の騎士ー（上・下）
タムシン・ミュア（Gideon the Ninth, 2019）月岡小穂＝訳／文庫／2022・07・20／各1320円／ハヤカワ文庫FT／大河ファンタジイ (22・10)

あの子とQ
万城目学／2022・08・18／1760円／新潮社／吸血鬼小説 (22・12)

「十二国記」30周年記念ガイドブック
新潮社＝編／2022・08・25／1760円／新潮社／ガイドブック (22・12)

パン焼き魔法のモーナ、街を救う
T・キングフィッシャー（A Wizard's Guide to Defensive Baking, 2020）原島文世＝訳／文庫／2022・09・02／1430円／ハヤカワ文庫FT／魔法ファンタジイ (22・12)

黒紙の魔術師と白銀の龍
鳥美山貴子／2022・09・07／1540円／講談社／異世界ファンタジイ (22・12)

首取物語
西條奈加／2022・09・10／1760円／徳間書店／和風ファンタジイ (22・12)

塩と運命の皇后
ニー・ヴォ（The Empress of Salt and Fortune, 2020）金子ゆき子＝訳／文庫／2022・09・16／902円／集英社文庫／大河ファンタジイ (22・12)

烏の緑羽
阿部 智里／2022・10・07／1760円／文藝春秋／和風ファンタジイ (23・02)

闇の覚醒　死のエデュケーションLesson 2
ナオミ・ノヴィク（The Last Graduate, 2021）井上里＝訳／2022・10・11／2300円／静山社／学園ファンタジイ (23・02)

ルビーが詰まった脚
ジョーン・エイキン（The People in the Caslle selected strange stories, 2016）三辺律子＝訳／2022・10・19／2420円／東京創元社／奇想短篇集 (23・02)

フローリングのお手入れ法
ウィル・ワイルズ（Care of Wooden Floors, 2012）赤尾秀子＝訳／2022・10・31／2200円／東京創元社／奇想短篇集 (23・02)

HORROR

2022年度／SF関連書籍目録

ヴァーチャル霊能者K
西馬舜人／2021・11・19／1540円／集英社JUMP j BOOKS／サイバーホラー (22・02)

能面鬼
五十嵐貴久／2021・12・02／1650円／実業之日本社／スラッシャーホラー (22・04)

やまのめの六人
原浩／2021・12・02／1870円／KADOKAWA

オクテイヴィア・E・バトラー（Bloodchild and Other Stories, 2005）藤井光＝訳／2022・06・27／2585円／河出書房新社／SF短篇集　(22・10)

ヨーロッパ・イン・オータム

デイヴ・ハッチンソン（Europe in Autumn, 2014）内田昌之＝訳／文庫／2022・06・30／1540円／竹書房文庫／スパイSF　(22・10)

ウィリアム・ギブスン　エイリアン3

ウィリアム・ギブスン，パット・カディガン（Alien - Alien 3：The Unproduced Screenplay by William Gibson, 2021）入間眞＝訳／2022・06・30／2200円／竹書房／未映像化ノベライズ　(22・10)

三体X　観想之宙

宝樹（三体X　观想之宙，2016）大森望，光吉さくら，ワンチャイ＝訳／2022・07・06／2090円／早川書房／《三体》スピンオフ　(22・10)

アポロ18号の殺人（上・下）

クリス・ハドフィールド（The Apollo Murders, 2021）中原尚哉＝訳／2022・08・03／各1166円／ハヤカワ文庫SF／SFミステリ　(22・12)

終わらない週末

ルマーン・アラム（Leave the World Behind, 2020）高山真由美＝訳／2022・08・17／2860円／早川書房／終末小説　(22・12)

静寂の荒野（ウィルダネス）

ダイアン・クック（The New Wilderness, 2020）上野元美＝訳／2022・09・02／4070円／早川書房／環境SF　(22・12)

流浪地球

劉慈欣（流浪地球，2008）大森望，古市雅子＝訳／2022・09・07／2200円／KADOKAWA／中国SF短篇集　(22・12)

老神介護

劉慈欣（赡养上帝，2005）大森望，古市雅子＝訳／2022・09・07／2200円／KADOKAWA／中国SF短篇集　(22・12)

無情の月

メアリ・ロビネット・コワル（The Relentless Moon, 2020）大谷真弓＝訳／文庫／2022・09・14／各1606円／ハヤカワ文庫SF／宇宙SF　(22・12)

サラゴサ手稿（上）

ヤン・ポトツキ（Manuscrit trouvé à Saragosse, 1805）畑浩一郎＝訳／文庫／2022・09・15／1254円／岩波文庫／幻想文学　(22・12)

Rikka Zine

橋本輝幸=編（日本オリジナル編集）／2022・09・25／1980円／Rikka／同人誌　(22・12)

タワー

ペ・ミョンフン（타워, 2020）斎藤真理子＝訳／2022・09・26／2200円／河出書房新社／建築SF　(22・12)

明日をこえて

ロバート・A・ハインライン（Sixth Column (The Day After Tomorrow), 1949）内田昌之＝訳／文庫／2022・09・28／1045円／扶桑社／侵略者SF　(23・02)

その昔、N市では　カシュニッツ短編傑作選

マリー・ルイーゼ・カシュニッツ（日本オリジナル編集）酒寄新一＝編訳／2022・09・30／2200円／東京創元社／異色短篇集　(22・12)

拡散　大消滅2043（上・下）

邱挺峰（擴散　失控的DNA，2018）藤原由希＝訳／文庫／2022・10・05／上：935円，下：957円／文春文庫／バイオSFスリラー　(23・02)

平和という名の廃墟（上・下）

アーカディ・マーティーン（A DESOLATION CALLED PEACE, 2021）内田昌之＝訳／文庫／2022・10・18／1760円／ハヤカワ文庫SF／宇宙SF　(23・02)

FANTASY

2022年度／SF関連書籍目録

ガラスの顔

フランシス・ハーディング（A Face Like Glass, 2012）児玉敦子＝訳／2021・11・12／3850円／東京創元社／地底ファンタジイ　(22・02)

霊獣紀　獲麟の書（上・下）

篠原悠希／文庫／2021・11・16／上737円，下770円／講談社文庫／中華ファンタジイ　(22・04)

神と王　亡国の書

浅葉なつ／文庫／2021・12・07／781円／文春文庫／歴史ファンタジイ　(22・04)

ヴィリコニウム　パステル都市の物語

M・ジョン・ハリスン（日本オリジナル編集）大和田始＝訳／2021・12・27／2750円／書苑新社／ダークファンタジイ　(22・04)

やおよろず神異録　鎌倉奇聞（上・下）

真園めぐみ／文庫／2022・01・07／上880円，下1078円／創元推理文庫／鎌倉ファンタジイ　(22・04)

スモモの木の啓示

ショクーフェ・アーザル（The Enlightenment of the Greengage Tree, 2017）堤幸＝訳／2022・01・27／3410円／白水社／マジックリアリズム小説　(22・06)

劉慈欣（焼火工, 2019）池澤春奈＝訳／2021・12・20／1650円／KADOKAWA ／SF童話（22・04）

地球の平和

スタニスワフ・レム（Pokój na Ziemi, 1985）芝田文乃＝訳／2021・12・23／2640円／国書刊行会／宇宙SF（22・04）

最後のライオニ　韓国パンデミックSF小説集

キム・チョヨプ他（팬데믹：여섯 개의 세계, 2020）斎藤真理子, 清水博之, 古川綾子＝訳／2021・12・25／2145円／河出書房新社／韓国パンデミックSFアンソロジー（22・04）

NSA（上・下）

アンドレアス・エシュバッハ（NSA - Nationales Sicherheits-Amt, 2018）赤坂桃子＝訳／2022・01・06／各1364円／ハヤカワ文庫SF ／改変歴史SF（22・04）

未踏の蒼穹

ジェイムズ・P・ホーガン（Echoes of An Alien Sky, 2007）内田昌之＝訳／文庫／2022・01・08／1320円／創元SF文庫／SFミステリ（22・04）

とうもろこし倉の幽霊

R・A・ラファティ（日本オリジナル編集）井上央＝編・訳／2022・01・19／2090円／新☆ハヤカワ・SF・シリーズ／SF短篇集（22・04）

男たちを知らない女

クリスティーナ・スウィーニー=ビアード（The End of Men, 2021）大谷真弓＝訳／文庫／2022・02・02／1496円／ハヤカワ文庫SF ／パンデミックSF（22・06）

創られた心　AIロボットSF傑作選

ジョナサン・ストラーン＝編（Made to Order：Robots and Revolutio, 2020）佐田千織他＝訳／文庫／2022・02・10／1540円／創元SF文庫／SFアンソロジー（22・06）

異常／アノマリー

エルヴェ・ル・テリエ（L'anomalie, 2020）加藤かおり＝訳／2022・02・02／2970円／早川書房／SFミステリ（22・04）

アディ・ラルーの誰も知らない人生（上・下）

V・E・シュワブ（The Invisible Life of Addie LaRue, 2020）高里ひろ＝訳／2022・02・16／各1870円／ハヤカワ文庫SF ／ロマンティック・ファンタジイ（22・06）

永遠の真夜中の都市

チャーリー・ジェーン・アンダーズ（The City in the Middle of the Night, 2019）市田泉＝訳／2022・03・11／2860円／東京創元社／宇宙SF（22・06）

流浪蒼穹

郝景芳（流浪苍穹, 2016）及川茜, 大久保洋子＝訳／新☆ハヤカワ・SF・シリーズ／2022・03・26／3190円／早川書房／宇宙SF（22・06）

すべてはイブからはじまった　ミクロの傑作圏

浅倉久志＝編訳（日本オリジナル編集）／2022・03・27／2200円／国書刊行会／ユーモア短篇集（22・06）

ファンタスティックガール

キム・ヘジョン（Fantastic Girl, 2011）清水知佐子＝訳／2022・03・30／1760円／小学館／時間SF（22・06）

われらはレギオン４　驚異のシリンダー世界

デニス・E・テイラー（Heaven's River, 2020）金子浩＝訳／2022・04・05／各1210円／ハヤカワ文庫SF ／宇宙SF（22・08）

中国女性SF作家アンソロジー　走る赤

武甜静, 橋本輝幸＝編／大恵和実＝編訳（日本オリジナル編集）／2022・04・07／2420円／中央公論新社／中国SFアンソロジー（22・08）

逃亡テレメトリー　マーダーボット・ダイアリー

マーサ・ウェルズ（Fugitive Telemetry：The Murderbot Diaries Book 6, 2021）中原尚哉＝訳／文庫／2022・04・08／880円／創元SF文庫／宇宙SF（22・08）

マゼラン雲

スタニスワフ・レム（Obłok Magellana, 1955）後藤正子＝訳／2022・04・20／2970円／国書刊行会／宇宙SF（22・08）

最後の宇宙飛行士

デイヴィッド・ウェリントン（The Last Astronaut, 2019）中原尚哉＝訳／文庫／2022・05・10／1430円／ハヤカワ文庫SF ／ファーストコンタクトSF（22・08）

疫神記（上・下）

チャック・ウェンディグ（Wanderers, 2019）茂木健＝訳／文庫／2022・05・26／各1870円／竹書房文庫／パンデミックSF（22・08）

いずれすべては海の中に

サラ・ピンスカー（Sooner or Later Everything Falls Into the Sea, 2019）市田泉＝訳／文庫／2022・05・31／1760円／竹書房文庫／異色短篇集（22・08）

黄金の人工太陽　巨大宇宙SF傑作選

J・J・アダムズ＝編（Cosmic Powers：The Saga Anthology of Far-Away Galaxies, 2017）中原尚哉他＝訳／文庫／2022・06・10／1496円／創元SF文庫／巨大宇宙SFアンソロジー（22・10）

極めて私的な超能力

チャン・ガンミョン（지극히 사적인 초능력, 2019）吉良佳奈江＝訳／新☆ハヤカワ・SF・シリーズ／2022・06・22／2420円／韓国SF短篇集（22・10）

デスパーク

ガイ・モーパス（Five Minds, 2021）田辺千幸＝訳／文庫／2022・06・25／1430円／ハヤカワ文庫SF ／殺人バーチャルゲームSF（22・10）

血を分けた子ども

御鷹穂積／文庫／2022・01・25／715円／オーバーラップ文庫／異能学園ファンタジイ　(22・04)

俺の召喚獣、死んでる

楽山／文庫／2022・02・19／770円／富士見ファンタジア文庫／異世界学園ファンタジイ　(22・06)

きみは雪をみることができない

人間六度／文庫／2022・02・25／737円／電撃文庫／奇病ロマンス　(22・06)

海姫マレ

西川昌志／文庫／2022・03・08／734円／KAエスマ文庫／海洋SF　(22・06)

アクセル・ワールド26－烈天の征服者－

川原礫／文庫／2022・03・10／726円／電撃文庫／仮想空間SF　(22・06)

星空☆アゲイン～君と過ごした奇跡のひと夏～

阿智太郎／文庫／2022・04・08／693円／電撃文庫／青春ファンタジイ　(22・08)

ソレオレノ

喜多川信／文庫／2022・04・19／704円／ガガガ文庫／マシンアクションSF　(22・08)

バブル

武田綾乃／文庫／2022・04・21／748円／集英社文庫／劇場アニメノベライズ　(22・08)

俺のクラスに若返った元嫁がいる

猫又ぬこ／文庫／2022・05・02／726円／講談社ラノベ文庫／時間SF　(22・08)

幼馴染だった妻と高二の夏にタイムリープした。17歳の妻がやっぱりかわいい。

Kattern／文庫／2022・05・20／748円／富士見ファンタジア文庫／タイムリープラブコメ　(22・08)

刻をかける怪獣

メソポ・たみあ／文庫／2022・07・01／726円／角川スニーカー文庫／タイムリープ怪獣ファンタジイ　(22・10)

アマルガム・ハウンド　捜査局刑事部特捜班

駒居未鳥／文庫／2022・07・08／704円／電撃文庫／SFアクション　(22・10)

サマータイム・アイスバーグ

新馬場新／文庫／2022・07・20／803円／小学館文庫／青春SF　(22・10)

ネームレス・レコード　Heyウル、世界の救い方を教えて

涼暮皐／文庫／2022・07・25／726円／MF文庫J／遠未来SF　(22・10)

僕が君の名前を呼ぶから

乙野四方字／文庫／2022・08・10／704円／ハヤカワ文庫JA／劇場アニメスピンオフ　(22・12)

はじまりの町がはじまらない

夏海公司／文庫／2022・08・17／990円／ハヤカワ文庫JA／ゲームSF　(22・12)

琥珀の秋、0秒の旅

八目迷／文庫／2022・08・18／726円／ガガガ文庫／時間SF　(22・12)

二世界物語　世界最強の暗殺者と現代の高校生が入れ替わったら

深見真／2022・08・30／1320円／KADOKAWA／異世界ファンタジイ　(22・12)

EVE－世界の終わりの青い花－

佐原一可／文庫／2022・11・01／715円／HJ文庫／宇宙SF　(23・02)

OVERSEAS

2022年度／SF関連書籍目録

大宇宙の魔女　ノースウェスト・スミス全短編

C・L・ムーア（日本オリジナル編集）中村融，市田泉＝訳／文庫／2021・11・11／1650円／創元SF文庫／宇宙SF　(22・02)

スターメイカー

オラフ・ステープルドン（Star Maker, 1937）浜口稔＝訳／文庫／2021・11・12／1430円／ちくま文庫／宇宙SF　(22・02)

円　劉慈欣短篇集

劉慈欣（日本オリジナル編集）大森望，泊功，齊藤正高＝訳／2021・11・17／2090円／早川書房／中国SF短編集　(22・02)

ロボットには尻尾がない

ヘンリー・カットナー（Robots Have No Tails, 1952）山田順子＝訳／文庫／2021・11・29／1265円／竹書房文庫／ユーモアSF短篇集　(22・02)

ファニーフィンガーズ　ラファティ・ベスト・コレクション2

R・A・ラファティ（日本オリジナル編集）牧眞司＝編／伊藤典夫，浅倉久志他＝訳／2021・12・02／1540円／ハヤカワ文庫SF／SF短篇集　(22・04)

子供たちの聖書

リディア・ミレット（A Children's Bible, 2020）川野太郎＝訳／2021・12・16／3520円／みすず書房／気候SF　(22・04)

プロジェクト・ヘイル・メアリー（上・下）

アンディ・ウィアー（Project Hail Mary, 2021）小野田和子＝訳／2021・12・16／各1980円／早川書房／宇宙SF　(22・04)

火守（ひもり）

柞刈湯葉／2022・07・22／1980円／河出書房新社／SF短篇集　(22・10)

ゴジラS．P〈シンギュラポイント〉

円城塔／2022・07・26／1980円／集英社／アニメノベライズ　(22・10)

幻告

五十嵐律人／2022・07・27／1870円／講談社／タイムリープミステリ　(22・10)

星霊の艦隊1

山口優／文庫／2022・08・17／1078円／ハヤカワ文庫JA／スペースオペラ　(22・12)

裂けた明日

佐々木譲／2022・08・20／1980円／新潮社／近未来分断日本SF　(22・12)

此の世の果ての殺人

荒木あかね／2022・08・24／1815円／講談社／終末ミステリ　(22・12)

月の三相

石沢麻衣／2022・08・25／1870円／講談社／幻想小説　(22・12)

夜がうたた寝してる間に

君嶋彼方／2022・08・26／1650円／KADOKAWA／青春SF　(22・12)

SFアンソロジー　新月／朧木果樹園の軌跡

井上彼方＝編／2022・08・29／2970円／Kaguya Books／SFアンソロジー　(22・12)

孤立宇宙

熊谷達也／2022・08・31／2310円／講談社／ポストヒューマンSF　(22・12)

ループ・オブ・ザ・コード

荻堂顕／2022・08・31／2090円／新潮社／近未来スパイ小説　(22・12)

ベストSF2022

大森望＝編／2022・09・07／1650円／竹書房文庫／年間ベストアンソロジー　(22・12)

星霊の艦隊2

山口優／文庫／2022・09・14／1166円／ハヤカワ文庫JA／スペースオペラ　(22・12)

仕事ください

眉村卓／日下三蔵＝編／文庫／2022・09・23／1430円／竹書房文庫／ホラー短篇集　(22・12)

あらゆる薔薇のために

潮谷験／2022・09・29／1870円／講談社／特殊設定ミステリ　(22・12)

Genesis　この光が落ちないように　創元日本SFアンソロジー

宮澤伊織ほか／2022・09・30／2200円／東京創元社／SFアンソロジー　(22・12)

君のクイズ

小川哲／2022・10・07／1540円／朝日新聞出版／クイズ小説　(23・02)

ifの世界線　改変歴史SFアンソロジー

石川宗生，小川一水，斜線堂有紀，伴名練，宮内悠介／文庫／2022・10・14／759円／講談社タイガ／SFアンソロジー　(23・02)

クロノス・ジョウンターの黎明

梶尾真治／2022・10・15／1870円／徳間書店／時間SF　(23・02)

星霊の艦隊3

山口優／文庫／2022・10・18／1232円／ハヤカワ文庫JA／スペースオペラ　(23・02)

プロトコル・オブ・ヒューマニティ

長谷敏司／2022・10・18／2090円／早川書房／ファーストコンタクトSF　(22・12)

君といた日の続き

辻堂ゆめ／2022・10・19／1760円／新潮社／タイムスリップ小説　(23・02)

太陽諸島

多和田葉子／2022・10・20／2090円／講談社／言語SF　(23・02)

JAPAN　ライトノベルSF／伝奇アクション／異世界ファンタジイ

2022年度／SF関連書籍目録

僕らのセカイはフィクションで

夏海公司／文庫／2021・11・10／726円／電撃文庫／学園ファンタジイ　(22・02)

ユア・フォルマⅢ　電索官エチカと群衆の見た夢

菊石まれほ／文庫／2021・11・10／748円／電撃文庫／SFミステリ　(22・02)

シャークロアシリーズ　炬島のパンドラシャーク〈上〉

成田良悟／2021・11・25／1430円／KADOKAWA／鮫エンタメ小説／　(22・02)

錆喰いビスコ8　神子煌誕！うなれ斉天大菌姫

瘤久保慎司／文庫／2022・01・08／792円／電撃文庫／宇宙SF　(22・04)

神さま学校の落ちこぼれ

日向夏／2022・01・20／1430円／星海社FICTIONS／学園ファンタジイ　(22・04)

火群大戦01．復讐の少女と火の闘技場〈帳〉

熊谷茂太／文庫／2022・01・20／737円／富士見ファンタジア文庫／異世界バトルファンタジイ　(22・04)

幾億もの剣戟が黎明を告げる1　無敗の剣士と夜を斬る少女

ファンタジイ　(22・06)

眼球達磨式

澤大和／2022・03・14／1540円／河出書房新社／ディストピアSF　(22・06)

曼陀羅華X

古川日出男／2022・03・15／3630円／新潮社／奇想小説　(22・06)

鈴波アミを待っています

塗田一帆／2022・03・16／1980円／早川書房／VTuber小説　(22・06)

ヘパイストスの侍女

白木健嗣／2022・03・16／2035円／光文社／近未来ミステリ　(22・06)

マルドゥック・アノニマス7

冲方丁／文庫／2022・03・16／924円／ハヤカワ文庫JA／SFアクション　(22・06)

カラマーゾフの兄妹　オリジナルヴァージョン

高野史緒／文庫／2022・03・19／1500円／盛林堂ミステリアス文庫／SFミステリ　(22・06)

引力の欠落

上田岳弘／2022・03・29／2090円／KADOKAWA／奇想小説　(22・08)

不可視の網

林譲治／文庫／2022・04・12／924円／光文社文庫／近未来SFミステリ　(22・08)

アドルムコ会全史

佐川恭一／2022・04・15／3410円／代わりに読む人／奇想短篇集　(22・08)

大人になる時

日下三蔵＝編／草上仁／文庫／2022・04・15／1540円／竹書房文庫／SF短篇集　(22・08)

アグレッサーズ　戦闘妖精・雪風

神林長平／2022・04・20／2090円／早川書房／航空SF　(22・08)

百年文通

伴名練／電子書籍／2022・04・20／495円／一迅社／百合SF　(22・08)

法治の獣

春暮康一／文庫／2022・04・20／1100円／ハヤカワ文庫JA／ファーストコンタクトSF　(22・08)

この恋が壊れるまで夏が終わらない

杉井光／文庫／2022・05・01／693円／新潮文庫nex／青春SF　(22・08)

我が尻よ、高らかに謳え、愛の唄を

浅暮三文／文庫／2022・05・09／990円／河出文庫／奇想ファンタジイ　(22・08)

東京棄民

赤松利市／文庫／2022・05・13／748円／講談社文庫／パンデミックサスペンス　(22・08)

天空の密室

未須本有生／2022・05・19／1870円／南雲堂／近未来ミステリ　(22・08)

2084年のSF

日本SF作家クラブ＝編／文庫／2022・05・24／1320円／ハヤカワ文庫JA／SFアンソロジー　(22・08)

スパイコードW

福田和代／2022・05・30／1815円／KADOKAWA／近未来スパイ小説　(22・10)

おもいでマシン　1話3分の超短編集

梶尾真治／文庫／2022・06・01／649円／新潮文庫／SF短篇集　(22・08)

信仰

村田沙耶香／2022・06・08／1320円／文藝春秋／短篇＆エッセイ集　(22・10)

日露戦争秘話　西郷隆盛を救出せよ

横田順彌／文庫／2022・06・15／1430円／竹書房文庫／改変歴史SF　(22・10)

ギークに銃はいらない

斧田小夜／2022・06・20／2420円／破滅派／SF短篇集　(22・10)

陽だまりの果て

大濱普美子／2022・06・20／2420円／国書刊行会／幻想短篇集　(22・12)

新しい世界を生きるための14のSF

伴名練＝編／文庫／2022・06・22／1496円／ハヤカワ文庫JA／SFアンソロジー　(22・10)

ショートショート実験室

田丸雅智／2022・06・23／1980円／エネルギーフォーラム／ショートショート集　(22・10)

地図と拳

小川哲／2022・06・24／2420円／集英社／歴史空想小説　(22・10)

無垢なる花たちのためのユートピア

川野芽生／2022・06・24／1870円／東京創元社／幻想短篇集　(22・10)

CF

吉村萬壱／2022・06・29／1870円／徳間書店／奇想SF　(22・12)

爆発物処理班の遭遇したスピン

佐藤究／2022・06・29／1760円／講談社／SFミステリ短篇集　(22・10)

神々の歩法

宮澤伊織／2022・06・30／1980円／創元日本SF叢書／アクションSF　(22・10)

平成古書奇談

日下三蔵＝編／横田順彌／文庫／2022・07・07／990円／ちくま文庫／古書ミステリ連作集　(22・10)

工作艦明石の孤独1

林譲治／文庫／2022・07・20／946円／ハヤカワ文庫JA／宇宙SF　(22・10)

名もなき本棚

三崎亜記／文庫／2022・07・20／638円／集英社文庫／ショートショート集　(22・10)

まず牛を球とします。

JAPAN

2022年度／SF関連書籍目録

かぐや姫、物語を書きかえろ！

雀野日名子／2021・11・04／1837円／河出書房新社／転生ファンタジイ　(22・02)

ものがたりの賊(やから)
真藤順丈／2021・11・08／2200円／文藝春秋／奇想ファンタジイ　(22・04)

あなたのための時空のはざま
矢崎存美／文庫／2021・11・15／704円／ハルキ文庫／タイムスリップ短篇集　(22・02)

残月記
小田雅久仁／2021・11・18／1815円／双葉社／月テーマ短篇集　(22・02)

ベストSF2021
大森望＝編／文庫／2021・11・22／1650円／竹書房文庫／SFアンソロジー　(22・02)

パパラレレルル
最果タヒ／2021・11・25／1760円／河出書房新社／奇想短篇集　(22・04)

SFマンガ傑作選
福井健太＝編／文庫／2021・11・30／1540円／創元SF文庫／コミックアンソロジー　(22・02)

SFにさよならをいう方法　飛浩隆評論随筆集
飛浩隆／文庫／2021・12・07／1078円／河出文庫／評論随筆集　(22・04)

生を祝う
李琴峰／2021・12・07／1760円／朝日新聞出版／出生SF　(22・04)

偽装同盟
佐々木譲／2021・12・15／1980円／集英社／改変歴史SF　(22・04)

裏世界ピクニック7　月の葬送
宮澤伊織／文庫／2021・12・16／858円／ハヤカワ文庫JA／SFホラー　(22・04)

非接触の恋愛事情
短編プロジェクト＝編／文庫／2021・12・17／682円／集英社文庫／ポストコロナ恋愛短篇集　(22・04)

さもなくば黙れ
平山瑞穂／2021・12・20／1980円／論創社／ディストピアSF　(22・04)

日々のきのこ
髙原英理／2021・12・23／2420円／河出書房新社／奇想きのこ小説　(22・04)

愚かな薔薇
恩田陸／2021・12・24／2200円／徳間書店／吸血鬼SF　(22・04)

影絵の街にて
日下三蔵＝編／新井素子／文庫／2021・12・25／1540円／竹書房文庫／SF短篇集　(22・04)

虹霓(こうげい)のかたがわ
榛見あきる／電子書籍／2022・01・15／440円／ゲンロンSF文庫／仮想空間SF　(22・04)

サーキット・スイッチャー
安野貴博／2022・01・19／1870円／早川書房／テクノスリラー　(22・04)

スター・シェイカー
人間六度／2022・01・19／2090円／早川書房／瞬間移動SF　(22・04)

いかに終わるか　山野浩一発掘小説集
岡和田晃＝編／山野浩一／2022・01・20／2750円／小鳥遊書房／SF短篇集　(22・04)

大日本帝国の銀河5
林譲治／文庫／2022・01・25／1078円／ハヤカワ文庫JA／宇宙SF　(22・04)

旅書簡集　ゆきあってしあさって
高山羽根子，酉島伝法，倉田タカシ／2022・01・28／1760円／東京創元社／リレー書簡　(22・04)

あれは子どものための歌
明神しじま／2022・01・28／1980円／東京創元社／SF短篇集　(22・06)

クラッシャージョウ別巻3　コワルスキーの大冒険
高千穂遙／文庫／2022・02・02／924円／ハヤカワ文庫JA／スペースオペラ　(22・06)

その午後、巨匠たちは、
藤原無雨／2022・02・14／1760円／河出書房新社／注釈小説　(22・06)

獣たちの海
上田早夕里／文庫／2022・02・16／880円／ハヤカワ文庫JA／海洋SF短篇集　(22・06)

ツインスター・サイクロン・ランナウェイ2
小川一水／文庫／2022・02・16／902円／ハヤカワ文庫JA／漁業百合SF　(22・06)

オオルリ流星群
伊与原新／2022・02・18／1760円／KADOKAWA／天文小説　(22・06)

チェレンコフの眠り
一條次郎／2022・02・18／1980円／新潮社／奇想アザラシ小説　(22・06)

クラウドの城
大谷睦／2022・02・24／1870円／光文社／ITミステリ　(22・06)

コーリング・ユー
永原皓／2022・02・25／1760円／集英社／海洋

2022年度
SF関連書籍目録

◆2021年11月1日〜2022年10月31日までに刊行されたSF関連書籍のなかから、SFマガジン書評欄「SFブックスコープ」で取り上げた作品を、ジャンル別にわけ、刊行順に掲載しました。

◆記載データは以下のとおり。

◆国内作品：書名／著者名／判型／発行年月日／本体価格／版元／解説、シリーズ名、他。データ末尾（　）内は、SFマガジン書評掲載号。

◆海外作品：書名／著者名／原題、原著発行年／翻訳者名／判型／発行年月日／本体価格／版元／解説、シリーズ名、他。データ末尾（　）内は、SFマガジン書評掲載号。

著者名・書名索引……162

マーダーボット
シリーズ
神林の話聞いて
他人の日記として
読んだんだけど…
メチャクチャ
読みやすく
なったよ！
わからない
カタカナ用語も
わからないまま
読み進められる！

小説は読者に向けて書かれて
いることを前提にして読むから
わからないとそこで止まっちゃうし
自分の理解力不足にストレス
感じるんだよね
他人の日記は本人にしか
わからなくて当然って
態度で読める
これから
全部の小説
…いや
あらゆる書籍を
他人の日記と
思って読むよ！

あながち
間違ってない
かもしれない……

編集後記

◆2020年代は世界中で大変な出来事が続くばかりですが、そんななか今年も無事に『ＳＦが読みたい！』をお送りできました。「ベストＳＦ2022」のランキングを見てみれば、国内篇・海外篇とも宇宙とファーストコンタクトをテーマにしたＳＦがトップを飾っています。感染症や戦争、さまざまな問題が山積みの地球で生きていかなければならない今だからこそ、想像力の世界では遠い異星の生物や遙かな未来へと思いを馳せてみるのも良いのではないでしょうか。どんな時代であろうと、ＳＦが自由な文学であり続けることを願っています。

◆一読者としても毎年各社の刊行予定をいただけるのを楽しみにしているp.112からの「このＳＦを読んでほしい！」。そこでも言及のとおり、早川書房からはドゥニ・ヴィルヌーヴ監督の『DUNE/デューン 砂の惑星』パート２公開にあわせ原作小説の第２・３部新訳版や、カート・ヴォネガットの幻の初訳、劉慈欣衝撃のデビュー作などをお届け予定。この２月下旬には陸秋槎による初のＳＦ短篇集『ガーンズバック変換』も刊行します、どうぞお楽しみに。

◆ＡＩの進歩が日々社会を揺るがせている真っ最中ですが、昨年末に発売された〈ＳＦマガジン〉２月号ではそのものずばりの「ＡＩとの距離感」特集をお送りしました。創作とＡＩをめぐる特集小説や座談会など、楽しい企画が満載です。そして４月号は津原泰水氏の追悼特集。その唯一無二の功績を辿ります。

2023年2月10日　初版印刷
2023年2月15日　初版発行

編　者　SFマガジン編集部
発行者　早川　浩
発行所　株式会社早川書房
〒101-0046東京都千代田区神田多町2-2
電話　03-3252-3111
振替　00160-3-47799
https://www.hayakawa-online.co.jp
印刷所　精文堂印刷株式会社
製本所　株式会社フォーネット社

ISBN978-4-15-210208-9 C0090